O alforje

O alforje

Tradução **Rubens Figueiredo**

Porto Alegre • São Paulo • 2022
2ª edição
2ª impressão

BAHIYYIH NAKHJAVANI

Copyright © 2000 Bahiyyih Nakhjavani
Título original: *The saddlebag*

CONSELHO EDITORIAL Gustavo Faraon e Rodrigo Rosp
CAPA E PROJETO GRÁFICO Luísa Zardo
REVISÃO DA TRADUÇÃO Julia Dantas
REVISÃO Raquel Belisario e Rodrigo Rosp
FOTO DA AUTORA Arquivo pessoal

Dados Internacionais de Catalogação na Publicação (CIP)

N125a   Nakhjavani, Bahiyyih
         O alforje / Bahiyyih Nakhjavani; trad. Rubens
         Figueiredo — 2. ed. — Porto Alegre: Dublinense, 2019.
         256 pág.; 21cm

         ISBN: 978-85-8318-127-9

         1. Literatura Iraniana. 2. Romances Iranianos.
     I. Figueiredo, Rubens. II. Título.

                                                 CDD 891.5

Catalogação na fonte: Ginamara de Oliveira Lima (CRB 10/1204)

Todos os direitos desta edição
reservados à Editora Dublinense Ltda.

EDITORIAL
Av. Augusto Meyer, 163 sala 605
Auxiliadora • Porto Alegre • RS
contato@dublinense.com.br

COMERCIAL
(11) 4329-2676
(51) 3024-0787
comercial@dublinense.com.br

Para
The Dawn Breakers

Mapa

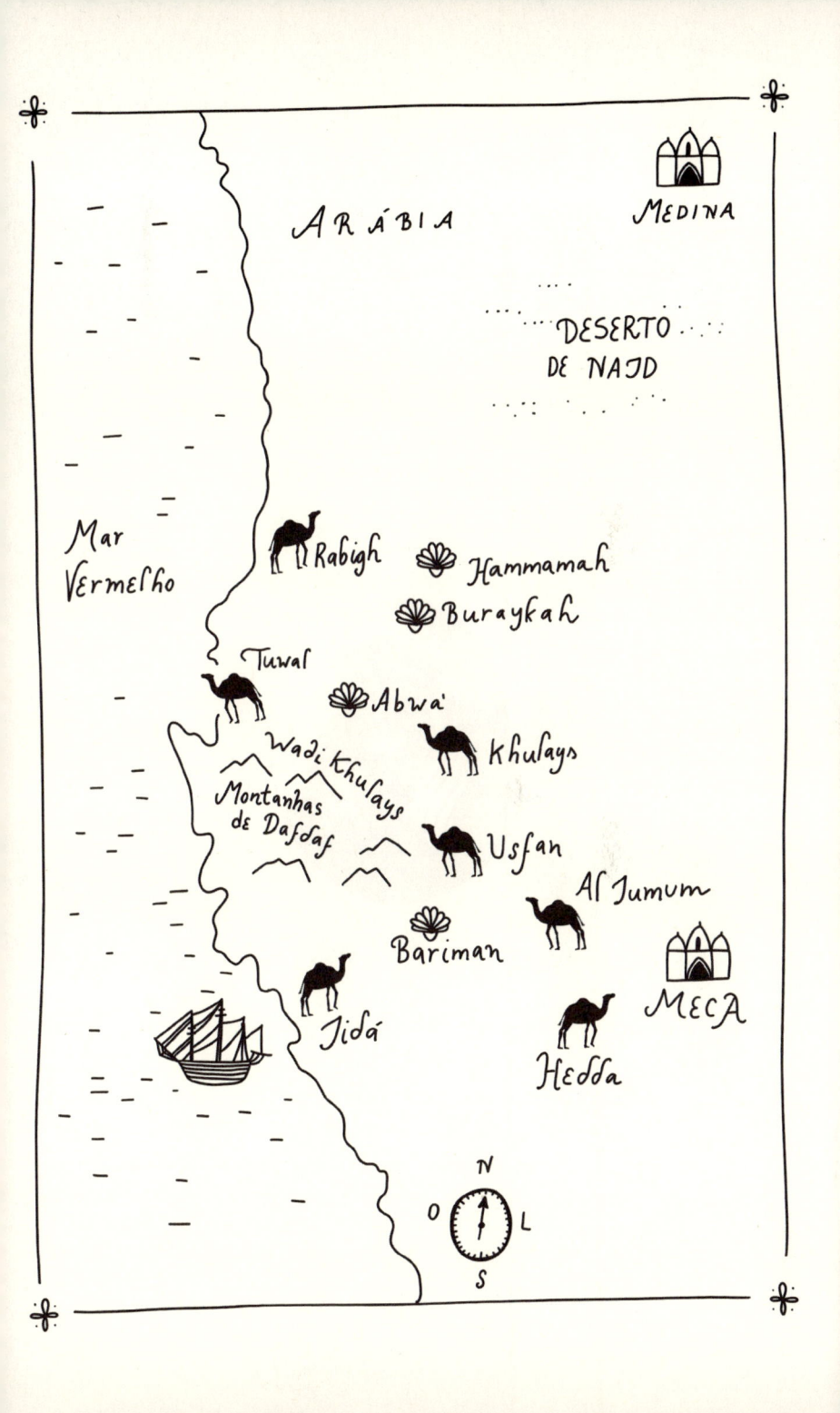

- **Arábia**
- **Medina**
- **Deserto de Najd**
- **Mar Vermelho**
- Rabigh
- Hammamah
- Buraykah
- Tuwal
- Abwa'
- Khulays
- Wadi Khulays
- Montanhas de Dafdaf
- Usfan
- Al Jumum
- Bariman
- Jidá
- **Meca**
- Hedda

N · O · L · S

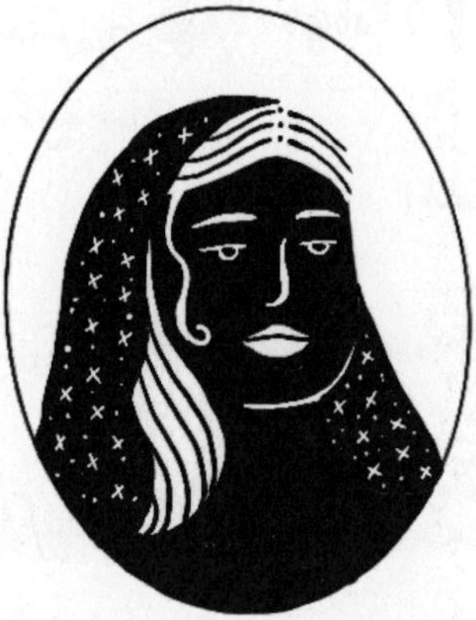

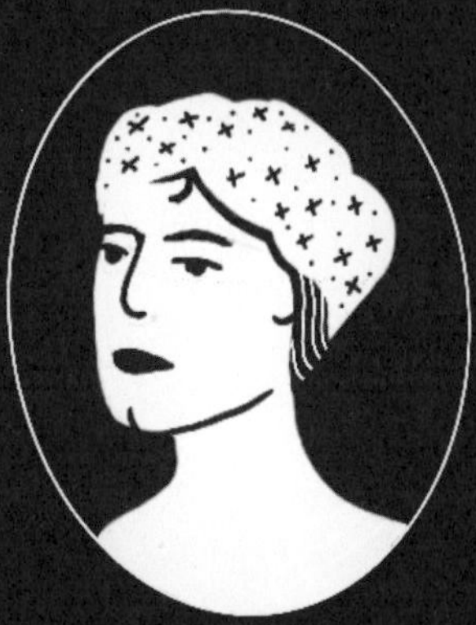

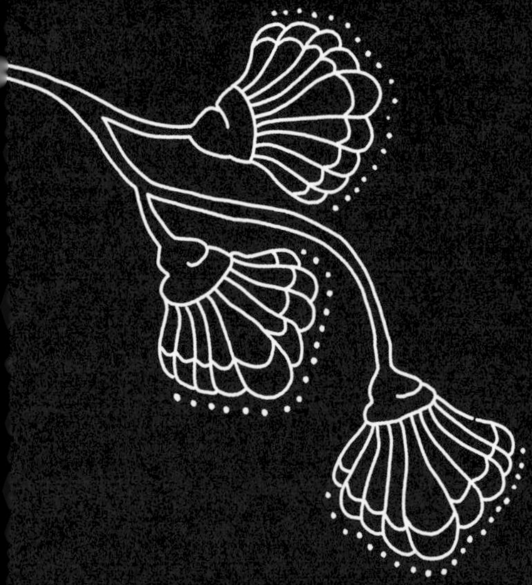

O Ladrão 13

A Noiva 37

O Líder 65

O Cambista 93

A Escrava 123

O Peregrino 149

O Sacerdote 175

O Dervixe 207

O Cadáver 239

Glossário 251

O Ladrão

Havia um Ladrão que ganhava a vida roubando os peregrinos na estrada entre Meca e Medina. Era um Beduíno que havia nascido nas dunas e nunca teve pai. Os sacerdotes também eram estranhos para ele, que nunca deu importância ao profeta ou às suas leis. Como foi criado por várias mães, as quais tinham morrido, todas elas, antes que ele aprendesse a arte de bater carteiras, o Ladrão recebeu pouco amor e nenhuma instrução. Mas sempre fora livre.

Para o Beduíno, liberdade era o ar do deserto que ele respirava. Esse era o espaço aberto do possível, entre o conhecido e o negado, o espaço desabitado da expectativa entre fatos aparentes. Ele havia nascido com essa herança de vazio; era um legado que ganhara de graça. Ainda menino, sabia o valor daqueles sentidos que tinham de ser imaginados como reais. Porém, ele ainda precisava definir, por si mesmo, aquela liberdade.

Descobriu que os habitantes da cidade não confiavam em tal liberdade: temiam suas interpretações sem limites; tentavam controlar sua miríade de significados nas fronteiras dos desejos e muros humanos. O único lugar em que ele havia encontrado vestígios disso, em vilas abarrotadas de gente e em aldeias miseráveis, foi em jardins secretos onde árvores frutíferas vicejavam. A vastidão extensa da imaginação ainda florescia lá, onde a liberdade respirava, como a memória de uma flor de laranjeira. Mesmo ali, sozinho, um grão de liberdade podia germinar num espaço restrito. Mas não era o bastante para o Beduíno. Ele almejava as imensidões desimpedidas.

Era por isso que o deserto era a sua lei: pura como uma folha virgem de papel em branco, a liberdade inexplorada do deserto acenava para ele. Ali, conjeturar continuava a ser um direito de nascença, e a ausência de provas era indício suficiente da imortalidade. Aquelas areias em movimento admitiam interpretações infinitas; aqueles morros e vales proporcionavam oportunidades sem fim para as suposições. E, embora tivesse ficado órfão muito jovem, ele nunca se sentira abandonado, pois o deserto sempre ecoou diversas vozes em sua cabeça. O deserto foi a mãe e o pai para ele, foi professor, amante e guia.

Apesar de analfabeto, o deserto fez dele, também, um erudito. Descobriu todos os tratados que se escondem nas tempestades de areais; leu mil poemas inscritos no horizonte vasto. Quando a alma estava sem máculas, como na aurora, ele era capaz de entender a linguagem da areia. Aos vinte anos, conhecia os caminhos secretos entre as fendas dos penhascos e conseguia ler charadas nas dunas em movimento. Analisava cada nuvem de poeira pela manhã e ao anoitecer, lia mensagens da lua em todas as suas fases e era capaz de reconhecer a voz de cada uma das estrelas. O vento era sua religião e o planeta Vênus era seu amor e ele tinha descoberto os sinais da vontade deles nas pedras e nos vales do deserto. Acima de tudo, sabia como se esconder, roubar e desaparecer nas valas da estrada, entre Jidá e as cidades gêmeas sagradas. E foi por essa razão que se juntara a um grupo de bandoleiros que o usaram como guia.

Era um passo curto, de bater carteiras para servir bandoleiros, da curiosidade para a cobiça. Desde a infância, o Beduíno havia espionado quem parava nos santuários à beira da estrada e entreouvido suas conversas perto dos poços, nas aldeias. Foi assim que descobriu os propósitos dos peregrinos, entendeu suas fraquezas e os emboscava pela estrada entre as cidades sagradas. Às vezes, os convencia a contratá-lo como guia especial. Mas a vida de um ladrão solitário era dura, pois os perigos do deserto residem menos nas areias movediças do que nos homens. Em troca de sua ajuda como guia, os bandoleiros ofereciam ao Beduíno proteção contra outros saqueadores e a segurança de não se ver acossado nas mãos de tribos selvagens. O líder deles precisava daquele rato do deserto para ajudá-lo a localizar e atacar as caravanas ricas antes que seus rivais o fizessem. E, até certo ponto, ele também precisava deles.

O bando de desalmados bandoleiros era violento e cruel, mais perigoso do que o Ladrão; todos aqueles homens tinham fugido para as dunas a fim de salvar suas vidas, ao passo que o Beduíno havia nascido lá. Alguns haviam assassinado homens e estavam prontos a matar outros; mantinham-se unidos pela tirania e, portanto, podiam opor-se a ela. E, como eram mais astutos do que ele, ajudavam o rapaz a sobreviver, pois, como ladrão, não era grande coisa, aquele Beduíno.

Devia seu sustento menos aos peregrinos do que a certa capacidade de distinguir a piedade social da fé sincera. Sempre ganhou mais observando do que roubando. Quando menino, topou com um peregrino, prostrado nas areias, que continuou a meter o dedo no nariz tranquilamente durante suas orações, e a ironia lhe chamou tanto a atenção que, apesar da vulnerabilidade do homem, se esqueceu totalmente de seus bolsos promissores. Mal tinha idade para apalpar a hipotética barba, quando outro lhe fez uma proposta indecorosa no café e, em consequência de sua incredulidade, em vez de uma carteira gorda, levou umas chicotadas. Numa terceira ocasião, na mocidade, ficou tão espantado com a duplicidade de um homem que, enojado, fugiu daquele hipócrita devoto, sem recolher nenhuma simples moeda. Como a sinceridade é uma mercadoria rara, o Ladrão adquiriu um gosto especial por ela.

No entanto, não conseguia entender a religião dos peregrinos. Como todos os fanáticos, tendia a desdenhar as doutrinas deles como se fossem pura fantasia e preferir as próprias. Na maioria, eles se declaravam tementes a Deus e bons crentes, mas, aos olhos do Beduíno, pareciam devotar-se a uma entidade nula, na qual ele não conseguia reconhecer o Único, que o fazia ter calafrios de fervor à beira da areia movediça ou tremer de medo na borda de um abismo. O deus deles exigia gestos exteriores demais e pouco daquele terror interior pelo qual ele avaliava a presença do Divino. Alguns deles, como o homem vindo de terras estrangeiras com quem fizera amizade recentemente, escondiam motivos suspeitos e não confiáveis por baixo do manto da religião. Durante todos os anos em que foi ladrão, não encontrou muitos que dessem mais valor à sua fé do que à sua posição financeira. Como havia concluído que o deus deles não era o seu, não tinha nenhum escrúpulo de roubá-los.

No entanto, em função da indigência extrema, havia ocasiões em que ele também ficava tentado a abandonar sua filosofia de pés descalços e pedir esmolas, sob o disfarce da devoção. E foi dessa concessão terrível que os bandoleiros vieram salvá-lo. Encontraram-no pedindo esmolas na estrada para Meca e o humilharam com suas pragas, nas quais ele não sentiu haver nenhuma blasfêmia; fez, então, um trato com eles, a fim de manter uma aparência de liberdade. Abriu mão de sua solidão a fim de seguir sua fé. Sua opção de ficar com eles envolvia certa renúncia à liberdade, mas ele ainda era jovem o suficiente para acreditar que era livre. Aceitou a proteção deles, porque ainda não tinha provado o gosto de todas as humilhações das concessões. Por causa desse contrato, ele se mantivera fiel a si mesmo até então. Fiel também a seus sonhos queridos. Seu objetivo na vida era se tornar rico como um príncipe do reino.

Caso revelasse aqueles sonhos, mostraria aos bandoleiros que aquele Ladrão não só carecia de perspicácia, como era um inocente excêntrico. No entanto, isso não ficou imediatamente claro.

Seus olhos eram aguçados e penetrantes como os de um falcão, e tinham uma cor desconcertante: vazios para o céu azul, a fim de refletir o que pudesse ser visto no horizonte, e verdes quando voltava seu olhar para a face humana. Às vezes, tinham uma estranha coloração amarela, de que as pessoas se lembravam, mais tarde, com alarme. Seu nariz também parecia o bico de um falcão e sua pele era endurecida pelo sol e quase preta. O cabelo, prematuramente cinzento de poeira, era embolado em mechas e tufos andrajosos, e ficava preso na testa por uma bandana de um tecido que, no passado, tinha sido azul anil. Movia-se na velocidade da luz e mal deixava um traço atrás de si, pois não era alto nem pesado, mas pequeno, ágil, esguio e sutil. Era um homem selvagem.

Contudo, apesar dos olhos perturbadores e do nariz pontudo, apesar do aspecto primitivo e cruel, era um sonhador, esse Beduíno. Era um romântico. Às vezes, ouvia vozes. Falavam com ele no vento; sussurravam para ele nos redemoinhos de areia. O deserto estava repleto de vozes, e lhe diziam para nunca fazer concessões a ninguém, apenas servir às estrelas, à lua e ao sol. Eram as vozes da liberdade, e seu coração, com seus anseios, fazia eco ao que diziam. Os outros bandoleiros diziam que ele era um covarde, porque não se erguia e lutava contra outro homem: preferia dar as costas e correr. Só que não compreendiam que era assim porque ele amava sua liberdade de forma absoluta. Entretanto, escutava as vozes dos homens também, a fim de servir melhor aos bandoleiros. E, embora tapasse os ouvidos para as vozes na mesquita, ficava alerta para as vozes no mercado. Quando os peregrinos deixavam de lado seus livros de orações e falavam com sua própria voz, ele os seguia por todo o caminho, pelos becos tortuosos e pelos labirintos de muros altos de seus temores e esperanças. Pois aquelas vozes humanas refletiam as preocupações mundanas dos peregrinos e forneciam um mapa de seus anseios. Quando discutiam entre si, quando pechinchavam, quando se queixavam, ele conseguia decifrar a trilha que levava à riqueza ou à pobreza. Ele se tornara um ouvinte perspicaz e conseguia seguir as vozes dos homens, dos lábios até os bolsos.

Certa noite, depois de alguns anos a serviço dos bandoleiros, o Ladrão ouviu boatos numa estalagem de beira de estrada, sobre um mercador rico e sua caravana, que iria passar nos próximos dias. Tão abundante era a riqueza das pérolas e das joias em sua carga, disseram eles, que seu brilho fazia o sol se pôr e esquecer-se de nascer outra vez. Tão carregadas estavam as mulas e os camelos de sua caravana que chegavam a entalhar uma trilha de ouro puro nos caminhos pedregosos. Ali havia prata que superava o brilho da lua, murmuravam eles, e toda a riqueza do oriente contida em poucos alforjes. Ali havia doces e especiarias próprias para um casamento ou para um velório! Segundo alguns, aquele mercador vinha de Shiraz e estava fazendo seu haje; segundo outros, era de Bushir e estava a caminho de Damasco a fim de cuidar de seus negócios. Todas as contradições sobre sua origem e as conjecturas sobre seu destino convergiam, no entanto, na convicção geral de que sua riqueza era vasta e digna de ser roubada.

Claro, já houvera muitos boatos desse tipo e muitos assaltos subsequentes ao longo dos anos. Nenhum se revelou de fato tão enriquecedor como o previsto. Mas o Ladrão sentiu que aquela era uma história diferente das demais. Por algum motivo, a atração daquele tesouro parecia mais sedutora do que antes; o mercador parecia mais rico do que qualquer outro; sua caravana parecia prometer mais opulência do que os bandoleiros jamais haviam sonhado. A ansiedade os deixava embriagados pelos próprios sonhos. E o Ladrão também dava rédea solta a seus sonhos.

Naquela noite, em volta de suas fogueiras no deserto, quando planejavam uma emboscada com seu guia, o líder chamou o Beduíno para ficar a seu lado. Diante dos demais, ele o abraçou e lhe deu para beber em sua caneca. Era uma honra sem precedentes. Iam dividir os bens roubados entre todos, como era o costume, mas daquela vez o Beduíno compreendeu que ele ia ganhar a maior fatia do bolo. A maior fatia, isto é, depois que o líder tivesse tirado o grosso do butim, que era sua cota pessoal. Era um sinal de que ele, o Ladrão, o Beduíno, o rato do deserto, estava se tornando um membro do bando. Os bandoleiros saudaram com prazer e, em segredo, cuspiram na areia a seus pés; saudaram em voz alta e trocaram olhares de lado, em que a inveja lutava contra a desconfiança. Os sorrisos apagados ocultavam resmungos de ciúmes e eles se remexeram, incomodados, como chacais em torno do fogo. Naquela honraria, havia algo de que não gostavam.

O líder os ignorou e bebeu à saúde do Beduíno, olhando fundo nos seus olhos enigmáticos. Beijou-o nas duas faces, à luz faiscante da fogueira, e abraçou-o apertado junto ao coração pela segunda vez. Tinha começado a amar aquele guia, com seu torso sinuoso e as pernas semelhantes a cordas. Não se podia chamá-lo de homem propriamente, mas tinha espírito, ao contrário do resto dos chacais. Ele havia decidido promover o Beduíno, torná-lo seu favorito.

Dizia-se que cada beijo recebido do líder valia uma fortuna e também podia custar outra. Seus abraços tinham mais valor do que adagas com pedras preciosas incrustadas e eram igualmente perigosos. No passado, o Beduíno desejara muito aquelas distinções. Houve um tempo em que tais provas de amor e confiança teriam atiçado seu orgulho, tanto quanto a aventura o empolgava.

Mas algo tinha mudado. O que ele buscava agora? Qual era seu problema? Suas vozes estavam inquietas. Murmuravam para ele nas dunas solitárias. Sussurravam sobre as areias movediças que espreitavam entre os pés dos bandoleiros. No entanto, ele ainda amava seu líder. Ali estava a chance para se tornar seu verdadeiro irmão de sangue entre os demais. Não era isso que ele sempre quis? Quando o líder o abraçou, ele sentiu-se distante. "Fuja", sussurravam as vozes, "antes que você perca sua liberdade e não possa nunca mais escapar!". Deveria ele obedecer?

Ficou sentado ao lado do líder, observando como roía os ossos dos cordeiros e depois os atirava, um por um, para a escuridão, além da fogueira. O homem estava acostumado a tomar e possuir tudo o que desejava; tinha a opção entre três esposas em suas tendas naquela noite, e a mulher mais bela do último assalto. Ele observava como o líder lambia dos lábios a gordura dos ossos do cordeiro, palitava as fibras de carne entre os dentes, e sabia que mais paixões esperavam por ele sob a lua nua do deserto e que havia mais realizações no lânguido olhar da estrela Vênus do que nos sonhos de luxúria e poder do líder.

Examinou com atenção também o círculo de bandoleiros à sua volta, de caras ferozes sob as estrelas radiantes, e entendeu que suas almas já haviam sido tomadas e possuídas. Observou como eles se remexiam, inquietos, e chutavam a areia a seus pés, escutou suas risadas tristes como o ruído dos uivos noturnos à sua volta, sentia mais do que via, na penumbra escura, os ciúmes vorazes daqueles homens. E compreendeu que estavam acostumados a invejar aquilo que nunca poderiam ter e que sempre teriam ódio dele, porque ele nunca os invejaria. Seus sonhos eram diferentes. A lua nova subiu acima das dunas límpidas e o Beduíno leu seu destino no ângulo dos braços abertos da lua. A noite estava fria e o Beduíno tremia com a traição da brisa, que remexia seu cabelo. A lua trazia uma mensagem para ele; a brisa amarga, outra. A lua era sua advogada; a brisa, sua acusadora. A lua testemunhava que o contrato tinha mudado, a hora tinha chegado. A brisa sussurrava que aquele momento havia muito tempo estava chegando e que os termos do contrato estavam vencidos.

Mas os bandoleiros ignoravam a mensagem na brisa pérfida, que agitava o ar da noite e obrigava todos eles a se enrolarem mais apertados em sua jelaba. Eles não se davam conta de que aquele Ladrão já não era mais o que tinha sido. A despeito de sua falta de astúcia, tinha aprendido que, como membro do bando, seus furtos continuariam sempre a ser mais minguados. A despeito de sua falta de experiência das coisas do mundo, não queria dividir com eles o butim. Os bandoleiros também tinham sentido muitas vezes aquela brisa amarga, só que não compreendiam a mensagem muito mais assustadora que ela lhes trazia naquela noite. Não sabiam que já fazia alguns meses que o Ladrão vinha acumulando economias depois de cada assalto e escondera suas moedas num lugar secreto, nos montes. Não sabiam que ele vinha esperando, com impaciência, a ocasião de separar-se deles e colher, sozinho, os frutos do roubo. Acima de tudo, não sabiam como ele se atormentava por ter de submeter-se à decisão do chefe sobre a quantia do butim que lhe cabia. Se eles fossem capazes de avaliar a natureza daquele trêmulo ar da noite, teriam compreendido que não era a maior fatia que o Beduíno queria. Era fatia nenhuma!

O próprio Ladrão ouviu a brisa traí-lo, embora seus companheiros não ouvissem. Também ouviu a lua defendê-lo, mas parecia que o líder não ouvia, embora ela falasse com eloquência a seu favor. A lua citava exemplos das estações passadas, apresentava provas claras da necessidade de renovação e renúncia. Insistia que, embora o trato original, quando ele era jovem, fosse trocar sua liberdade por proteção, agora como homem ele preferia a liberdade a qualquer preço. No exato momento em que mais se distinguia por seus serviços entre os bandoleiros, o Ladrão se tornara menos dependente deles. A lua nova era tão convincente em seus argumentos que de fato o líder, por um momento, ergueu o rosto na direção dela. Só que ele não estava escutando. Nem seus homens. Mesmo quando as estrelas apresentaram provas, uma por uma, ninguém pareceu consciente de que o tempo havia mudado, os termos do contrato tinham sido substituídos, tinham irrevogavelmente se modificado. Porém, nem a defesa nem a acusação podiam se equiparar à zombaria do deserto naquela noite. Nada podia competir com a vergonha do Beduíno em face da própria hipocrisia. Suas vozes riam dele, enquanto os bandoleiros erguiam as canecas e festejavam sua fortuna. Escarneciam dele, agachado no círculo da fogueira crepitante. Um belo covarde, sussurravam as vozes em seu ouvido, caso permanecesse com os bandoleiros, só para se trair. Mais hipócrita do que qualquer peregrino!, caçoaram elas, mais mentiroso do que qualquer miragem! Se existia diferença entre o que ele sentia e o que fazia, que diferença haveria então entre ele e as pessoas que desprezava e roubava? Não seria ele até mais desprezível do que os peregrinos charlatães? No passado, quando ouvia o simples murmúrio de tal zombaria, fugia para o deserto a fim de se purgar da vergonha até poder voltar. Agora sabia que, se permanecesse entre os bandoleiros, não seria mais capaz de fugir, pois aquela aparência falsa se interporia entre ele e a lua, as estrelas, o vento e o sol.

Mas havia um motivo para ele não ter ainda abandonado os bandoleiros. Temia a vingança. Seus temores zumbiam dentro de sua cabeça como moscas no calor dos poços de água parada no pântano; emitiam gritos agudos de alerta, como os abutres que rodopiavam no alto. O líder tinha um insaciável apetite de vingança e era cruel com aqueles que julgasse traidores. O Beduíno sabia que, se fugisse, o líder iria caçá-lo e matá-lo. Não descansaria até conseguir fazer isso; não desviaria desse caminho. Sabia que, se fugisse, os bandoleiros iriam persegui-lo onde quer que ele se escondesse, iriam apunhalar o antigo guia pelas costas, cortar seu pescoço, sua língua e sua virilidade e iriam mergulhar as mãos em seu fígado e em seu coração. Eram sedentos de sangue e sua vingança era mortífera. Toda vez que pensava em fugir, as vozes dele sibilavam que fugiria rumo à própria morte.

Só havia um modo possível para resgatar sua liberdade e viver, pensava ele, e esse modo era ser rico como um príncipe do reino. Pensar dessa forma talvez fosse o maior sinal de sua ingenuidade. Parecia mais uma fé do que um pensamento de fato e tinha uma voz simples e ardorosa. Repleta da esperança do dia, ela se acumulava nos vales de seu coração como uma neblina da manhã, quando ele despertava de uma noite de sonhos tormentosos. Fresca como o orvalho, a ideia lhe falava com uma voz que prenunciava as bênçãos da alvorada. Garantia a ele que havia um modo de sair do dilema. Dizia que, se a sedução da riqueza roubada fosse grande o suficiente, se ele pudesse roubar o bastante só para si, se conseguisse subornar os bandoleiros para que o deixassem fugir, então não precisaria mais servir a ninguém. Se ele conseguisse ser rico como um príncipe do reino, poderia alcançar a liberdade absoluta que tanto desejava.

E agora parecia que a oportunidade estava em suas mãos. Desde que ele havia ganhado a confiança do líder e sido destacado como merecedor de favores especiais, os bandoleiros não tinham mais razão para suspeitar de sua traição. Se a caravana estivesse tão abarrotada de ouro e pedras preciosas como tudo parecia indicar, talvez fosse a sua oportunidade de roubar o suficiente para comprar sua liberdade. Talvez pudesse se tornar tão rico quanto um príncipe do reino! Fascinado pela possibilidade, o Beduíno sucumbiu às suas vozes incansáveis. Naquela mesma noite, depois de ter servido fielmente aos bandoleiros por alguns anos e enfim ter obtido sua aceitação, depois de ter recebido um favor especial, acima de todos os demais, e avaliar a ponta da adaga do amor de seu líder, o Ladrão roubou seus mestres e desapareceu no deserto.

☼

Durante todo o primeiro dia de sua liberdade, ele se esgueirou por um vale de dunas traiçoeiras à frente dos demais bandoleiros. "Se estiverem me seguindo", pensou, "vou guiá-los rumo às areias movediças". Mas não vinham atrás dele. No segundo dia, esperou numa passagem estreita perto da beirada de uma ravina profunda, bem escondido pelas pedras de uma montanha. "Se estiverem me seguindo agora, vou empurrá-los para o abismo, um por um, e fugir pela encosta do penhasco", pensou. Mas não estava sendo seguido. No terceiro dia, topou com um poço solitário num trecho árido da estrada entre Meca e Medina. Era um local onde os peregrinos costumavam parar, pois nos velhos tempos tinha sido um santuário, agora em ruínas; um bom local para saquear a caravana desprevenida antes que ela chegasse à emboscada principal, que a aguardava mais à frente. Havia uma casa sem telhado, meio desmoronada, entre as rochas, onde ele podia se esconder ao lado de um velho poço seco; mas um poço novo brotava na estrada ali perto, tentando os viajantes a parar e beber até se fartarem. "Se me encontrarem aqui", pensou o Beduíno, "vou descer para o fundo do velho poço e fugir pelas valas que levam ao poço novo". Porém, eles não o encontraram. Talvez nem estivessem seguindo o Beduíno. E onde estava a caravana?

O Beduíno começou a sentir-se frustrado. Não passava nenhuma caravana abarrotada de riquezas e nenhuma tropa de bandoleiros itinerantes vinha em seu encalço. O Beduíno começou a ponderar fundo no coração. Começou até a questionar os boatos que tinha ouvido. E começou a temer, temer os passos à espreita que agora, pelo resto da vida, ele estava condenado a ouvir, atrás de si, e temer a vingança do líder. Pior de tudo, começou a duvidar de suas vozes. Durante as horas longas e quentes do terceiro dia, ele remoeu em pensamentos a maneira como seus companheiros haviam inventado os rumores sobre o rico mercador e sua caravana só para iludi-lo, e como o líder dos bandoleiros tinha feito suas promessas só para enganá-lo. E como todos haviam planejado sua morte, porque não tinham mais necessidade dele. Começou a duvidar do deserto, que havia lhe dito para se esconder naquele vale desolado, entre os penhascos altos e o santuário em ruínas. Não deveria ter ficado talvez no caravançará, um farsang antes? Lá pelo menos ele poderia conferir de novo a veracidade dos boatos. Mas também lá correria o risco de se encontrar com os bandoleiros. Ou teria sido melhor ficar mais perto da emboscada deles? À medida que o sol baixava indiferente no céu ocidental, o coração do Ladrão se tornava tão seco quanto a poeira em seus lábios, e as areias ofuscavam seus olhos amarelados. Naquela noite, ele não recebeu a visita das formosuras da estrela da noite, enquanto aguardava, com frio e cãibras, perto do poço. Foi cortejado pelo espectro do desespero.

Por fim, na quarta aurora, quando estava à beira de desistir, avistou algo que se aproximava, vindo da direção da cidade sagrada. Algo como um aceno do horizonte distante, um encontro marcado com o nascer do sol. No início, pouco podia enxergar. Depois, as imagens nebulosas do início da manhã desvelaram seu significado e ele distinguiu, aos poucos, três vultos que se aproximavam. Três notas soaram contra o silêncio, o chamado da alvorada iminente. Os vultos cintilaram, acenaram, velaram-se e depois emergiram afinal: três homens no horizonte remoto.

Era uma linguagem diferente da que ele fora induzido a esperar. Pouco tinha a ver com a grande caravana que tinha esperança de avistar, mas ele se escondeu às pressas nas ruínas junto ao poço e aguardou, contando as pulsações na garganta. Quando os vultos se aproximaram e se destacaram da névoa trêmula, distinguiu que um dos três viajantes era um jovem em trajes de peregrino, montado num camelo. O outro era um jovem que vinha puxando a rédea do camelo e caminhava como se estivesse à frente de uma pessoa de grande importância. O terceiro era um escravo negro.

Não havia nenhum séquito nem caravana opulenta, mas os raios do sol nascente douravam as tiras de couro de um gordo alforje sobre o dorso do camelo e o olho aguçado do Ladrão identificou uma pérola oriental pendente na orelha esquerda do escravo. Não havia nenhum séquito e nenhuma caravana opulenta, mas ele ficou impressionado com os sinais de acentuada deferência que o jovem demonstrava pelo peregrino montado no camelo, um jovem cuja nobreza de atitude era perceptível mesmo àquela distância. Não havia nenhum séquito e nenhuma caravana opulenta, mas — "lá vem um jovem e pomposo alcoviteiro em sua peregrinação", pensou o Ladrão, "lá vem um charlatão rico, disfarçado para parecer pobre como eu e se esquivar da atenção. Se este meu olho merece alguma confiança, lá vem um principezinho hipócrita e esperto que pôs toda sua fortuna num único alforje. Mas ele não consegue me enganar! Deve ser um mercador!".

Estava na hora das preces da manhã e, quando as esperanças do Beduíno renasceram, ele ergueu para o céu os olhos castanho-claros. Vênus cintilava como um beijo prolongado no horizonte de veludo, e o coração do Ladrão cantou de desejo. Pensou que a sua senhora, a Fortuna, o havia abandonado, mas será que ela ainda o amava? Ele soprou uma invocação dirigida a ela, pediu que seu mercador fosse um devoto e, com todo o coração, quis que ele parasse ali, e então, à medida que o camelo ia chegando mais perto, seus olhos foram se tornando verdes como o turbante na cabeça do jovem. A maioria das pessoas tinha esquecido o significado do santuário em ruínas quando o antigo poço secou, e também poucos sabiam do poço recém-aberto. Porém, como era o primeiro dia do Moharram, o mês sagrado do luto, quem sabe aqueles peregrinos não queriam rezar? Se eles se orgulhavam de suas devoções, talvez parassem ali e descobrissem a água fresca.

Como que por um lance de sorte, o mercador parou a fim de fazer suas abluções. Em sua alegria, pareceu ao beduíno que o poço transbordava de vozes jubilosas que gritavam contentamento. O entusiasmo do Ladrão foi tamanho que quase desejava que os viajantes se virassem e o vissem. Mas não fizeram isso. Enquanto o escravo negro descarregava o camelo, seu mestre desmontava e se aproximava do poço. Lavou o rosto e as mãos na cantante alegria das águas e se pôs de joelhos para rezar, sob o olhar do jovem. Depois de rezar, colocou o alforje no chão, ao seu lado.

O Ladrão olhou para aquilo com cobiça, seu corpo tenso como uma mola. Até aí, tudo bem. O peregrino era devoto, pelo menos nas palavras. Se for devoto nos atos, pensou ele, será ainda melhor para a condição de sua alma. Tudo dependia da combinação perfeita das preces do mercador com sua própria discrição sutil. "Que eu pise bem de leve e que ele reze até apagar!", pensou o Ladrão. "Quem sabe aquele alforje seja capaz de ofuscar o sol?". Parecia bastante fornido e bastante pesado; sua voz era grossa e zumbia mistérios. Se a sorte do Ladrão persistisse, quem sabe o alforje acabaria passando para suas mãos? "Agora", pensou ele, dirigindo-se ironicamente à suspeita divindade dos peregrinos, que ele tinha aprendido a desprezar, "agora, que o deus falso deles se mostre verdadeiro, pelo menos uma vez, e me transforme num teste para a devoção dessa gente".

Esperou que os três viajantes se prosternassem antes de sair de seu esconderijo, sorrateiro como uma serpente. Em segundos, já havia se apoderado do alforje e começado a correr.

O mercador estava absorto em seus cânticos e preces e parecia não ter a menor consciência do furto, mas o jovem ficou distraído por um momento. "Uh!", pensou o Beduíno, enquanto as areias escaldavam as solas dos pés, "é isso que você ganha por sua devoção, meu velho!". Estava exultante com o peso do alforje. Mas sua ação já havia levado o escravo negro a erguer-se de um salto e disparar em sua direção. "Ah!", pensou o Beduíno, enquanto se esgueirava entre eles como um sussurro do vento, "As preces do escravo são menos devotas!". Mas seu coração batia com temor, e a respiração quente de seu perseguidor alcançava seus ombros. Nesse exato momento, o mercador, que ainda entoava suas preces, ergueu a mão em sinal de alerta. Sua voz nunca vacilava, seu cântico nunca se alterava e seus olhos continuavam fechados, mas ele ergueu a mão e acenou, chamando o servo de volta.

O Beduíno viu o gesto pelo canto dos olhos. Foi tão peremptório, tão impositivo, que se sentiu compelido a obedecer, mesmo a contragosto. Sentiu as pernas pesadas, os pés mais vagarosos. "Não corra!", sussurraram suas vozes, traiçoeiras. "Nem pense em tentar correr! Liberdade é obediência!". Ele quase deixou o alforje cair.

Como foi que aconteceu? Quem podia comandar suas vozes? O Ladrão ficou meio estupefato. As areias zombavam dele; as dunas movediças riam dele sem coração; o elevado penhasco, no alto, lançou um grito de escárnio que abalou os degradados alicerces de sua confiança. Só à custa da maior força de vontade ele conseguiu obrigar os próprios pés a continuarem em movimento. "As preces desse homem são as mais fortes que existem", murmurou consigo, "se conseguem dominar minhas vozes!". Ficou apavorado. Sabia que, a qualquer momento, o escravo poderia alcançá-lo e pôr as mãos nele, mas, para seu espanto, o homem de repente parou de persegui-lo. Tinha obedecido! O jovem também retomou suas devoções, como se nada tivesse acontecido. E as preces prosseguiram.

O Beduíno relaxou o passo por uma fração de segundo a fim de espiar por cima do ombro, incrédulo. Os três estavam prostrados na areia. O jovem tinha baixado a cabeça e movia os lábios em silêncio agora, de olhos fechados. O servo tinha se estirado no chão, os longos dedos negros esticados sobre a areia, à frente da cabeça nua. O mercador, que não interrompera nem por um instante seus cânticos melodiosos, tinha chegado, naquele momento, a uma invocação. Voltou o rosto para o alto, num arroubo de devoção, e levantou as palmas das mãos em oração. Chamava o nome do Ordenador, do Todo-Poderoso. Chamava Deus, o Que Perdoa os Pecadores, o Mais Misericordioso.

As belas palavras pareceram subir como o frescor da água pura se eleva da terra esturricada. As palavras se alçaram como um jorro de água na nascente do vasto horizonte. Elas inundaram as dunas do início da manhã com a luz límpida da aurora. O rosto do mercador, enquanto murmurava a invocação sagrada, era iluminado pelo sol nascente. Brilhava tanto que o Beduíno se viu forçado a desviar os olhos, ofuscado. Sentiu um familiar tremor de estarrecimento percorrer seu ser, um tremor que lhe falou de poderes inomináveis, que lhe falou de presenças infinitas. Sentiu um terror que lhe disse que aquela era a voz do Único, aquele que comandava suas vozes. E se virou e fugiu.

Correu como uma pedra lançada a distância, correu rumo ao alto penhasco, no outro lado da ravina, enquanto a mente reverberava, os pés bambos por efeito das irregularidades das pedras e do medo. Estava confuso. Bastaram poucos segundos para ele questionar tudo em sua vida, para se dar conta da futilidade de seu passado e da pobreza de seus sonhos de futuro. O som das preces matinais o seguia como um dedo de luz, enquanto ele fugia para os contrafortes das montanhas, ao longo das bordas sombreadas de suas próprias trilhas secretas, abraçando o alforje junto ao coração palpitante.

☼

Quando estava fora do alcance dos olhos e dos ouvidos dos outros, começou a balbuciar consigo mesmo de forma incoerente. Sem dúvida, estavam loucos, aqueles peregrinos! Não interrompiam suas preces confusas nem mesmo para ir atrás dele! Acossado por um pânico ao qual não conseguia dar nome, começou a rir histericamente, enquanto abria caminho pela ravina, escondendo-se atrás dos morros, e desatou a chorar em desespero enquanto galgava a encosta escarpada dos rochedos salientes, no outro lado. As sombras embaixo do penhasco elevado eram ameaçadoras e sussurravam alertas para ele, mas aquilo não era nada em comparação com o terror sem nome que assediava seus calcanhares. Ele se atirou rumo à encosta quase vertical e começou a escalar para o ponto mais alto, com uma diabólica sensação de urgência. Tinha amarrado o alforje nas costas a fim de se desvencilhar da sensação de mau agouro que o acossava, mas não era possível se desvencilhar. Embora pudesse ver, do outro lado do vale, perto do poço, que os três viajantes não haviam saído de seu local de orações, ele ainda se sentia perseguido. Eles tinham deixado que ele fosse embora e, mesmo assim, tinha a sensação de que havia sido capturado para sempre.

O que o deixava instigado era o fato do peregrino ter deixado que ele roubasse. Tinha roubado o alforje, porque o mercador havia deixado. O mercador tinha lhe dado aquela liberdade, ele não a havia tomado para si, como algo que era seu de direito. A diferença era imensurável e todo o seu mundo desmoronou no abismo que se abriu entre uma coisa e outra. Não era isso, nem de longe, o que ele pretendia quando fugiu correndo dos bandoleiros, quando escapou do líder e da sua "fatia do bolo". Ele não queria fatia nenhuma; mas não tinha acabado de receber uma? Não tinha imaginado essa possibilidade, mas não seria aquela uma nova opção, mais uma alternativa? "Aquele mercador lhe deu sua bênção", murmuraram suas vozes, de forma insidiosa. "Foram as preces dele que permitiram que você escapasse; talvez tenha sido até a vontade dele que você pudesse roubar! Que tipo de liberdade é essa?". Balançou a cabeça para se livrar do falatório perturbador lá dentro. Aquilo o levaria à loucura. A vasta passagem que se abria em sua mente ameaçava romper os confins da sanidade.

— O homem deve ser um lunático — gritou para os rochedos atentos. — E seus companheiros, uns tolos.

— Tolo! — replicaram os rochedos, em tom de zombaria. E o eco o fez tremer tanto que quase perdeu a pegada da mão e se viu obrigado a ficar parado um momento, seguro na rocha nua da escarpa, para não se desprender e cair. Teria ele posto à prova a devoção do mercador ou a sua própria devoção é que foi testada? Não seria ele mais tolo ainda, por imaginar que podia roubar aquilo que era dado de graça? A ideia lhe deu tal vertigem que ele sabia que ia acabar caindo de fato se olhasse para baixo. Por isso, continuou a subir.

Mas o milagre de tudo aquilo, pouco a pouco, à medida que galgava mais alto, se tornou quente em suas costas. Seu alegre ânimo animal retornou, à medida que o sol subia. Se lhe deram permissão para roubar, ora, danem-se as consequências! Não era ele, afinal, o demônio mais sortudo no mundo dos vivos? Ainda que lhe tivessem garantido apenas uma parcela, sem dúvida era mais do que o quinhão que recebera entre os bandoleiros. Ainda que tivesse comprovado que as preces do peregrino eram verdadeiras e ele mesmo é que estivesse errado, não estava ele livre afinal? À medida que escalava rumo às trilhas mais seguras no meio da encosta do penhasco, começou a rir alto de sua boa sorte, da loucura dos peregrinos e da inteligência curta dos bandoleiros. O butim estava ali e enfim era todo seu! Ali estava o ouro que faria dele um príncipe do reino! Escalou sem olhar para a direita nem para a esquerda, mas só para cima, por algum tempo, até que chegou à ponta do precipício, onde o vento batia forte. Estava no topo de um elevado penhasco, acima do vale onde ele havia espreitado, vigilante, durante os três últimos dias. Agora tinha de rastejar, pois, lá no alto, era possível avistar um homem a quilômetros de distância, e ele podia enxergar a quilômetros também. O vento era cruel. O santuário abandonado com o poço perto, onde ele havia roubado o alforje, era um ponto vertiginoso lá embaixo. Os três peregrinos já haviam terminado as orações e desaparecido nas dunas, rumo a Medina. Do lado oposto, estendia-se a estrada por onde tinham acabado de vir de Meca. E, se ele voltasse o olhar na direção da vastidão cintilante do oriente, onde ficava a cidade sagrada, daquela grande altitude, seus olhos aguçados teriam avistado a encruzilhada onde as rotas de camelos de Jidá se uniam à estrada dos peregrinos. Se ele tivesse se demorado ali por tempo suficiente para olhar àquela distância, seus olhos teriam se tornado verdes.

Agora, estava vindo uma caravana, resplandecendo ao longe, a um mero farsang de distância. Era de tamanho considerável, mas o Beduíno não tinha tempo para pensar no assunto. Deitado sobre a barriga, deslizava como um lagarto junto à borda do precipício, até chegar a uma estreita garganta de pedras. Ali, se deixou ir descendo, palmo a palmo, tateando em busca de apoio a cada passo, até conseguir chegar à caverna aberta na rocha nua, voltada para o vale. Era uma saliência perigosa, com uma queda a prumo de um lado e um vão raso do outro, no qual o vento se agitava em ondas como um oceano. De lá podia ver o topo do precipício, porém, a menos que a pessoa soubesse para onde olhar, ninguém conseguiria enxergar o interior da caverna. Um passo levaria à morte instantânea e o único caminho para o alto era aquele por onde ele tinha descido. Aquele era o refúgio que ele mantivera em segredo dos bandoleiros. Oculto ali embaixo das rochas estava o pequeno tesouro que vinha guardando para si. Pelo menos, estava seguro! Ninguém poderia encontrá-lo!

Jogou no chão o alforje pesado e abriu-o, rasgando com sofreguidão. Mas o que era aquilo? Onde estava o tesouro? Durante alguns segundos, o Ladrão balançou de tontura e teve de se escorar na parede da caverna. Não sabia se o murmúrio em seus ouvidos vinha das vozes dentro da cabeça ou do vento lá fora ou de dentro do alforje. Olhou mais de perto. Estava abarrotado de maços, pacotes e rolos, alguns embrulhados em seda e outros, em pergaminho. Todos amarrados em barbantes bonitos, presos por nós muito bem feitos. Ah! Aquele mercador não queria correr o menor risco! Tinha embrulhado toda sua fortuna em pacotes individuais. O Ladrão molhou os lábios rachados com a língua áspera e imaginou bolsas cheias, as joias fabulosas e os lingotes de ouro que haveria dentro daqueles embrulhos feitos com tanto esmero. Enquanto murmurava palavras de amor para sua senhora Fortuna, lutava com os dedos inquietos para desamarrar os nós. As unhas estavam rachadas também, além de pretas e partidas. As mãos estavam esfoladas pelo conhecimento das pedras e não conseguiam desatar aqueles cordões sutis. Por fim, frustrado, usou os dentes, e um dos pacotes se rompeu e abriu.

Seu coração se encolheu, sem conseguir acreditar. O rolo de pergaminho que ele tinha acabado de romper e libertar tombou aberto a seus pés, revelando um rolo de papel, papel azul e requintado, coberto de palavras. Letra fina, delgada, tão fina que parecia os fios de uma teia de aranha aberta contra o espaço translúcido. O que era aquilo? Será que ele conseguiria ler? Não. Desde quando ligava para escritos? Nada! Mas dentro do rolo de papel ele achou uma caixa fina e comprida. Ah, ali estava a promessa talvez, pois estava pintada com requinte. Era coberta de pedras preciosas? Não. Será que era revestida por folhas de ouro, como a preciosa caixa de joias que o líder dera, certa vez, para sua concubina predileta? Não. Era uma caixa de madeira comum, enfeitada com detalhes em laca colorida, e tinha uma abertura corrediça, que abriu! Seu coração palpitava de expectativa quando abriu a tampa, na esperança de afinal descobrir um cordão de pérolas, os diamantes incrustados por dentro.

Mas ficou amargamente decepcionado. Não havia nada na caixa, senão uma coleção de lascas de bambu para escrever. Estavam apontadas e molhadas de tinta, bastante usadas e absolutamente comuns. Era uma caixa de canetas. Na caixa, encontrou também uma faquinha, a faca com a qual provavelmente tinham afiado o bambu, uma faca comum, com um pedaço de vidro embutido no cabo. Mas ela não prometia nada além do que era, pois dificilmente cortaria uma garganta. O único mistério restante ali era um pequeno frasco de um pó preto. Ele cheirou. Sentiu o paladar e sua língua ficou preta. Era tinta.

Então, o que era tudo aquilo? Canetas? Tinta? Papel rabiscado! Palavras? Sufocado em seu desalento, ele revirou o alforje por dentro. Rolos e embrulhos, nada mais do que rolos e embrulhos, sem dúvida não havia ali outra coisa que não canetas, tinta, papel e palavras. Não admira que o mercador não o tivesse detido! Não admira que tivesse acenado para seu escravo deixar que ele fugisse! O tolo era ele mesmo, um Beduíno cabeça oca. Deixaram que ele fugisse com o que era sem valor, imprestável! Rogando pragas furiosamente, maldizendo a sorte e ferido pela humilhação, o Ladrão se pôs de pé na beira do precipício, cambaleante sob os golpes de suas vozes zombeteiras. Olhou fixamente para os embrulhos remanescentes dentro do alforje, incerto por um momento, sem saber se devia abrir todos ou simplesmente jogar fora. Será que aqueles rolos continham, todos eles, o mesmo lixo? Não haveria ali nenhuma joia? Nenhum lingote de ouro estaria embrulhado naquelas sedas e pergaminhos?

Mas suas vozes eram implacáveis. Como ele poderia ter certeza, sussurravam. Não deveria abrir todos, um por um, por via das dúvidas, antes de jogar fora?

Naquele momento, quando chegou à beira da caverna, suspenso diante do abismo da indecisão, ouviu uma chuva de cascalhos que caíam do alto. Sua raiva tinha cegado seus habituais instintos de cautela. Suas vozes o deixaram surdo para o mundo. Girando a cabeça, viu, no alto do penhasco, acima de si, que ele tinha sido de fato cercado. Lá estavam os bandoleiros que ele havia abandonado! E o líder que ele havia traído!

Será que o estavam seguindo? Como era possível? Teriam mesmo escalado, passo a passo, atrás dele, até acossá-lo naquele local? De que outro modo poderiam saber onde ele estava? Mas não era possível, pois ele teria ouvido alguma coisa, teria visto os bandoleiros lá embaixo! De repente, pareceu que o próprio deserto o havia traído. Tinha conspirado contra ele e revelado a seus inimigos suas trilhas secretas. Havia guiado os bandoleiros até seu esconderijo e deixado que o cercassem, sem que ele soubesse. Nada mais era sagrado e não havia lugar nenhum para onde ir. Num lampejo, compreendeu que ou ia morrer de fome na caverna ou, se tentasse escapar pelo penhasco íngreme, seria apunhalado e morto, na mesma hora, e seu tesouro seria roubado. Nenhuma alternativa, nenhuma liberdade havia restado. A única opção que restara era descer pelo abismo. O Beduíno viu a raiva fria cintilando como uma faca nos olhos do líder e entendeu que, afinal, ele estava encurralado.

Mas, para ele, a ponta daquela faca não era mais afiada do que seu próprio rancor, e seu rancor não era menos amargo do que a chance de liberdade perdida. Todas as possibilidades entre o conhecido e o negado foram tomadas dele, mas o Ladrão ainda mantinha consigo um mistério. Todas as expectativas tinham desaparecido, exceto aquela. Ainda estava aos seus pés, abarrotada de esperanças ocultas, envolvidas em rolos secretos. Ele não ia abrir mão daquele legado por nada no mundo!

Afinal, não tinha o jovem com pés sangrentos descarregado o alforje do lombo do camelo com uma reverência que indicava que aquilo possuía mais valor do que todo o ouro do reino? Não tinha o servo corrido em seu encalço com uma presteza que demonstrava que o alforje continha algo precioso? E não seria o mercador — e agora, de súbito, o Ladrão teve certeza disso —, não seria o jovem mercador em peregrinação tão abastado, tão imensamente rico que, pura e simplesmente, deixou que o Ladrão fugisse com seu butim, porque aquele prejuízo pequeno não representava nada para ele? Aquele alforje não passava de uma gota, comparado a tudo que ele ainda possuía! E os bandidos que agora o cercavam também não tinham acreditado naquilo? Que ele havia roubado uma soma fabulosa? Não tinham perseguido o Ladrão até ali, no seu covil, na esperança de despojá-lo de sua presa? Quem sabe o alforje não continha toda a riqueza do mundo! Possibilidades infinitas jaziam na simples falta de provas. Que eles o matassem, que o vissem morrer como um rato, que saqueassem seus pobres centavos, ocultos nas gretas e nos cantinhos, mas eles não poriam as mãos no alforje! Aquele tesouro lhe pertencia!

Esquecendo por completo sua amarga frustração de minutos antes, o Beduíno pegou os papéis azul-claros e a pequena caneta de bambu e, ferozmente, enfiou de volta dentro do alforje, para depois apertá-lo junto ao peito. Naquela situação extrema, pareceu que aquele pedaço de couro poeirento e puído continha sua própria alma. Então, de forma abrupta e com um grito que deu calafrios nos bandoleiros e no líder, ele saltou, com o alforje, pela borda da caverna, resvalando de pedra em pedra, até mergulhar de cabeça algumas centenas de metros abaixo, no precipício, e no vale ao fundo.

Os bandoleiros viram o alforje e o homem planar na linha de um arco, preto como um ponto de tinta contra o fundo azul. Viram o homem cair, a curva de uma caligrafia invisível contra o céu de papel. Viram-no bater na fenda que ficava exatamente na frente do poço, lá embaixo. E então os olhos deles perceberam o brilho de uma caravana que se aproximava pela estrada que ia de Meca para Medina. A um mero farsang de distância... A caravana do mercador!

Minutos depois, eles tinham se dispersado e cavalgavam furiosamente através de desfiladeiros estreitos e passagens traiçoeiras da montanha, com as imprecações do líder ressoando em seus ouvidos. O Ladrão foi esquecido. E embora no dia seguinte ele tivesse procurado no meio das pedras lá embaixo, durante horas, o líder nunca mais viu o alforje.

☼

Nas pedras abaixo, o Beduíno jazia, estirado e quebrado, como uma caneta de bambu sobre uma folha de papel azul coberta por uma bela caligrafia. A memória trovejava por dentro das veias e estourava em seu cérebro estilhaçado, com uma derradeira pulsação irregular. Ele via três homens prostrados sobre a areia e ouvia as palavras que acenavam para ele, como um comprido dedo de luz. Via o risco de tinta desbotada sobre a página do deserto e tentava decifrar as palavras que o chamavam, como um comprido dedo de luz. Os olhos se encheram de lágrimas de piedade, por causa de seu analfabetismo, enquanto ele avançava aos tropeções, seguindo o aceno daquele dedo, passo a passo, entre dores. Na direção da luz. No breve momento que antecede a morte, ele entendeu que, se conseguisse pelo menos apreender o sentido daquelas palavras que o chamavam, seria sempre livre. Com uma doçura cortante, que interrompeu seu último alento, a voz do mercador chegou até ele, cantando. A voz do mercador invocava a misericórdia de Deus. Ele estava rezando em nome do Ordenador que perdoa os pecados. Rezando por ele. O Ladrão. O Beduíno.

Agora, estava claro. Ele ouvia as palavras do mercador, enquanto começava a ler as palavras que se desdobravam no rolo azul do céu. Lia a prece, enquanto a ouvia, estendendo-se pelos céus como uma ponte de luz. Com visão nítida e olhos bem abertos, ele morreu, então, sentindo-se rico como um príncipe do reino, com os olhos da cor das asas de um anjo.

A Noiva

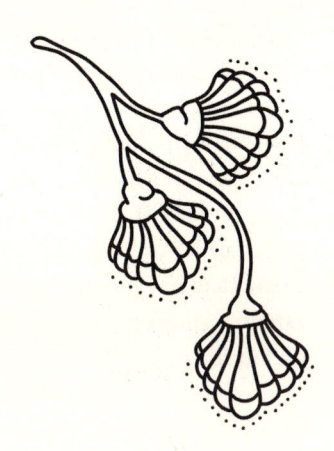

Quando a pequena Noiva viu um homem com asas flamejantes mergulhar do alto do precipício, acima da caravana, compreendeu que era um anjo com uma mensagem. Era um anjo que atravessava a ponte de separação do inferno, mas se era um anjo de Ahura Mazdah ou um anjo escuro de Ahriman, ela não sabia. Tampouco tinha qualquer premonição de sua mensagem.

    Os outros anjos que ela vira em sua vida breve, de catorze anos, estavam menos marcados por ferimentos, eram menos angustiados, porém, por causa das asas, ela reconheceu imediatamente que era um anjo. Elas flamejavam em seus ombros e tornavam o ar quente de contentamento. Ele tombou num arco perfeito, desde o cimo do precipício, lá no alto, e ela pôde ler seu destino na palavra que ele grafou contra o fundo do céu sem nuvens. A labareda que ele empunhava penetrou o coração da Noiva e, ao ver aquilo, ela deu um grito e desfaleceu.

A Noiva sempre fora propensa a visões. Quando pequena, conversava tranquilamente com pessoas que não estavam presentes e, não raro, cantava canções que dizia ter aprendido com espíritos invisíveis. No início, a mãe tentou castigar quando a filha inventava esse tipo de disparate, com receio de que começassem a espalhar que a linda filha do mercador Gebr tinha problemas mentais, e isso terminaria por manchar a reputação da família, mais do que sua fé suspeita já havia manchado. Pior ainda, os vizinhos começariam a espalhar que a menina era fraca de saúde por causa da endogamia da família e isso destruiria as chances de um bom casamento para ela, a despeito da riqueza do pai e da pele cor de mármore da menina e de seus olhos verdes.

Infelizmente, a mãe tinha de admitir que havia, de fato, aquele tipo de união, sempre entre membros da mesma família. Eles eram zoroastristas abastados, oriundos das fronteiras orientais da Pérsia e, em Kirman e Karáchi, havia gerações que primos casavam entre si. Ora, ela mesma era prima materna do marido, por parte de uma terceira esposa que, na verdade, era antes uma espécie de irmã de seu marido. Como a palavra *ilegítima* era tão desconcertante quanto a ideia do incesto, ninguém falava desses assuntos, é claro. Assim como não se permitia, tampouco, que fizessem alarde acerca das preferências religiosas de ninguém. Pois, embora tivessem se convertido ao Islã pela força e por conveniência, permaneciam zoroastristas às escondidas havia incontáveis gerações. Mediante os casamentos dentro da família, a fé e a riqueza foram conservadas e as duas coisas eram mantidas cuidadosamente em segredo.

Os anjos da menina, no entanto, eram uma questão muito mais séria. Eram espalhafatosos demais, ruidosos demais, atraíam a atenção dos vizinhos muçulmanos. Alguns cochichavam que a filha dos Gebr era epilética, outros, que era possuída por demônios. Mas, fosse a menina ligeiramente louca ou simplesmente mística, o fato era que o orgulho da mãe sofrera bastante com a discriminação real e imaginária ao longo de todos aqueles anos, sem o estigma de uma indignidade a mais. Ela desejava muito que a filha não difundisse a história daquelas visitas do outro mundo. Contudo, a menina era a favorita do pai e, aos olhos dele, era incapaz de fazer qualquer coisa errada. Várias crianças tinham morrido muito pequenas e ele nunca tinha sido abençoado com um filho. Mas, quando a filha nasceu, um vidente zoroastrista anunciou que ela seria a primeira de seu povo a conhecer o salvador Saoshyant, que ia aparecer na quarta época do tempo, após nove milênios de luta entre o bem e o mal. Como isso parecia um futuro distante o suficiente para que ela estivesse a salvo, o mercador zoroastrista interpretou como um bom augúrio o fato de que aquela filha viveria mais tempo do que as outras e deu a ela o nome do espírito da salvação, Haurvatat. Não poupava atenções ao bebê e mimava a criança, em franca contradição com o espírito comedido que exigia de toda a família. Toda vez que a mãe ralhava com a menina, a filha corria e contava para o pai e então havia cenas na ala das mulheres. Após um tempo, a diplomacia exigiu que, embora a criança pudesse estar contando mentiras, não era boa política admitir aquilo. A mãe contraía os lábios e fingia não ouvir as falas delirantes da menina ou os mexericos dos vizinhos. Aos poucos, a família se acostumou às visões da filha e, com o tempo, para o irrefreável desgosto da mãe, até os vizinhos passaram a consultar a menina.

Começou o ano da peste, a criança com o nome de Haurvatat insistia em dizer que via aves grandes voando por cima da casa do pai, todo dia, na alvorada. Ninguém mais via aquilo, porém, depois de um tempo, as pessoas começaram a murmurar que eram os abutres que tinham descido dos rochedos altos, onde os adoradores do sol abandonavam seus mortos, e ficavam pairando acima dos vivos para protegê-los da contaminação. Pois milagrosamente ninguém na família dela havia sucumbido à temida enfermidade. Ninguém sob o teto dos zoroastristas adoeceu com a varíola, que cobrava seu tributo em milhares de mortes na cidade e deixou nos vivos, em um número de pessoas duas vezes maior, marcas hediondas. Ninguém adoeceu, ou melhor, ninguém exceto a mãe da menina, que foi uma das primeiras na cidade a morrer da peste, e só morreu, diziam os moradores, para provar, de uma vez por todas, que as visões da filha estavam erradas. Pois ela morreu rindo. Além dela, a única pessoa a se contaminar na casa do mercador zoroastrista foi uma escrava da Abissínia, que foi imediatamente posta em quarentena, junto com seu bebê recém-nascido. No mesmo ano em que a mãe morreu, quando a menina tinha nove anos, seu pai tomou outra esposa. A nova esposa era ainda menos simpática às visões da menina do que a mãe verdadeira e começou a assediar o marido para que arranjasse um casamento prematuro para a filha. Mal havia passado o segundo mês do casamento quando a criaturazinha presunçosa começou a alardear seus sonhos sobre a madrasta. Anunciou para todo mundo que ela havia tido um sonho em que a nova esposa de seu pai levava um nabo velho dentro da barriga. Sentimentos de ofensa ferveram na ala das mulheres. A nova esposa ficou histérica, perdeu o bebê e pôs a culpa na enteada. Os vizinhos murmuravam que a menina era enfeitiçada e que suas visões estavam se tornando perigosas; um boato malévolo começou a se espalhar na comunidade dos zoroastristas, segundo o qual a menina estava louca, porque tinha se viciado no narcótico chamado haoma, causa de suas alucinações. Nenhuma pessoa em sã consciência ia querer casar com tal aberração. O mercador tentou aplacar a esposa, mas ela se tornou ainda mais irascível e lançou um ultimato: se ele não a tratasse com mais respeito e não mandasse a filha embora, ela voltaria para a casa do pai.

Ele não tinha opção, portanto, senão aceitar as exigências da esposa e começar a buscar um marido para a filha, pois sem dúvida não tinha intenção de perturbar seus negócios e suas relações comerciais com os parentes da nova esposa nem de pôr em risco as transações financeiras com a família dela. Entretanto, os múltiplos obstáculos que tinha de encarar tornavam sua missão um exercício de virtuosismo em construções negativas. O futuro noivo teria de morar suficientemente longe para não ter ouvido os boatos maldosos e não ter formado preconceitos contra a pequena Gebr. Mas, se o mercador zoroastrista não queria solapar as chances da filha de ter um casamento abastado, tampouco tinha a intenção de perdê-la para sempre. Decidiu que a única solução seria procurar um marido que não fosse viver muito tempo, para que, assim, sua filha adorada retornasse logo. Dessa forma, nos anos seguintes, ele nunca se perdoou pelo que se seguiu, pois, quando saiu em busca de um noivo para sua filha, ele sabia que fazia planos tanto para um funeral quanto para um casamento.

Foi no ano da peste que tiveram início as negociações que, no final das contas, desembocaram no complexo contrato matrimonial entre a pequena Noiva e um velho e abastado Turco que morava em Damasco. As negociações, todavia, foram forçosamente demoradas e com muitos adiamentos. A menina ainda era nova demais e o pai não via mal nenhum em envolver diversos intermediários que ele contratava com o propósito de retardar os trâmites, além de conduzir as conversações com o Turco a respeito do dote. Um desses casamenteiros era um indiano que se apresentou ao zoroastrista como um negociante de Bombaim. Era baixo, gordo, escorregadio e, toda vez que vinha à casa de Gebr, suscitava na menina uma série de visões duplas e triplas. Ela disse que tinha visto o indiano nu, parado ao lado de um rio que, ao toque do seu pé, se transformava em estrume. A Noiva disse que tinha lido, tatuada na pele pelancuda da barriga do indiano, a advertência de que ele era um druj, um membro do Povo da Mentira, segundo o alerta das escrituras do Avestas. A Noiva ouviu as trombetas da Virtude ressoarem, disse ela, para avisar ao mundo que o indiano baixo e gordo tinha esfregado as mãos oleosas na lei da confiabilidade e a deixara sem efeito sobre a terra.

Mais tarde, essa visão se revelou absolutamente correta. O hindu, que disse que era de Bombaim, era um charlatão de Calcutá, já envolvido em transações escusas com o Turco, que achava que ele era um devoto muçulmano de Karáchi. Depois de se insinuar com ambas as partes no curso da negociação do contrato matrimonial, ele se evadiu com os presentes de noivado do noivo para a noiva e desapareceu. Quando tal traição foi descoberta, isso apenas confirmou as visões da pequena Noiva e reforçou sua reputação na ala das mulheres bem como em toda a vizinhança, para grande desgosto da madrasta. No entanto, gerou também graves complicações e fortes antipatias entre o mercador zoroastrista e o Turco. Os planos de casamento foram cancelados e, nessa altura, o velho Turco adoeceu gravemente. Segundo se conta, ele teria morrido, não fosse pela menina chamada pelo nome de Haurvatat, o espírito da salvação. As visões dela o salvaram. Ela sonhou que o pai devia mandar para o velho Turco nove rolos de seda pura e nove barris de água de rosas para o seu enterro, tudo amarrado no lombo de cinco burros cipriotas. Quando, por milagre, esse presente inesperado chegou intacto a seu destino, apesar da longa viagem, do risco dos salteadores e da preferência particular do zoroastrista por abutres, o Turco imediatamente se recuperou da enfermidade e encontrou um novo ímpeto de viver. Decidiu casar-se com a pequena feiticeira, não importava o que custasse para ele e para o pai.

E custou bem caro. As negociações matrimoniais, que começaram no ano da peste, foram retomadas na primavera, ao primeiro sinal de que a menina alcançara a condição de mulher feita, e finalmente frutificaram quando a menina fez catorze anos. Os presentes que o pai mandou para Damasco empatavam, até a última moeda de ouro, com os presentes que ele havia recebido do Turco durante o extenso período da corte.

☼

No mesmo ano da peste, o mercador zoroastrista também concedeu liberdade à sua escrava da Abissínia. Embora ela tivesse passado a usar o véu depois da doença e escondesse o rosto, outrora tão belo, a segunda esposa do mercador era ciumenta, ao contrário da primeira. A primeira aprendera o desapego por meio das visões da filha e, muito antes de morrer, já estava preparada para os elevados locais do silêncio. Todavia, a esposa nova podia ser tudo, menos silenciosa, e não tinha a menor intenção de morrer. Além disso, tinha trazido consigo, de Bombaim, suas próprias servas, um caprichoso bando de persas petulantes que falavam uma mistura de hindi e persa e enchiam a ala das mulheres de cheiros e sabores exóticos. Riam com alarde das visões da pequena Noiva, o que amenizava ligeiramente o orgulho da nova esposa, mas elas não conseguiam desalojar a sombria abissínia do altar de sua devoção. Apesar de ter sido descartada, a escrava liberta optou por permanecer nos domínios do zoroastrista.

Confiavam nela por conta de sua discrição, e tornou-se primeiro a babá da menina e depois sua criada. A partir de então, a pequena Noiva teve uma confidente. Cresceu sob o olhar vigilante de sua criada, que acreditava nas visões da menina e decifrava a linguagem dos anjos pelas sombras que seu brilho projetava nos contornos planos da vida cotidiana. Havia dias, por exemplo, em que a menina se recusava a olhar para o espelho, com medo de ver a sombra de Ahriman onde deveria estar seu rosto. Certa vez, chegou a quebrar todos os espelhos da casa, para clamorosa indignação de todos, e não deixou nada inteiro, senão uma bandeja de prata polida, na ala das mulheres, para as pessoas poderem confirmar a própria identidade, porque a menina estava convencida de que aquela sombra fatal era capaz de se esgueirar através do vidro e se prender para sempre aos seus pés. Também houve noites em que ela não conseguia dormir, porque, dizia em sussurros, o cristal flamejante de Ahura Mazdah havia tomado o lugar da lua e a meia-noite se transformara no meio-dia, e não podia ser contestada, do contrário o castigo recairia sobre toda a sua família. Ela era uma criança difícil e não acatava ordens de ninguém, senão de seus anjos.

Tinha conversas frequentes com Ameretatat e Haurvatat, que eram particularmente íntimos dela. Esses anjos, da imortalidade e da salvação, enchiam a criada de temor, pois muitas vezes traziam em sua esteira as marcas da morte e da degeneração e contavam para a menina segredos que ela não ia compartilhar. A menina, porém, sussurrava aqueles segredos para os pequenos anéis que usava nos dedos e, certa vez, quando eles desapareceram misteriosamente, a menininha ficou recurvada, abatida e perigosamente magra. Nada que os médicos fizessem ou dissessem produzia qualquer efeito e o zoroastrista foi ficando desesperado. Quando, por mero acaso, a criada encontrou os anéis enterrados no pomar, junto aos pés de tangerina, sua recuperação provocou uma tremenda explosão de raiva. Mas aquilo acabou por restabelecer o apetite da menina. Ela chorava e gritava e arrancava os cabelos e exigia que os anéis fossem imediatamente devolvidos para suas covas rasas. Segundo os anjos, ela precisava sacrificar seu desejo de contar seus segredos para os anéis, para que assim eles pudessem se tornar os anéis da criação, explicou a menina. Então, a criada fez um trato com a menina: comer uma tangerina por dia e, em troca, ela devia contar seus segredos para as árvores mudas, para que os anéis pudessem crescer embaixo delas, sem serem perturbados. Os anjos da menina lhe fizeram promessas também, as quais lhe causaram tamanhas palpitações de alegria que a criada se viu obrigada a banhar seus pezinhos em água de laranjeira durante horas, a fim de apaziguar seu pulso. Certo dia, a menina tinha há pouco completado treze anos, a criada encontrou-a numa casinha de jardim com uma tigela de romãs, sem casca, entornadas no colo. A tigela havia tombado no chão e partido, e um monte de frutas vermelhas como o rubi, tenras e vibrantes, havia se espalhado pelo piso, quadriculado pela luz do sol. Ela estava desfalecida numa espécie de transe e tremia com violência. O anjo do reino divino, Khshathra Vairya, tinha vindo até ela, a menina ofegava, e o anjo a tocou com as pontas das asas e lhe causou uma dor terrível aqui, ela apontou, na virilha. O anjo disse que tinha chegado a hora dela se tornar mulher. Ela, é claro, obedeceu.

A menina tinha grande presteza em responder aos anjos. Seu cabelo lustroso cresceu e ganhou um intenso tom avermelhado quando começou a menstruar. Na altura em que tinha catorze anos, ela estava assombrosamente bela, a pele de uma palidez de mármore, o cabelo vermelho e os olhos verdes como pedras preciosas. Sua criada a adorava com uma devoção cega, que só os cães conhecem.

Quando afinal chegou a hora de mandar a pequena Noiva para Damasco, como era esperado, a criada fiel a acompanhou. Não havia mais ninguém que soubesse como cuidar tão bem quanto ela da menina excêntrica e mimada e nenhuma outra mulher era aceita por ela para servi-la. Quando tinha suas visões, também não existia mais ninguém capaz de controlar a menina, pois havia ocasiões em que seus anjos eram positivamente tirânicos e difíceis de conter. Causavam alvoroço na ala das mulheres, deixavam rastros de água denunciadores, manchas vergonhosas de frutas amassadas e borrões chamuscados em todos os tapetes.

Sabia-se que eles alcançavam até o birouni e tinham, pelo visto, experimentado um narguilé, deixando vestígios de poeira e cinzas sobre as almofadas de seda e cetim. Seu bom e seu mau humor exigiam um séquito regular de servos para atender suas vontades. Para sua viagem de casamento, ficou decidido que ela teria doze cavaleiros armados e uma caravana de dezenove burros e camelos, com um farrash-bashi responsável por seus cavaleiros, que também podiam cumprir as funções de servos. Porém, para suas necessidades especiais e mais íntimas, além das três criadas que ele havia acrescentado ao dote da filha, o pai também forneceu, em mercadorias, linhos e moedas de prata, tudo que era necessário para a escrava liberta, que ia acompanhar a pequena Noiva como sua criada pessoal.

Para assombro dos vizinhos, que jamais tinham desconfiado da grandeza de sua fortuna, a julgar pela parcimônia de seus hábitos, e também para indignação moral da esposa, que foi levada aos confins dos ciúmes petulantes com aquela extravagância do marido, ele não poupou despesas e não fez nenhuma economia nos preparativos da viagem de casamento. A filha precisava se apresentar digna de um rei, paramentada como uma princesa. Durante mais de um ano, costureiras afluíram à sua casa em bandos constantes, costuraram moedinhas de ouro às bordas de múltiplas camadas de suas inúmeras anáguas. Durante mais de um ano, prepararam para ela um enxoval opulento: lençóis de seda pura de Damasco e colchas da Caxemira; tapetes requintados de Kashan e arcas de pratarias. A Noiva possuía um samovar de ouro puro batido, vindo da Rússia, e as minúsculas pérolas da mãe, mais de duas mil e cinquenta e cinco, sem contar as pérolas negras do Ceilão, que tinham sido reservadas para ela desde o dia de seu nascimento. A Noiva não sentiria falta de nada e possuiria muito mais do que seria capaz de usar em toda a vida.

Além dos requintes direcionados a seu prazer pessoal, o pai tinha preparado também presentes para o Turco: um jogo de xadrez feito de ébano e marfim, uma bela peça de caligrafia, em nome da divindade suprema identificada com o sol, invocações ao profeta com iluminuras em azul-celeste e em ouro, um tapete brocado para as horas de inverno e várias caixas de abricós açucarados, que sabia que a filha adorava. Como o Turco era velho e sofria de hidropisia, não fazia mal nenhum fazer planos para a viuvez da filha. Ela ia herdar tudo: pelo menos isso ele havia conseguido no curso das negociações e já estava de olho num príncipe do Rajastão para um segundo matrimônio. Ele admitia que sua predileta fosse para longe dessa vez, mas, no próximo casamento, tinha intenção de que ela ficasse mais perto, para que ele pudesse desfrutar os netos. Sua segunda esposa, uma neurótica, não se revelara fértil.

Só restava o problema do trajeto. A maneira mais rápida de ir de Kirman para Damasco seria pelo Golfo Pérsico e através de Basrah, cruzando o deserto sírio. Mas aquela não era uma rota de peregrinação muito trilhada e mandar uma noiva com seu enxoval, sozinha, através da vastidão erma do Najd seria loucura. Normalmente, ele a mandaria por terra pelas estradas normais dos peregrinos persas, através das províncias ocidentais do país e do Kirmanshah até o Iraque. Mas tumultos recentes naquela região, de natureza religiosa, deixaram o pai preocupado; tinha havido altercações em Karbila e Najaf, entre autoridades turcas e persas, e ele não queria que a filha ficasse encurralada em Bagdá, entre xiitas de mente estreita. O trajeto alternativo, pelo mar ao sul, era ainda mais problemático, pois acarretava uma longa viagem pelo deserto árabe e, embora eles fossem teoricamente muçulmanos, seria forçar demais a sorte chegar tão perto da cidade sagrada de Meca, onde a pequena Noiva poderia se ver nas mãos de peregrinos fanáticos. Além do mais, havia rumores igualmente inquietantes de que a bandeira da revolta tinha sido erguida contra os debilitados paxás otomanos pelas tribos selvagens daquela região. O outro longo trajeto por terra, pelo norte, passando por Tabriz e atravessando a Armênia, também não era muito mais seguro. O que se devia fazer? Talvez o casamento devesse ser celebrado em Kirman, de modo que a pequena Noiva pudesse viajar para seu novo lar em Damasco já sob a proteção do marido. Quando ele apresentou a sugestão, a despeito do acesso de rancor da esposa e do risco de perder uma excelente posição de negociação com o Turco, o pai ficou satisfeito com a pronta resposta do noivo. O velho imediatamente enviou a resposta de que ia combinar suas núpcias com seu haje e ele mesmo proporcionaria a custódia para sua noiva através dos terrores de Hijaz. Ele iria acompanhá-la pessoalmente, prometeu, com pompa e circunstância, por terra, de Meca até Damasco. Nesse ponto, o zoroastrista deteve sua hesitação e resolveu correr o risco de enviar a filha pelo mar até Jidá, passando pelas cidades gêmeas sagradas.

☼

Como a viagem seria muito longa, o zoroastrista decidiu acompanhar a filha até Bandar Abbas. Era o local onde os barcos vindos de Bushir paravam muitas vezes em seu caminho em torno da Península Arábica, e ali seu plano era se despedir da filha, que iria seguir por Muscat e Mocha, junto com os peregrinos que rumavam a Meca. Ele deixou de lado todos os seus negócios, se permitiu o luxo de perder a paciência com a esposa e viajou no howdah, junto com a filha adorada, de Kirman para o úmido porto de Bandar Abbas. Lá, soube que os barcos, naquele inverno, só embarcariam peregrinos em Kangan e, assim, se viu obrigado a seguir adiante pelo litoral e esperar, naquele porto menor, que a filha fizesse a travessia para a Arábia. A cada passo, prolongava sua viagem; a cada etapa, inventava mais uma desculpa para adiar seu regresso. E, todo o tempo, redobrava as dúvidas e a culpa.

A viagem pelo deserto além de Jidá, depois da travessia por mar, deu ao zoroastrista muitos motivos de preocupação. Era uma rota mal afamada, por causa dos bandoleiros, e coalhada de muçulmanos fanáticos. Apesar das promessas do Turco de que viria pessoalmente para proteger sua noiva folheada a ouro, o pai temia o pior. Seus dias, enquanto esperavam o próximo barco de peregrinos, tinham pruridos de inquietação. As noites, no fétido porto de Kangan, eram insones e sufocantes de calor. Será que deveria mesmo seguir em frente?

Por causa das maquinações da segunda esposa, e para grande desgosto íntimo do mercador, ele não conseguiu encontrar, na comunidade zoroastrista, nenhum parente ou amigo de confiança disposto a servir de acompanhante da filha naquela longa viagem. Só aquilo já era prova suficiente da necessidade de seu casamento com o Turco, mas era também motivo de orgulho ferido para o pai. Primos, mesmo de segundo ou terceiro grau, não estavam disponíveis, tampouco havia tios nos quais ele confiasse. Temia a traição entre os cavaleiros, a fraude entre os guardas e a incompetência pura e simples entre os homens que acompanhavam a pé a caravana de mulas. Não havia ninguém capaz de assumir a tarefa delicada de proteger a pequena Noiva, senão ele mesmo. Porém, seus negócios se encontravam em situação crítica em casa e exigiam seu pronto regresso. Ele não se atrevia a correr o risco de uma ausência mais demorada. A esposa já estava numa irritação perigosa. O que devia fazer? Como era uma pessoa bastante ineficaz e pouco talentosa na arte da tomada de decisões, o zoroastrista gastou uma pequena fortuna com limões doces para a filha, enquanto hesitava mil vezes em face daquele dilema. E assim acabaram perdendo o barco.

A filha, no entanto, estava completamente alheia àquela crise. Só queria saber de banhos. Levava suas criadas à loucura, exigindo complicados banhos rituais, enquanto esperavam o barco. Chupando limões doces e boiando, durante horas, na superfície da água coberta de pétalas de rosas, ela jazia languidamente, de costas, nos banhos públicos de Kangan, e ria sem controle, enquanto sua criada pintava a sola de seus pés com espirais e arabescos de hena. O zoroastrista se viu forçado a pagar pelo uso de apartamentos particulares nos banhos públicos durante sete dias consecutivos a fim de atender os caprichos da filha. Aquilo causou um escândalo na cidade, lembrado por décadas. O povo de Kangan chegou a incorporar aquele espanto ao seu dialeto local e as meninas que se demorassem tempo demais nos banhos eram zombadas, por décadas, com a alcunha de "noivas a caminho de Damasco".

Por fim, depois de esperar, mais de uma semana, uma nova embarcação, sob a implacável umidade, uma solução dúbia se apresentou ao zoroastrista no decorrer de seu último dia em Kangan. O hindu de Bombaim, que o havia enganado de forma tão cruel, apareceu mais uma vez, mediante os ofícios intermediários do kad khuda local. Obsequioso a ponto de se mostrar escorregadio como o limo e se comportando como se absolutamente nada tivesse azedado o relacionamento entre ambos no passado, ele alegou que havia retomado as negociações particulares com o Turco de Damasco e se apresentou como um cambista que agora, por acaso, estava a caminho de Meca, por isso se ofereceu para ser o acompanhante da filha do zoroastrista e seu espião particular, que iria notificar o pai preocupado acerca de seu progresso a cada passo da viagem. Prometeu se dedicar à segurança da pequena Noiva, sacrificar-se pela honra da jovem e contar imediatamente ao pai caso algo desagradável ocorresse. Na improvável circunstância de sobrevir uma crise, sussurrou ele, mandaria a notícia sem demora para Kirman e o zoroastrista poderia enviar imediatamente um grupo de resgate. Em última hipótese. No pior dos casos. Ele falava num gujrati confidencial, de forma conspiratória e repulsiva, de modo que nenhum dos marinheiros árabes ou peregrinos persas pudesse compreender.

Não era uma solução muito atraente nem oferecia grande segurança para o inquieto zoroastrista. De fato, acarretava tantos riscos quanto aqueles que se propunha resolver. Mas ele era um pai que idolatrava a filha. Em seu temor de não fazer o suficiente para proteger a filha, cometeu o erro fatal de fazer demais. Pagou uma bela soma para o hindu e depois infelizmente entregou a filha às ondas brutais e às mãos delicadas daquele cambista recém-inventado.

Para ele, o único conforto era que a pequena Noiva não teve nenhuma visão de um desastre iminente. Ao contrário, ela ria como uma criança por todo o trajeto, no howdah, com o pai, apesar do desconforto do calor e da poeira e, depois que chegou a Kangan, se dedicou com zelo incansável aos banhos rituais e aos limões doces. Para perplexidade do pai, ela não murmurou nenhuma palavra contra o indiano. Na verdade, uma noite antes dele apresentar sua proposta duvidosa, a menina teve aquela que se revelou a última de suas visões por algum tempo. Sonhou que o Espírito da Virtude passava, trazendo notícias alegres e uma barganha simples. Aquele ser augusto propunha cortar as línguas de todos que desejassem usar os olhos para ver a verdade. Ela anunciou aquelas notícias esplêndidas para as mulheres no banho público, no dia seguinte, e defendeu sua eficácia para solucionar todos os conflitos, mas ficou bastante triste ao ver que ninguém se mostrou inclinado a aceitar a proposta. Foi a única vez, durante a viagem nupcial, que seu humor pareceu ficar abalado.

Mais tarde, naquela noite, quando soube que o indiano iria acompanhá-los, ela voltou a se mostrar alegre e, para ilimitado alívio do pai, não fez qualquer objeção à ideia. Não teve nenhum sonho premonitório naquela noite, nem com estrume nem com outras formas de excrementos, nenhuma visão de alerta em que alguém submergia na água suja ou se afogava no lodo. Com certeza, pensou o pobre pai, se algo desagradável fosse ocorrer, ela não pressentiria? Ao contrário da mãe cética, o zoroastrista tinha fé ilimitada nas visões da filha. Chegou a negociar com o Turco baseando-se em tais visões, pois sentia que a filha não era uma menina comum. Tinha sido tocada pelo fogo, ele estava convencido, e o espiritual precisava de sua expressão material, correto? A menina era apenas em parte humana; a outra parte era chama. E, portanto, dispendiosa. Mas, ao longo de sua viagem nupcial, parecia que a parte flamejante da menina estava extinta. Embora o Espírito da Virtude tivesse proposto uma troca, a fala pela visão, a pequena Noiva parecia ter tomado as mulheres no banho público como exemplo e optou por sacrificar suas visões em favor de uma torrente de tagarelice. No último dia da companhia do seu pai, ela se mostrou frívola e cheia de manias tolas, e se comportou com a normalidade abissal de qualquer outra menina de catorze anos. Mesmo quando finalmente se despediu, a bordo do barco lotado, rumo a Jidá, ela nem tremeu nem chorou nem soluçou nem caiu num transe de palpitações, mas sorriu para ele lindamente e mostrou covinhas nas bochechas quando o pai se virou, com o coração dolorido. De fato, ela estava inconcebivelmente dura, o que dava bem pouca indicação de sensibilidades normais, muito menos de alguma consciência extrassensorial. O pai ficou aliviado em parte. E, ao mesmo tempo, amargamente perplexo e triste. A combinação o protegia de ambos os extremos.

Ao longo da aterradora viagem de dois meses que se seguiu, quando os barcos ameaçavam virar a qualquer momento e uma das cargas de pistaches se perdeu nas profundezas, a pequena Noiva ficou tão enjoada que sua criada temeu que ela pudesse perder toda consciência, mas a menina não teve uma única visão. Mesmo quando chegaram a Jidá e não viram nenhum sinal do Turco e de sua prometida escolta para acompanhá-los até Damasco, ela continuou a se mostrar imperturbável. A situação era muito grave, sem dúvida, bem que merecia um sonho premonitório, alguma visão reveladora. Mas nada veio da fonte costumeira. O indiano fez grande alarde de que estava enviando mensagens para todos os lados, porém não vieram respostas dos familiares da pequena Noiva. Mesmo quando houve um alvoroço entre os peregrinos muçulmanos devotos, em resultado do atraso causado pela caravana da noiva, a menina continuou imperturbável. Por fim, quando o indiano anunciou que o Turco queria que sua noiva seguisse direto para Meca, a despeito dos perigos, ela aceitou a suspeita instrução, também sem o menor tremor. Era como se seus anjos a tivessem abandonado.

Estavam prestes a partir para Meca, quando uma vistosa escolta da infantaria otomana surgiu no horizonte, com fanfarra de trompetes e uma autoestima de dar inveja. Declararam que o Turco já havia cumprido seu haje, enquanto a Noiva se demorava em Kangan, e contaram que ele agora estava em Medina. Anunciaram que estavam prontos para escoltá-la até Sua Excelência por um desvio que contornava, em segurança, a cidade sagrada. E, para grande embaraço do indiano e em franca contradição com suas afirmações, apresentaram documentos selados segundo os quais ela não devia, em nenhuma hipótese, por razões de segurança, entrar na cidade sagrada.

Todavia, embora aquilo esclarecesse certas questões, complicava outras. Uma vez que a caravana principal, naquela altura, já tinha partido para Meca sem eles, a única alternativa era percorrerem sozinhos o perigoso deserto, e tal ideia deixava a escolta turca um tanto nervosa e bastante suscetível às sugestões do indiano. Os caminhos eram inóspitos e perigosos, advertiu o hindu, e eles se veriam vulneráveis às represálias das tribos a cada trecho do percurso. Sem dúvida, tinham de defender a honra da Noiva, mas também não deviam defender a própria honra? Os soldados do Turco acharam que sim e por isso, no último minuto, o indiano os persuadiu a contratarem guarda-costas para eles mesmos, um reforço que naturalmente o próprio indiano se ofereceu para arranjar. Em resultado, houve mais atraso.

Mas a pequena Noiva tinha o coração tão leve quanto o de um passarinho e não se incomodou nem um pouco diante de mais esse adiamento. Ela simplesmente aproveitava as intermináveis procrastinações para desfrutar mais uma rodada de banhos. Jidá oferecia uma gama mais ampla e de muito melhor qualidade de opções de banhos públicos do que Kangan, e ela fixou residência em um dos mais elegantes, perto dos portões da cidade de Bab Meca. Era espaçoso, cheio de luz e famoso, na época, pelos azulejos azul-celeste. Para consternação da criada, a menina pediu que várias caixas de abricós açucarados de sua carga fossem vendidas a fim de pagar o aluguel de uma linda alcova privativa, feita de mármore branco, que ela estabeleceu como sua. Ali, tingiu o cabelo com hena e cuidou para que todos os pelos do corpo fossem cuidadosamente arrancados, nos preparativos para sua noite de núpcias. E ali, já lisa como um ovo recém-posto no ninho, ela dissertava por diversas horas todos os dias, num árabe perfeito, acerca da limpeza, para o espanto de dúzias de donas de casa de Jidá. Também foi nessa ocasião que parou de comer alho e recusava qualquer tipo de carne. Adquiriu também uma forte antipatia pelo narguilé, pelo qual o indiano tinha particular afeição. Mas, apesar de seus caprichos, para crescente contrariedade de sua criada, ela nunca dizia nenhuma palavra contrária àquele homem odioso nem expressava qualquer dúvida sobre a sinceridade dos motivos do indiano ou de suas razões para criar tal atraso. A criada, no entanto, começara a dar sinais de crescente nervosismo, à medida que os dias iam passando, e mal conseguia esconder sua repulsa contra o indiano. Por sua vez, ela o deixara irritado ao procurar o líder da escolta turca e fazer pressão para não se demorarem mais ali. Por fim, quando os preços do indiano alcançaram um valor alto demais para os turcos, os apelos da criada foram enfim atendidos. O aspecto financeiro compeliu os homens à ação, ali onde as palavras de uma mulher não eram eficazes. Uma semana depois da caravana partir de Jidá, o comboio nupcial e sua escolta volúvel enveredaram por um longo desvio em redor de Meca, na intenção de se reunir de novo com os peregrinos do outro lado da cidade sagrada. Viajaram de forma ignominiosa na esteira de uma pequena caravana de mercadores, pela trilha de camelos pouco usada que segue pelo noroeste de Meca, o tempo todo com receio de topar com salteadores e bandoleiros ou com tribos selvagens. E não tinham guarda-costas. Mas a pequena Noiva se mostrou absolutamente tranquila também diante de tais circunstâncias.

Era bastante desconfortável. As condições da viagem eram extremamente árduas naquela rota. Os poços de água ficavam afastados e eram poucos e, em pouco tempo, os banhos se transformaram numa miragem na memória. Mas a pequena Noiva nem parecia se importar. A criada estava desconcertada com a serenidade da menina. Contava que a menina fosse implicar e reclamar a cada passo do percurso, temia que seus anjos apresentassem pedidos impossíveis, todos os dias previa a hora em que ela exigiria que esvaziassem todas as bolsas de água para atender seus caprichos pessoais, mas a pequena Noiva nunca deu um pio de reclamação. Embora não dispusesse de nada mais do que uma caneca de um líquido tépido para se lavar ao longo da estrada quente e poeirenta, ela ainda assim não tinha nenhuma premonição de desastre. Não teve sonhos nem ataques de desfalecimento nem visões de qualquer tipo até terem deixado para trás a mais sagrada das cidades sagradas e reencontrarem a caravana principal dos peregrinos que seguiam rumo a Medina. Ela não deu o menor sinal de desconforto físico nem de consciência mística até a quarta manhã de sua viagem. Foi pouco depois de terem deixado para trás o quarto caravançará, na estrada entre as duas cidades sagradas. Nessa altura, com seu grito e subsequente desmaio, todo o séquito e todos os peregrinos foram obrigados a parar. Pois foi então que ela viu o anjo cair.

☼

Quando a criada friccionou suas têmporas com bálsamo de eucalipto e a fez voltar a si com uma inalação de áraque, a pequena Noiva se revirou em seu sufocante howdah, se contorcendo e delirando. Alguma paixão devastadora parecia ter tomado posse da menina. Tinha os olhos dilatados, os cabelos desgrenhados e estava encharcada em suor. Histérica, desavoradamente agitada. Nada era capaz de acalmá-la. Dizia que um anjo havia caído do céu para lhe trazer uma mensagem. Insistia em que a mensagem estava à sua espera junto a um poço. Dizia que era vital que ela fosse até lá e lesse a mensagem rapidamente, sem demora, pois o anjo lhe havia trazido notícias do salvador, Saoshyant. E ele estava à espera, à espera dela, no coração das montanhas recobertas de geada, logo adiante.

— Ele deixou uma mensagem para mim lá onde os mortos e os vivos bebem juntos! — chorava a menina. — Ele se lembrou de mim em sua derradeira manifestação! E eu não estou preparada!

Insistia para que a criada mandasse alguém buscar a mensagem imediatamente. Se perdesse a chance de ler a mensagem do anjo, berrava a menina, toda sua vida seria desperdiçada. Ela ia ficar louca na mesma hora. Ofegante, exausta dos próprios gritos, sussurrava para a criada que tinha visto o rosto do anjo, tinha visto suas asas, elas haviam tocado seu corpo todo. Olhe! E rompia os botões de pérola de sua blusinha para expor os seios em botão, empinados e rosados de desejo. Quando a criada tentou aplacar sua agitação, a menina gritou de novo e desfaleceu em seus braços, trêmula da cabeça aos pés como uma possessa. Apesar de toda vigilância de antes, a pobre mulher não contava com uma crise como aquela, em tal momento e em tal lugar. Os condutores de camelos gritavam, os burros zurravam, a caravana precisava seguir em frente. Lacaios contratados para guardar um cadáver putrefato que estava sendo levado para o cemitério de ʿal Baqr, junto com seu carregamento de oferendas aos sacerdotes santos, começaram a gritar insultos e a exigir explicações. O indiano ultrajante tinha cavalgado até o howdah e falou em gujrati, através da cortina, e perguntou, numa voz bajuladora, se a Khanum estava bem. Um jovem sacerdote xiita que se havia destacado dos demais peregrinos por sua arrogância insuportável e por seu fanatismo começava a rondar perto demais, já causava incômodo e se queixava das mulheres que excediam os limites da decência. Por fim, o líder da caravana abriu caminho rudemente através do comboio nupcial a fim de indagar, com aspereza, o motivo daquela parada imprevista e, nessa altura, a criada, em desespero, se viu finalmente obrigada a introduzir, sorrateira, uma lasca de marmelo encharcada em xarope de ópio embaixo da língua da menina para tranquilizá-la. Era apenas uma dose minúscula, só o bastante para mantê-la calma por mais uma hora. Seus gritos eram demasiado coerentes.

De fato, havia um poço mais adiante, o líder da caravana declarou sem rodeios, um poço fora de uso, num santuário em ruínas, na ravina, nada mais que isso, mas eles podiam fazer uma breve parada ali para satisfazer as necessidades das damas. Não podiam demorar, no entanto, porque o caravançará da noite ainda estava a algumas horas de distância e existia a possibilidade de tempestades de areia. Os ventos que sibilavam através dos desfiladeiros das montanhas que eles podiam ver assomando no horizonte, à frente, podiam ser traiçoeiros. As trilhas eram retas e estreitas lá em cima, e a caravana teria de se mover lentamente, um animal de cada vez, por isso ele não podia se dar ao luxo de demorar muito. Mas prometeu parar.

Antes de afundar no estupor, a pequena Noiva fez a criada prometer que ia mandar alguém à frente, depressa. Suplicou que enviasse alguém para achar a mensagem do anjo no poço. Fez a criada jurar pela própria vida que ia fazer aquilo.

— Diga para ele que estou pronta, apesar de despreparada! — ofegou a pequena Noiva, e sua cabeça rolou sobre as almofadas como um lírio com a haste partida, enquanto a caravana começou a avançar, serpenteando lentamente entre os fumegantes montes de excrementos de camelo.

☼

Pouco antes do meio-dia, a caravana fez uma breve pausa junto ao poço, um mero farsang à frente. Verificou-se que não estava nem seco nem em desuso. Para surpresa do líder da caravana, havia um poço novo escavado perto do velho santuário, que fornecia água fresca e doce. Esquadrinhando o horizonte com preocupação, ele deu ordens para uma pausa de uma hora. Iriam aproveitar aquela bênção inesperada e encher as bolsas de água, mas não podia ficar por tempo suficiente para dar de beber a todos os animais, pois uma nuvem de poeira estava se aproximando. Ele queria avançar depressa por entre os desfiladeiros escarpados antes que a luz do dia diminuísse.

Quando a caravana parou, a Noiva se recuperou do torpor do ópio e, para consternação da criada, a memória do anjo havia sobrevivido intacta. Ela não deu nenhum sinal de que havia mordido a língua nem estava com a boca espumando, mas o acesso havia passado sem ser esquecido. De fato, ela se tornara ferrenhamente lúcida. Já não estava histérica, mas impaciente com as consequências de sua visão. Não tinha dúvida da premência de seu significado e imediatamente indagou se a criada havia cumprido a promessa e recuperado a mensagem no poço.

O que se seguiu foi algo inexplicável, embora a menina não demonstrasse o menor espanto. Toda vez que a criada pensou no assunto ao longo daquele dia, não conseguiu reprimir seus calafrios, mas a menina não pareceu nem um pouco surpresa. As mensagens do anjo chegaram, de fato, ao howdah, num alforje levado pelo indiano. A despeito daquela implausível conjunção de circunstâncias, a Noiva tomou o alforje da mão do indiano de um modo que pareceu sugerir que toda a existência daquele homem fora concebida apenas para tal fim. Ela estendeu os braços para receber o alforje das mãos dele, sem dizer nenhuma palavra, e não desperdiçou uma única respiração para agradecer, como se fosse evidente que um gesto como o dele já constituía sua própria recompensa. Ela lhe dirigiu um imperceptível cumprimento com a cabeça, mal chegou a olhar para ele, pois toda sua atenção estava voltada para o alforje. O indiano, de resto, parecia estar sem língua. Depois de entregar o alforje, ele se afastou do howdah aos tropeções e nunca mais foi visto.

Havia dúzias de mensagens dentro do alforje, todas envolvidas em seda e amarradas em cordéis. A pequena Noiva apertou uma delas contra os lábios, enquanto murmurava febrilmente. Rompeu o cordel com tal selvageria que cortou seus dedos tenros, e as folhas de papel, quando ela as espalhou no colo, ficaram borradas com o próprio sangue. No embrulho, havia páginas e mais páginas, cobertas por uma caligrafia requintada, sussurrante. Tocando-as demoradamente, a menina se tornou absolutamente tranquila e serena. A raiva se fora. Uma quietude límpida desceu sobre seu espírito como um bálsamo.

Ordenou que a criada a deixasse sozinha, recusou todas as ofertas de comida e só aceitou beber água do poço. Pediu que a criada preparasse as bacias de cobre para o banho e aquecesse a água do poço para um banho ritual. Disse que agora queria aplicar ao corpo os mais complicados procedimentos de remissão e purificação. Imediatamente. No meio do deserto. E então se fechou em seu howdah e, sozinha, leu as páginas do anjo.

☼

Os preparativos tinham de ser concluídos antes que os camelos começassem a se movimentar outra vez. Colheram água do poço e acenderam uma fogueira no santuário em ruínas, protegida do vento. Para surpresa geral e comentários de todos, odores perfumados para um banho nupcial se elevaram no meio do deserto. O úmido milagre da flor de laranjeira envolveu a breve pausa junto ao poço numa nuvem de santificação. Era um sacrifício perfumado de ternura desperdiçada, uma cerimônia frágil arremessada levemente para o alto, no meio do ar árido, que perdurou muito mais tempo na mente do que o perfume nas dunas onduladas. O alívio que proporcionou não seria esquecido por aqueles que viveram para recordar.

Mas os procedimentos eram complexos e não puderam ser concluídos antes de vir o sinal para a caravana retomar o caminho. Nesse ponto, a Noiva fez questão de prosseguir os rituais, a despeito das circunstâncias. Ordenou que a criada colocasse as bacias de banho bem junto ao howdah sacolejante, sem mais nada senão uma cortina ondulante entre sua nudez e o mundo. Era inconcebível que houvesse mais atrasos; os ritos de purificação tinham de prosseguir, disse ela. Os odores pungentes de óleo perfumado e água eram tão intensos dentro do howdah que encobriram por completo o fedor do cadáver putrefato. E os preparativos eram tão absorventes que todas as demais preocupações foram totalmente esquecidas durante as três horas que se seguiram. Nada era capaz de distrair a pequena Noiva de sua missão.

Nem mesmo uma tempestade de areia.

A caravana não tinha percorrido nem um farsang quando a tempestade de areia caiu sobre eles. No entanto, nem mesmo aquele transtorno adicional teve qualquer efeito sobre a concentração da menina. Parecia que os próprios elementos naturais se associavam a ela para arrancar pela raiz todos os outros pensamentos e ideias da mente e apagar todas as memórias do passado, nos preparativos para aquela beleza nova e terrível. Esbatida pela tempestade de areia e quase sem nenhuma proteção, a pequena Noiva se despiu e se lavou meticulosamente na penumbra do interior do howdah, espirrando água em todas as colchas bordadas e almofadas de seda, enquanto balançavam e sacudiam à mercê do vento. E quando o banho terminou e seus dedos das mãos e dos pés tinham sido refrescados com hena, ela fez questão de que a criada enrolasse as sedas e os cetins e jogasse fora as roupas e as cobertas de seu howdah, que ela os jogasse fora junto com a água, à beira da estrada. Pois agora estavam imundos e estragados, insistiu a Noiva, estavam molhados e imprestáveis para seus propósitos. Estavam maculados com seu ser antigo, disse ela, e não deviam poluir sua alma nova. Quando a criada tentou brevemente argumentar com ela, tentou delicadamente recordá-la de que aquelas sedas e cetins faziam parte de seu enxoval, que eram caríssimos e raros, e que era costume que uma jovem guardasse como um tesouro suas peças bordadas até que pudesse deixá-las em legado para a própria filha, então a pequena Noiva empalideceu e ficou furiosa. Levantou a mão miúda e autoritária, as pontas dos dedos brilhavam como chamas, e deu um tapa no rosto da mulher mais velha, marcado pela varíola. Com voz estridente, disse para conter a língua. A criada não murmurou nenhuma sílaba em protesto, mas curvou-se, encolhida de dor. O tapa foi leve, mas pareceu deixar a criada aturdida, partida ao meio. A pequena Noiva olhou friamente para ela, durante alguns instantes, sem o menor sinal de remorso.

— Chegou a hora de mudar os costumes — disse ela, com secura.

Então, com a pequena mão flamejante ainda erguida, fez um gesto curto, com o pulso esguio, que bastou para despachar seis meses de trabalho e várias centenas de metros de damasco bordado para dentro da tempestade. Ela sempre tinha sido uma menina difícil de disciplinar, difícil de controlar, mas aquela nova tirania era algo mais do que a adolescência, algo pior do que o mero capricho. Mesmo seus anjos eram brandos em comparação com aquilo. Havia uma certeza terrível em suas decisões, uma convicção temível e absoluta em suas ordens, que levavam a criada a ficar abalada por tremores.

Depois de ter jogado fora as roupas poluídas e as bacias de banho, a pequena Noiva ordenou que a criada fosse procurar no meio dos burros aglomerados, debaixo do vento e da areia ofuscante, a fim de encontrar os lençóis nupciais e retirá-los de suas cuidadosas trouxas e embrulhos. Ordenou que ela os espalhasse dentro do howdah em lugar das antigas roupas que ela havia lançado fora: lençóis nupciais, fiados pelos laboriosos bichos da seda que se alimentavam nas opulentas amoreiras de Kirman, lençóis nupciais de seda, todos envolvidos por folhas de louro e cardamomo para protegê-los contra os assaltos das traças nos montes da Síria. Então, enquanto o howdah sacudia sob os golpes da tempestade uivante, ela se deitou sobre os lençóis e se untou em todos os locais íntimos. Enquanto o vento chicoteava a areia contra a caravana encolhida, a pequena Noiva se cobria em seus mantos e em suas calças, camada após camada, conforme as mil moedinhas tilintavam. Por fim, subjugou seu cabelo comprido e embaraçado com os pentes untados de óleo e as tranças nupciais. Enquanto ela enfeitava os cachos esplendorosos e tecia entre eles um fio de pérolas miúdas, a criada tremia tanto e estava tão desolada que a pequena Noiva se viu obrigada afinal a tomar as mãos dela nas suas e murmurar palavras de carinho. Se viu obrigada a apertar aqueles dedos finos e frios nos seus dedos miúdos e flamejantes, aquecê-los e beijá-los, até que a mulher ficasse mais calma. Então, pediu que a criada lhe perdoasse por todos os seus gestos tirânicos recentes, por todas as suas ações injustas e suas muitas crueldades. Aquela nova reviravolta foi mais aterradora para a mulher do que qualquer dos ataques e episódios ocorridos antes. A criança incluiu tudo em sua súplica, menos o tapa no rosto. Com aquela omissão notável, não houve nenhum ato de dureza que ela não tivesse lembrado. Com uma memória abrangente, enumerou todas as pequenas e insensatas exigências que fizera à criada desde os nove anos de idade, recordou todas as vezes que tinha pisado seus pés, berrado para os papagaios e tirado as carpas do poço do jardim. E pediu perdão à criada por todos e cada um daqueles atos de egoísmo. Ao beijar as mãos geladas e estreitas da trêmula abissínia, a pequena Noiva lhe disse que, se não recebesse seu perdão, não seria digna do anjo. Se não recebesse seu perdão, seria como se os banhos tivessem sido um desperdício e as sedas imundas tivessem deixado nela sua mácula. E, nesse ponto, curvou a cabeça em muda vergonha. Ciente de que, se suas lágrimas brilhantes começassem a correr, o antimônio teria de ser pintado outra vez em torno de seus olhos lindos, a criada lhe perdoou, de todo coração.

 Quando ela ficou pronta, faltava uma hora para o pôr do sol. A tempestade finalmente começou a dar sinais de amainar sua fúria. A pequena Noiva se mantinha serena dentro de seu howdah, enquanto o vento ainda uivava ao seu redor e a criada tremia aos seus pés. Seus cabelos estavam enrolados em torno da cabeça, seu corpo estava perfumado e, na mão direita, havia um bolo de seda que embrulhava um maço de folhas de papel. Era a mensagem do anjo. A escrita sobre o papel trazia o sinete do Prometido. O anjo, disse a menina para a criada, com refinada paciência — pois a mulher parecia à beira de um colapso nervoso e a menina foi obrigada a falar de modo muito delicado, muito suave, para não abalar ainda mais seu espírito já bastante perturbado —, o anjo, repetiu ela, tinha dito para estar preparada para seu chamado. Em sua mensagem, tinha dito para ela que o mundo havia entrado na quarta época e Saoshyant estava perto. Ele estava mandando um mensageiro para levá-la à presença do salvador, pois a luta entre o bem e o mal finalmente estava terminada. A menina se viu em apuros para explicar à criada que, como haviam passado nove milênios para que aquele momento único e sagrado na história finalmente chegasse, o mínimo que ela podia fazer era estar inteira e plenamente preparada. E, concluída sua explicação, beijou a criada nos lábios, colocou um anel de cornalina no dedo mindinho e deu adeus à mulher. Então, ordenou que ela se regozijasse, pois a única razão para chorar de novo neste mundo seria se Saoshyant não se lembrasse de mandar buscá-la.

O amor da criada era absoluto. Modelada no barro da obediência, ela foi fiel à sua senhora também naquela ordem derradeira e, pressionando o rosto contra a cortina do howdah, começou a rir histericamente.

☼

Portanto, quando os bandoleiros desceram pelas ladeiras da ravina como outra tempestade, na hora em que o olho turvo do sol se punha através dos véus de areia, a pequena Noiva estava pronta. Quando atacaram a caravana, alguns farsang depois do santuário em ruínas, na última rajada do vento uivante, ela já estava à espera. Vestida e perfumada, quieta no coração da tempestade, e preparada. Calma como um pêssego colhido na hora, virou para a criada os olhos verdes, contornados com antimônio, e apenas disse:

— Está vendo, ele não esqueceu!

Quando a criada olhou para a poeira levantada sob o luar distorcido, viu horrores sem nome. Nove milênios de luta entre o bem e o mal não poderiam conter o inferno que ela viu. O que a criada escutou no meio do chiado da tempestade de areia foram as vozes dos condenados no fim dos tempos, e seus próprios gritos soaram alto entre eles. Porém, a pequena Noiva não percebeu nenhuma dessas coisas. Só ouvia as trombetas dos anjos que anunciavam a chegada do Rei dos Reis. Só via as luzes da Assembleia e os céus reunidos para dançar em sua festa de casamento. E seu coração cantou de alegria.

Quando os bandoleiros, aos berros, cercaram o howdah, a criada já havia sido abatida e não viu como os olhos do líder faiscaram quando olhou para dentro do howdah e descobriu a pequena Noiva à espera. Não viu o que, para ela, seria pior do que a morte, a violação de sua menina adorada. Mas não viu também aquilo que poderia ter feito com que ela ficasse de pé, espantada, entre os mortos que gemiam à sua volta: não viu a expressão da menina, recostada nas almofadas de seda, à espera de que a vida e a morte chegassem para ela.

Quando a Noiva viu o líder, na mesma hora reconheceu o mensageiro enviado pelo anjo que tinha caído do céu acima dela. Viu que ele era enviado por Saoshyant, o salvador do mundo, e vinha para levá-la para aquele que era o seu senhor. Nos olhos brilhantes do líder, viu seu salvador suspenso bem no coração de uma montanha coroada pelo gelo. Nos braços e nas pernas fortes, viu o salvador se movendo, já no meio do caminho, em sua derradeira manifestação. À direita, o Povo da Virtude; à esquerda, o Povo da Mentira, e ela estava pronta para se arrojar a seus pés. A Noiva viu uma chama à frente dele e sabia que era Deus, Ahura Mazdah, e uma sombra atrás dele, que ela sabia ser Ahriman, e ela queria ser tudo o que havia entre uma e outra. Ele era um espelho colocado diante do sol e ela acreditou nele. Era um cristal colocado na frente do fogo e ela o aceitou. Ele não lhe pediu nada que ela não desejasse instantaneamente. Não disse nada que ela não compreendesse em seu íntimo. Como uma massa de rubis, tenra e radiosa, ela via Saoshyant inclinando-se para a frente, para abraçar sua alma, e ela entendeu que ia morrer para ser o anel da criação no dedo de apenas um dos servos dele. Quando o líder abriu as cortinas do howdah, na virada do nono milênio, na quarta época do tempo, ela se ofereceu a ele com todo o coração, ele podia levá-la para o seu adorado naquele instante.

Confuso com a expressão no rosto dela e com seu olhar, que ele estava destinado a recordar por todos os dias de sua vida, o líder cortou sua garganta e saiu do howdah com uma imprecação vulgar. Agarrou uma tocha que ardia sobre uma pilha de burros massacrados e, em poucos segundos, tinha incendiado o howdah. Enquanto as chamas lambiam as cortinas e as bolsas de água começavam a chiar e fumegar, ele se afastou em passos lentos, as narinas chamuscadas pelo aroma de uma vergonha sem precedentes. Mas não antes de ter dado uma pancada trôpega na cabeça de um morto, que jazia enrolado em seus lençóis ali perto. Mais tarde, e com certa surpresa, iria recordar aquele incidente inglório, em que matou um cadáver, porque não foi capaz de violentar uma virgem.

Uma mula sobrecarregada dava espirros perto dali, balançava a cabeça com um leve tilintar dos arreios, e baixou as orelhas, enquanto a fumaça do howdah da Noiva, em chamas, a envolvia. Surpresa com os odores pungentes, virou-se de lado quando o líder passou atabalhoado; sem ser vista pelos outros bandoleiros, a mula farejou seu caminho rumo à escuridão das dunas. E assim, por um milagre do perfume martirizado no deserto, ela conteve o instinto de zurrar e escapou sem ser estripada.

O Líder

No dia seguinte, quando o Líder procurou o corpo partido do Beduíno no fundo do abismo, achou um monte de cinzas calcinadas e os restos de ossos queimados. Era indecifrável. Mas o alforje não estava em lugar nenhum.

O Líder jamais conseguira decifrar o Beduíno, se bem que, em todos os demais aspectos, se considerava um homem sábio. Certamente conhecia a fraqueza dos outros homens. Certa vez, lhe disseram que tinha nascido sob uma estrela de sorte e sempre acreditara que aquilo era verdade, embora se orgulhasse de dar ordens às estrelas e não de estar sob o comando delas. As mulheres o temiam, os homens lhe obedeciam, a liderança era seu destino. E isso, ele sentia, era devido à sua vontade e ao seu próprio esforço, a mais nada. Não devia nada a ninguém, pois a vida tinha sido árdua.

Quando jovem, durante alguns anos, estivera a serviço de um xeique cruel e, certa vez, num acesso de fúria selvagem, matou um homem e foi obrigado a fugir para salvar a vida. Depois disso, decidiu que ninguém mais lhe daria ordens. E vagou por sendas solitárias em busca de vingança contra os ricos e os poderosos, pois estava decidido a ter seu próprio califado em regiões ermas e ser um dos que davam ordens. À medida que o tempo passava, foi reunindo à sua volta um bando de desordeiros incautos, que o desespero transformara em criminosos, mas que a fortuna não agraciara com uma vontade de poder semelhante à sua. Eram seus escravos e ele se tornou não apenas o senhor de si mesmo, mas também o senhor deles. Era gratificante, mas não chegava a ser surpresa. Da vida, ele não esperava menos do que comandá-la.

Tinha raciocínio rápido, pensamento claro, corpo forte e dentes tão brancos como a barba era negra. Apesar de ter chegado aos quarenta anos, não tinha um fio de cabelo grisalho na cabeça e havia colecionado concubinas de todos os seus assaltos, muito mais belas do que as que se encontravam nos palácios dos xeiques. Também contava com homens fortes em sua tribo, os quais estavam dispostos a morrer sob suas ordens. E já fazia anos que ele podia pilhar os peregrinos nas estradas entre Meca e Medina, porque tinha um guia Beduíno que conhecia os segredos das dunas. Esse Beduíno podia guiá-lo até sua presa antes que os rivais sequer soubessem de sua existência, bem como podia levá-lo para longe do perigo antes que as vítimas sequer percebessem que tinham sido roubadas. Provavelmente, era esse o motivo por que tinha a reputação de homem sábio. Mas não conseguia absolutamente decifrar o caráter do Beduíno. Para ele, isso era mistério.

Quando o guia o abandonou, certa noite, e sumiu no deserto, o Líder sentiu no coração o medo que vem de algum lugar mais fundo do que o temor do perigo: pela primeira vez, ele começou a duvidar que as estrelas estivessem sob seu comando. Havia confiado no rato do deserto. Havia prestado honras a ele e fizera planos de lhe dar presentes especiais, que prenderiam seu espírito errante a ele, de forma irrevogável. A boca se enchia de amargura, e a garganta, de rancor, quando lembrava que chegara a permitir que o escravo bebesse de sua própria caneca na noite em que fugiu. Quisera algemar aquele homem para sempre ao seu serviço, mas algo no Beduíno se esquivava. Algo escapava ao comando do chefe. O resto de seus homens era servil, mas aquele não. Ele não conseguia atinar qual era o problema, pois o homem tinha os braços fracos e era covarde quando se tratava de combate físico. Não tinha fibra para brigar, nenhuma sede de sangue. Mas sabia correr.

Depois de sua deserção, o Líder jurou vingar-se, mas na verdade não acreditava nas próprias juras. Sabia que o Beduíno nunca fora um de seus seguidores; não tinha violado nenhuma confiança. Tinha sido o amuleto deles, seu penhor de boa sorte, como um dom. Mas nunca tinha sido possuído. Por que foi desertar logo agora, num momento como aquele, quando tinham a possibilidade de obter um rico butim, que estava à sua espera? Isso era um mistério que enchia o Líder de maus presságios.

Porém, à frente deles, também havia lucros fartos, e o resto de seus homens continuavam seus escravos, a despeito daquela perda enigmática. Uma caravana fabulosamente abarrotada de riquezas era aguardada e, embora os rumores fossem contraditórios, o Líder não queria perder nenhuma oportunidade. Havia boatos de um comboio nupcial que atravessava o deserto por rotas de camelos de Jidá, e de um cadáver que vinha de Meca; havia também alguns boatos sobre um mercador, mas ninguém sabia ao certo se o intuito era o comércio ou o haje. Ninguém sabia ao certo quando a caravana iria chegar à estrada costeira de Tabigh, tampouco, por causa dos atrasos. Mas o Líder estava de olho no enxoval da noiva e nos bens que acompanhavam o cadáver rumo ao paraíso. E embora a dimensão da riqueza do mercador fosse algo incerto, ele estava resolvido a tocaiar a caravana num lugar e num momento em que pudesse aproveitar qualquer vantagem possível e onde nada fosse deixado por conta do acaso.

Os bandoleiros tramaram, junto com o guia, montar a emboscada uma hora antes do pôr do sol, a alguns farsang de distância das montanhas de Dafdaf e do vale de Khulays. Era um lugar perfeito e bem isolado; ficava diante de uma estreita passagem nas montanhas, por onde eles tinham acesso diretamente ao acampamento, através de trilhas secretas pelas dunas. Não haveria nenhuma chance de socorro de Khulays e, naquela altura, haveria pouca possibilidade de resgate do khan de Tuwal, onde caravanas acampavam nas estradas costeiras que seguiam para Medina. O Beduíno foi quem sugeriu o lugar e a hora da emboscada e o Líder não viu motivo para mudar os planos, mesmo depois de descobrir que o Beduíno tinha desaparecido.

No entanto, para superar as dúvidas e dar a aparência de uma decisão independente, fez planos imediatos para conferir todos os detalhes da emboscada. Ordenou que alguns bandoleiros se escondessem nas montanhas de Dafdaf para avisá-lo se viessem viajantes de Jidá e de Meca. Havia um pequeno caravançará em Khulays, a quarta parada na estrada que vinha de Meca, e foi para lá que enviou seus batedores. Também enviou alguns homens rumo à quinta parada, em Tuwal, para alertá-lo caso qualquer um se aproximasse, vindo da direção da costa. Explicou que ele ia esperar no local da emboscada, nas gargantas da montanha de Dafdaf, onde o vento soprava com força, e onde teria o controle total da situação. Mais tarde, haveria tempo de sobra para vingança. Que o traidor seja perseguido por suas próprias fantasias, antes de provar a lâmina afiada do punhal. O Beduíno era um tolo, disse ele; poderia ter ficado rico naquele assalto, se tivesse permanecido a seu lado. Por três noites e dias, ele e seus homens esperaram o mercador e sua caravana no local marcado. Durante três noites e dias, eles não foram atrás do guia que os havia abandonado. Mas não passou ninguém importante. Na verdade, seu grupo de batedores, na terceira noite, mandou um aviso de que alguns viajantes tinham chegado ao khan de Khulays, na estrada que vinha de Meca, mas sua descrição não parecia coincidir com aquilo que o Líder estava esperando. Não havia nenhum mercador rico, aparentemente só um camelo com um alforje de pequena relevância, e nenhum sinal de qualquer comboio de burros de carga. Embora o escravo negro daqueles peregrinos pudesse valer um bom preço nas feiras, o Líder já havia vendido escravos demais naquele ano e havia comentários de que o comércio de escravos estava em queda. Ele não queria correr o risco de sofrer alguma baixa sem a perspectiva de lucro melhor. Por isso, ordenou que seus homens deixassem os viajantes em paz.

Entretanto, estava ficando impaciente e foi pessoalmente ao encontro do grupo de batedores naquela terceira noite. Estavam escondidos a um farsang do khan de Khulays. Não no lugar de costume que o guia Beduíno havia mostrado para eles, no santuário em ruínas de Abwa', ao lado do poço, mas sim do outro lado do desfiladeiro, ao pé de um alto penhasco, sob as montanhas de Dafdaf. Lá, havia sempre uma sombra espessa, explicou o Líder, e era mais seguro.

Na quarta alvorada, viu os três viajantes desmontarem junto às ruínas, do outro lado do desfiladeiro. Sem dúvida, tinham deixado o caravançará na hora fria que antecede a aurora e pareciam estar se preparando para as preces matinais, junto ao poço. Como foi informado, eram pobres e sem importância. Certamente, o abissínio poderia valer uns bons trocados na feira de escravos, mas o jovem tinha os pés sangrentos e o outro, que usava trajes de peregrino, não valeria nada, apesar da cor verde de seu turbante, que denotava uma presumível afinidade de linhagem com o Profeta. O Líder fez um sinal silencioso para seus homens para que deixassem os viajantes em paz. O alforje não tinha valor.

Porém, quando os peregrinos se prostraram para rezar, uma sombra se esgueirou, vinda de trás do santuário em ruínas. Uma sombra fina e esquálida, andrajosa e escura. Uma sombra de pernas e braços compridos, que se derreteu como uma miragem. Agarrou o alforje que jazia sobre a areia ao lado dos peregrinos prostrados e depois, para consternação dos bandoleiros e para fascínio de seu Líder, começou a correr em linha reta, na direção deles. Era o Beduíno! Vinha correndo para eles com o alforje nos braços! "Ou é um tolo", pensou o Líder, "para pôr a vida em risco em troca de um saco de papéis piedosos, ou é leal, afinal de contas, e está trazendo o butim para mim".

Os bandoleiros murmuraram nervosos entre si. O Beduíno chegaria até eles em poucos segundos. Ia atrair a atenção dos viajantes para eles! O Líder fez sinal para que ficassem imóveis como pedras, entre as sombras do início da manhã. Nenhum movimento. Será que o ladrão os tinha visto? Mas o Beduíno passou por eles correndo. Não parou. Estava falando sozinho, de modo desvairado, com palavras truncadas, incoerentes. Parecia não ter noção da presença dos bandoleiros e certamente não se comportava como um falcão de caça que volta para o punho de seu mestre. Os bandoleiros se agitaram, prontos para atacar. Mais uma vez, o Líder fez sinal para não se mexerem, enquanto eles ferviam de impaciência. O ladrão passou correndo tão perto deles que puderam até ver o branco de seus olhos, ouvir sua respiração ofegante. O Líder observava, como uma estátua de pedra. Nada se movia, senão o círculo dos olhos. Os viajantes continuavam prostrados em suas orações e tinham deixado o ladrão fugir. Obviamente, não tinham interesse na perseguição. Nem o escravo negro foi atrás do ladrão. A interpretação do Líder era correta; o alforje não tinha valor. Mas por que o guia os havia abandonado para fazer algo tão sem importância? Seria algum tipo de loucura ou haveria ali algum desígnio mais nefasto? Ele nunca seria capaz de ter certeza, em se tratando daquele Beduíno esquivo.

Seus seguidores, no entanto, estavam aflitos em sua perplexidade. Por que o Líder deixava o sujeito escapar? Por que ele se comportava como os peregrinos? Por que não tinha ordenado que capturassem o guia e matassem o traidor na mesma hora? Ainda que o alforje fosse sem valor, a vingança não contava? Eles se remexiam de impaciência, pressentiam a injustiça, enciumados da preferência, com medo.

Mas, para a vingança, o Líder tinha um paladar mais requintado do que uma mera punhalada nas costas poderia satisfazer. Observou atentamente quando o Beduíno amarrou o alforje nas costas. Observou, implacável, quando o sujeito começou a escalar a encosta do penhasco, os pés escorregando nas beiradas. Um sorriso cruel e preguiçoso se abriu em seus lábios enquanto observava. O Beduíno galgava, devagar, penosamente. A encosta do penhasco era quase vertical. Os cascalhos cediam debaixo de seus pés. Ele escalava de quatro, se agarrando à inclemente parede de rocha, balbuciando sozinho, rogando pragas. A linha do queixo do Líder se fez dura e seus olhos se fixaram, como pedra esculpida; um sorriso deixou uma cicatriz em seu rosto, quase tão cinzento e tão desumano quanto o próprio penhasco. Se ele havia amado pouco, era capaz, porém, de odiar bastante. "Então", murmurou entre os dentes, "o rato do deserto tentou me enganar? Achou que ia escapar de minhas mãos tão facilmente quanto deslizou entre os dedos dos peregrinos? Pois que apodreça e seja pasto dos abutres pelo tempo necessário para que se dê conta de sua insensatez!".

Cuspiu uma praga muda sobre as pedras e sussurrou ordens bruscas para seus homens. Ia seguir o Beduíno em segredo, por trás; ia subir o penhasco em busca dele, explicou. Eles tinham de cavalgar como o vento, pelo outro lado do penhasco de Al Daf e, silenciosos como corujas, o bando todo se reuniria lá no topo. Se o rato ouvisse e entendesse que estavam em seu encalço, iria escorregar e ficar pendurado nas pedras, no alto. Se o Líder conseguisse segui-lo sem ser notado, eles iriam descobrir onde o traidor se escondia e poderiam cortar sua garganta, quando ele menos esperasse. Desconcertados com a expressão feroz do Líder e desorientados pelos acontecimentos, os bandoleiros não se atreveram a lembrar o Líder acerca da caravana ou do assalto. Quando o Líder dava ordens, cabia a eles obedecer.

☼

Na hora em que o ladrão se arrastou para dentro de sua caverna, o Líder já o havia apanhado, com perfeição, em sua arapuca. Esperou que o Beduíno desaparecesse na face do rochedo e ficasse escondido em segurança em sua caverna, antes de dar a volta para o topo do penhasco, acima dele. Lá, encontrou-se com seus homens e levou-os para onde sabia que ficava o esconderijo do ladrão. Era uma vingança doce, de fato, pois o menino não podia sair sem ser massacrado e sua única alternativa era morrer de fome, dentro daquele buraco. O Líder não via outra opção.

Criatura traiçoeira, aquele guia Beduíno. Escorregadio como uma serpente quente sobre as rochas. Afinal, ele nunca o compreendeu, ponderou o Líder. Quando aquele sujeito incompreensível se lançou, com seu alforje, do alto do penhasco, todas as possibilidades de vingança evaporaram. O Líder foi deixado à mercê de dúvidas cada vez mais profundas. Por que o homem preferiu se destruir daquela forma e levar consigo um pedaço de couro sem valor nenhum, isso era um mistério ainda menos compreensível do que sua deserção. Por que havia amarrado sua vida àquele pedaço de couro de cavalo só para se arremessar com ele no abismo era algo além de qualquer lógica ou razão. O que no mundo podia haver dentro do alforje para ele cobiçá-lo a tal ponto? Ou tinha perdido a razão, ou naquela bolsa havia mais do que a aparência indicava, afinal. O Líder sentiu um baque de repulsa ao ver seu guia se espatifar nas pedras lá embaixo. Um gosto desagradável azedou a boca quando se deu conta de como tinha sido tolo. Aquele alforje devia conter um tesouro! Mas, naquele exato momento, outra coisa, cintilante no horizonte, chamou sua atenção. Havia um borrão em movimento nas dunas distantes. Algo esquecido se aproximava pela estrada que vinha de Meca, na curva que sai de Khulays. Só então, quando sentiu o tesouro do Beduíno escorregar entre os dedos, lembrou-se do tesouro muito maior que, na verdade, estava esperando. Lá estava o butim prometido, pelo qual tanto aguardava! Lá estava o tesouro capaz de ofuscar o sol! Pelo aspecto, havia um cadáver, e isso significava bastante riqueza. E aqueles howdahs vistosos só poderiam ser de uma noiva, e isso significava os dotes de um enxoval. A caravana!

Tão feroz era sua sede de vingança e tão funda era a dúvida que a deserção do guia deixara nele, que o Líder, até aquele momento, havia esquecido completamente a existência da caravana. Ela devia ter parado para passar a noite no deserto, antes de chegar a Khulays, ou havia chegado ao pequeno caravançará depois que seus batedores se abrigaram atrás dos rochedos. Agora, estava apenas a meio farsang de distância, se seu olho não o estava enganando. Eles tinham de descer naquele mesmo instante e estar prontos para atacar. Não havia nenhum minuto a desperdiçar! Podiam perder sua chance para sempre se fossem vistos lá no alto.

Afoito e com uma sensação de impotência que não lhe era familiar, ordenou que seus homens cavalgassem depressa através dos perigosos desfiladeiros das montanhas de Dafdaf e voltassem por trás do pé do penhasco, através da ravina que dava no poço. Não pensou mais no Beduíno nem no alforje. Tinham de desencadear o ataque ali mesmo, no poço, imediatamente, para o caso de terem sido vistos. Tinham de mudar de planos e atacar ali mesmo, agora, disse ele, na ruína de Abwa'. Não havia opção. Não era um lugar nada bom para uma emboscada; porém, já era tarde demais para executar seu plano original. Ia dividir seus homens e eles atacariam a caravana pelos dois lados. Resolveu apostar que, ainda que tivessem sido vistos, a caravana não teria tempo de se preparar e se defender de forma adequada. Mas ele tinha perdido a grande vantagem anterior e os riscos agora eram grandes. Rogou pragas contra sua falta de discernimento de quando resolveu ir atrás do Beduíno.

Quando contornaram a montanha e alcançaram o vale de Khulays, ele esperava que a caravana já estivesse diante deles. A julgar pela distância e por sua velocidade, ela devia chegar ali a qualquer momento. Resolveu dividir o bando ao meio e aguardar dos dois lados do desfiladeiro. Em silêncio e com o coração disparado, olhavam atentamente para o horizonte. Ninguém vinha. Esperaram mais meia hora. Nada, ainda. Era inconcebível! Teriam perdido a caravana? Teriam os líderes da caravana avistado os bandoleiros, quando ficaram expostos no alto do penhasco, e então tomado um desvio para evitar o santuário em ruínas? Teriam dobrado para o norte e pegado um atalho pelo deserto, na trilha de camelos rumo a Buraykah e Hammamah, onde ele sabia que os homens da tribo de Harb não raro ficavam à espreita? E, assim, seria possível que ele ia perder seu butim para rivais? O Líder rilhava de raiva os dentes brancos e belos contra aquele Beduíno — que seu cadáver sirva de pasto para as aves de carniça! O desmoronamento de seus planos era culpa daquele sujeito. Ora, eles teriam tudo pronto e a postos, e ele teria o controle completo da situação, não fosse por aquele rato do deserto, que os atraiu para longe do local da emboscada. Seria possível que tinham perdido a chance de pilhar uma caravana que era uma verdadeira joia entre as caravanas, abarrotada de tonéis de óleo e de sacos de arroz, um saque digno de uma noiva e suficiente para enviar um cadáver para o paraíso, e tudo por causa do ouro de tolo de um alforje?

Sem perder nem mais um minuto, mandou dois batedores verificarem, mais uma vez, em ambas as direções do caminho: o lado de Meca e o lado de Medina. E, mais uma vez, ele esperou pelo que pareceu uma eternidade.

Na estrada para Medina, seus batedores disseram, esbaforidos, só havia os mesmos três viajantes daquela manhã, ainda a alguns farsang de distância do caravançará de Tuwal; mas, na estrada para Meca, a caravana foi avistada, estacionada no meio do deserto, a meio farsang do khan de Khulays. Estava abaixo da proeminente testa das montanhas de Dafdaf. Não tinha se movido do local onde eles já a haviam avistado, do alto do penhasco. O Líder ficou confuso. Por que aquela parada imprevista? Seria um augúrio? Estariam fazendo algum jogo com ele ou era um sinal de que algo tinha escapado à sua percepção? Estreitou os olhos e espiou para o outro lado do desfiladeiro, abaixo da escarpa íngreme do penhasco. Não conseguiu avistar nada de onde estava, por causa das sombras entre as pedras no pé da montanha, mas as aves de carniça voavam em círculos, no alto. Ele ficou satisfeito. Era um bom augúrio. O butim continuava a seu alcance. Com crescente entusiasmo, ordenou que seus homens aguardassem e esquadrinhassem o horizonte oriental. Agora, a qualquer momento, a presa iria chegar!

Mas, em vez do comboio de camelos e burros, em vez dos soldados, guardas e peregrinos que os bandoleiros aguardavam, em vez da caravana, apareceu no horizonte um homem sozinho. Quando chegou mais perto, o Líder viu que era baixo, gordo, montado numa mula. A mula parecia não trazer nenhuma bolsa, nenhuma carga além do peso do próprio cavaleiro. Ele tinha um ar indeciso e parecia olhar em volta a todo o momento. Observou a serra da montanha Dafdaf, de pedra vermelha, à esquerda, e sondou as dunas quentes e brancas do vale de Khulays, à direita. Parecia não saber para onde ia. O Líder observava com desconfiança, à medida que ele se aproximava do poço. O homem parecia nervoso e lançava repetidos olhares para as sombras abaixo dos penhascos. Falava sozinho em voz baixa e praguejava alto. Em seguida, puxou uma espécie de garrafa de um bolso, tomou uns goles e virou a mula para o local exato onde devia estar estirado o corpo espatifado do Beduíno. O Líder se remexeu, nervoso; seus homens se alvoroçaram, incomodados. Para onde ia aquele homem? Por que seguia na direção do penhasco? Saberia alguma coisa sobre o alforje? Ou sobre o Beduíno? Quando começou a andar e os cascos da mula estalaram, o Líder deu o sinal para que dois bandoleiros o apanhassem. Vivo.

Arrastaram o sujeito, que esperneava e berrava, para dentro do santuário em ruínas, junto com sua mula, e começaram a interrogá-lo. Parecia estrangeiro, nem árabe nem persa nem cristão nem judeu, e sem dúvida estava apavorado. Seus olhos saltados rodavam sem parar, enquanto, boquiaberto, fitava o Líder; seu queixo tremia, enquanto arregalava os olhos para um bandoleiro depois do outro; a boca salivava, enquanto fazia esforço para falar, pois eles o apanharam e o mantinham seguro pelo pescoço com firmeza. Era apenas um humilde cambista, um pobre e honesto sunita de Karáchi, soluçou o homem, a caminho de seu haje na cidade mais sagrada de todas. Era apenas um homem simples que queria render suas homenagens no santuário de Medina. Que Deus o fulminasse e matasse ali mesmo, se estava mentindo; na verdade, ele tinha abjurado seu ofício a fim de se purificar para a peregrinação e não tinha nada para lhes dar, nada, vejam, a não ser estas poucas moedas de prata...

O homem fedia a áraque e a hipocrisia. Deram uns pontapés no viajante, por mera formalidade, o deixaram nu em pelo e, para surpresa do Líder, descobriram que dizia a verdade. Seus bolsos continham poucas moedas de prata e ele nada tinha de valor, senão uns cacarecos baratos em volta do pescoço e um bracelete de ouro no pulso, que eles arrancaram sem a menor cerimônia. O Líder não estava interessado na proposta sôfrega do cambista para fornecer aos bandoleiros bebidas alcoólicas proibidas, mercadoria que ele prometeu arranjar a um preço módico, em mãos de mercadores persas, conhecidos seus. Atravessando sua barriga pelancuda, havia a tatuagem de uma rosa mal desenhada. Porém, ele já tinha sido despojado dos únicos itens remanescentes que o Líder se daria ao trabalho de tomar de um homem da sua categoria.

O sunita de Karáchi negou com veemência ter qualquer notícia sobre um alforje, não, nenhuma, nem sobre a perda de algum alforje. Mas confirmou sofregamente, sim, que estava viajando, ah, sim, com a caravana. De mais a mais, se mostrou eloquente sobre o assunto e sabia com exatidão quantos cavaleiros, quantos homens a pé, quantos soldados, guardas, camelos, mulas, escravos e criadas estavam vindo na direção deles pela estrada que vinha de Meca, a apenas um farsang de distância. Portanto, por que ele os deixou para trás e por que vinha na frente da caravana? Não tinha resposta precisa para aquela pergunta tão pertinente, nenhuma razão clara, e balbuciou nervoso, chegou a corar de leve, quando pressionado. E, sem dúvida, foi pressionado. Mas sobre o assunto não conseguiram arrancar dele nada mais do que um grito desamparado, que culminou em rios de lágrimas e em algumas acusações incoerentes contra os zoroastristas e os judeus. Em troca, no entanto, podia lhes contar sobre a riqueza da noiva. Era fabulosa, assoviou ele. E o cadáver! Ele se expandiu em eloquência sobre o cadáver. Os guardas que o protegiam eram bravos e vinham do Luristão. Mas a riqueza a bordo não era menos significativa do que a do comboio nupcial, cuja escolta de fracotes soldados turcos, garantiu o cambista, certamente não ofereceria resistência. Ele estava absolutamente disposto a contar ao Líder tudo que quisesse saber e muito que ele não queria nem saber e, com a importante exceção de seus motivos para vir cavalgando à frente da caravana, não precisava de nenhuma ameaça de tortura para falar. Seu árabe era pobre como as bugigangas em volta do seu pescoço e falava com um ligeiro ceceio. A razão do atraso, disse ele, e aqui se permitiu um vago sorrisinho maldoso e um esgar de astúcia, a razão para o atraso era a noiva, que ele podia garantir ser jovem e no ponto para o matrimônio. Foram os desejos dela, confidenciou o indiano em voz rouca, que o obrigaram a viajar à frente da caravana. Foi para satisfazer suas paixões que ele havia posto a própria vida em risco. O Líder, então, ordenou que seus homens empurrassem aquele homem detestável até o antigo poço, no santuário em ruínas, e lhe ofereceu uma escolha.

— Há um homem morto embaixo daquele penhasco — murmurou ele, e apontou. — Você pode ir se juntar a ele agora ou deixar que eu corte sua língua para que você não tenha a tentação de ir se juntar a ele depois. O que você prefere?

As implicações eram claras. Se ele tentasse avisar a caravana de um assalto iminente, estaria morto. Se não, ficaria mudo. Chorando e soluçando, o homem de Karáchi se submeteu à segunda opção. Eles pisaram com força sobre seus ombros moles para mantê-lo seguro no chão, mas nem era necessário, pois ele não resistiu. Chegou mesmo a se acomodar melhor para mostrar a língua para eles, com uma complacência revoltante. O Líder estremeceu diante da natureza flácida do sujeito. Afiou a adaga na pedra do poço em desuso, e depois jogaram a língua lá dentro. Em seguida, o soltaram. Deixaram até que ficasse com sua mula, o que o Líder considerou um gesto de magnanimidade. No entanto, com um tesouro como aquele vindo em sua direção, para que iriam mesmo se importar com uma mula? O Líder não gostava de ser visto como uma pessoa de mente estreita, muito menos diante de seus homens. Foi por isso, pela segunda vez, que ele resistiu à pressão para que enviasse um deles a fim de recuperar o alforje do Beduíno, no local onde devia ter caído, ao pé do penhasco.

Na última vez que viram o sunita de Karáchi, ele seguia na direção das pedras, do outro lado do vale de Khulays, onde os corvos carniceiros voavam em círculos cada vez mais baixos. Ele parecia ter perdido todo o senso de direção. O alforje não lhe serviria de grande coisa, pensou o Líder, mesmo se contivesse o maior tesouro do mundo. De que adiantava o ouro ou a prata, se não podia vender? De um jeito ou de outro, o Líder não estava com disposição para pensar em alforjes no momento. Estava satisfeito por ter todas as informações sobre as riquezas da caravana e queria concentrar sua inteira atenção nos preparativos de uma emboscada perfeita. Não cometeria o mesmo erro duas vezes. Além do mais, estava se aproximando uma nuvem de poeira no horizonte do sul. Mais um presságio, e ele estava decidido a fazê-los dobrar segundo a sua vontade.

O Líder era um homem sem deus, mas acreditava na força dos presságios. Originário da tribo dos wahhabitas, dava ao Profeta mais crédito por ser humano do que por ser divino. Os homens podiam precisar de mensageiros de um deus para se tranquilizarem de tempos em tempos, assim como precisavam de líderes poderosos para dirigi-los, mas se existia uma divindade todo-poderosa, onisciente, que via tudo — e, em seu íntimo, ele duvidava disso, embora o mantivesse em segredo, como fazia com todas as suas dúvidas —, tal ser não tinha seguramente nenhuma necessidade de se rebaixar a ponto de dialogar com a humanidade. Com que propósito? A menos que eles também pudessem tornar-se deuses. E nenhum deus digno de seu nome jamais iria querer incentivar tal competição. O Líder era um pragmático. O Profeta era um ser humano, em seu modo de ver, e um líder de homens que nasceu para comandar. Se ensinava as pessoas a cultuarem a ficção divina, o fazia a fim de poder governá-las melhor.

Mas não via motivo para ser ele mesmo governado dessa forma. O Líder considerava a adoração de deuses um sinal da fraqueza das pessoas. A maioria dos homens era fraca, poucos eram os fortes e esses, como ele mesmo, que havia nascido para comandar, não tinham nenhuma necessidade de se sentirem intimidados em face de ficções imaginárias. A importância do Profeta, em seu modo de ver, repousava na sua competência política e prática para dobrar o coração de seus seguidores, e também os presságios do mundo, à sua vontade todo-poderosa.

O poder do Líder residia em sua virilidade, sua independência, sua valentia. E em sua capacidade de interpretar presságios de modo conveniente para ele. Pois os presságios eram uma tática política. Eram um sinal de seu poder sobre os demais, segundo o Líder. Eram ferramentas. Por meio deles, o Líder interpretava as circunstâncias e as oportunidades da vida da mesma forma como comandava homens e controlava mulheres. Presságios serviam muito bem para mostrar aos seus homens que ele sabia como prever os lances do destino. Na verdade, a questão se resumia a isso. Ou você jogava o jogo como um homem, e comandava os dados em sua mão, ou construía um deus fictício para jogar com ele, e entregava os dados para os outros. O Líder tinha a sensação de que controlava o jogo e tinha o comando dos dados e, até aí, as circunstâncias tinham dado provas de que ele tinha razão. Seus homens, que se assustavam com suas blasfêmias, ficavam entusiasmados com elas em segredo. Acreditavam na sua força e a temiam. O Líder sabia disso e os desprezava por isso. E, como ficavam intimidados diante do poder dos presságios, o Líder os interpretava a fim de provar seu poder sobre eles.

Era por essa razão que, quando avistou a nuvem de poeira que vinha rolando do sul, o Líder mudou de ideia de novo, pela terceira vez. Queria dar provas de que controlava o destino. Voltou ao plano original. Decidiu partir a toda velocidade para os rochedos, no ponto da emboscada original, na estrada para Medina, cinco farsang à frente, nas montanhas de Dafdaf, onde seus homens podiam se esconder nos lugares já determinados. Pelas informações que tinha recebido, era evidente que havia tempo bastante para que se preparassem para o assalto uma hora antes do pôr do sol, quando se esperava que a caravana chegasse a Tuwal. Agora que ele havia apurado com exatidão o número de guardas e soldados, a quantidade e a qualidade de seus armamentos e a extensão do butim, eles podiam se dar ao luxo de se posicionarem melhor, a fim de usar aquelas circunstâncias inesperadas em seu proveito. Agora, podiam cavalgar pela estrada e regressar ao local original de sua emboscada com maior velocidade em vez de abrirem caminho lentamente pelo solo agreste, acima da rota de caravanas. Pois a nuvem de poeira iria retardar o progresso da caravana e apagar as pegadas dos bandoleiros. Aquele presságio viera bem a calhar.

Portanto, quando o sol subiu no céu e o primeiro brilho da caravana que se aproximava se destacou no horizonte, ele deu o sinal. Um assovio cortante e seus bandoleiros, escondidos entre as rochas, de ambos os lados do vale de Khulays, se levantaram como se fossem um só homem, pularam em suas montarias e arremeteram pela estrada rumo a Tuwal. Em segundos, tinham desaparecido em sua própria nuvem de poeira. Cavalgaram como os ventos da montanha rumo a Medina por mais de uma hora, até chegarem a um farsang da encruzilhada das estradas costeiras em Tuwal. Era um ponto clássico de emboscadas, num desfiladeiro estreito, no alto de Al Daf. Quando todos estavam cuidadosamente instruídos, quando todos estavam instalados em seus esconderijos determinados e sabiam exatamente como e quando e em que ordem iriam atacar, o Líder finalmente teve a sensação de que estava de novo no controle da situação. Nada mais restava a fazer, senão esperar que a caravana aparecesse. E então, sem aviso, a tempestade de areia atacou.

☼

Nada aconteceu conforme o planejado. Em toda sua carreira, o Líder jamais havia comandado um ataque tão caótico, tão desorganizado, tão desastrado como aquele. Anos depois, quando recordava aquela emboscada fatal, não tinha a menor dúvida de que a riqueza que haviam roubado valia muito menos do que a honra que ele havia perdido naquela noite. E, quando pensava em suas decisões no decorrer do assalto, jamais conseguia compreender o que governava suas escolhas. Ou quem. Vistos em retrospecto, seus movimentos calculados pareciam completamente irracionais. A emboscada assinalou o momento em que ele começou a perder seu poder. Chamava aquilo de "A vingança de Aminah".

Aminah era o nome dado à mãe do Profeta. Ela morrera ali, naquele vale, entre aquelas montanhas, naquele desolado trecho da estrada entre Meca e Medina, séculos antes, pelo que contavam, e o santuário que ainda existia junto à fonte tinha sido construído em sua homenagem muito tempo antes. Porém, havia desmoronado com o abandono e fazia anos que se transformara em meras ruínas, onde o poço, pouco a pouco, se encheu de areia e secou. Então, recentemente, um fervoroso turco fez a promessa de reconstruí-lo. Tinha sido um devoto ferrenho, pelo que contavam, e havia entendido como uma grande ofensa ao Profeta o fato do santuário de sua mãe se encontrar em tamanho abandono. A construção primitiva fora restaurada com vigas enegrecidas, para sustentar o telhado, e trouxeram escravos desde Djibouti para reerguer as paredes. Foi nessa ocasião que escavaram o novo poço, ali perto. Mas os homens da tribo de Harb, julgando que aquela restauração era uma infração contra seus direitos independentes, e ofendidos por qualquer sinal da interferência otomana naquela região, puseram abaixo o santuário meses depois. Atearam fogo ao telhado até desabar, puseram abaixo as paredes e reduziram o santuário aos detritos originais, tanto para humilhar o Turco quanto para realçar a irrelevância dos lugares associados com o Profeta. Pois, a exemplo dos wahhabitas, eles se sentiam ofendidos com qualquer alusão à divindade do Profeta e consideravam um ultraje, e até um sinal de idolatria, o fato de Kaahbi e outros locais sagrados em Meca e Medina serem preservados e tratados como objetos de devoção. Aquilo aconteceu apenas algumas semanas depois de terem atacado o santuário em Abwa' e o deixado de novo em destroços e ruínas. O deserto havia completado o trabalho. E embora o Líder tivesse dado boas risadas quando descobriu que seus rivais haviam consumido tanta energia com madeira e pedras, energia que seria mais bem empregada na captura de riquezas em um assalto, ele também cumpriu sua parte na demolição do prédio. Seguiu os passos dos homens da tribo e vasculhou o que não tinha sido ainda completamente destruído pelo fogo. Madeira era um artigo caro no deserto, e também havia alguns tapetes, embaixo do entulho, que ele resgatou para seus próprios fins. Embora não tivesse sido ele quem começou a destruição do santuário erguido em homenagem à mãe do Profeta, ele sempre associou sua própria debacle àquela demolição e se referia à sua subsequente perda de poder como "a vingança de Aminah".

Porém, fosse de fato a vingança desencadeada por uma mãe morta havia muito tempo ou um gesto de ironia de seu filho, que talvez fosse mesmo, afinal, um mensageiro divino, não havia dúvida de que o agente da vingança era o próprio deserto. E a tempestade de areia foi seu instrumento. A tempestade caiu sobre eles com uma fúria que ninguém poderia prever. As tempestades de areia eram frequentes naquela região, pois os ventos na serra de Dafdaf eram bravios e chicoteavam as areias com um furor ardente e com uma constância banal. Mas a nuvem de poeira que ele tinha visto no horizonte quando aguardavam junto à fonte era acompanhada por um céu azul e claro, sem o menor sinal de alguma tempestade iminente. Seria o suficiente para ludibriar os condutores de camelos, mas não uma águia do deserto, como ele, que no passado sempre conseguira distinguir uma nuvem de poeira de uma tempestade. Ou então sempre soubera distinguir, porque o Beduíno, no passado, o avisava, pois aquele homem era capaz de ler o horizonte. Agora, para seu espanto, o Líder foi apanhado desprevenido. Naquela manhã, ele deixara que a raiva toldasse sua razão, mas, ao meio-dia, sucumbiu à tentação da complacência. Seus olhos foram velados pela proximidade do sucesso. Tinha cortado a língua do eunuco usando a adaga que havia embotado sua sagacidade. Agora, ele amaldiçoava o palhaço de Karáchi, bem como seu guia, por causa do seu próprio erro.

De toda forma, muito antes do momento previsto para a caravana chegar ao local da emboscada, os ventos açoitaram o sol até ele virar um borrão de areia e o deserto disparou contra eles sua pérfida vingança. O que ele devia fazer? Ficar no desfiladeiro da montanha para sempre, à espera, enquanto a pobre caravana certamente seria obrigada a fazer uma parada, e esperar o fim da tempestade no vale mais abaixo? Ou se agarrar àquela oportunidade com unhas e dentes e se arriscar a atacar a caravana no momento em que estava mais vulnerável? Um risco, no entanto, que acarretava também sua própria vulnerabilidade, pois avançar na frente de uma tempestade de areia furiosa, mesmo na forma de um bando muito coeso, cavalgando, como ele havia treinado seus homens, cavalo com cavalo, flanco suado com flanco suado, não era nada fácil. E encontrar a caravana em tais circunstâncias, ainda que estivesse aglomerada num círculo para se proteger e mesmo sem defesa, já seria uma ordem difícil de cumprir, com a visibilidade tão baixa. A opção sensata seria esperar; a montanha era tão traiçoeira quanto a tempestade. Ele leu essa opção nos olhos de seus homens, como um apelo mudo. Pois viesse a tempestade nessa noite ou no dia seguinte, mais cedo ou mais tarde, a caravana estava fadada a passar por ali.

Mas o Líder começava a ter a sensação de que a caravana era enfeitiçada. Ela o havia enganado muitas vezes. Ele havia suposto, vezes demais, que ela chegaria, e não chegou. Tinha esperado vezes demais que ela surgisse, e fora ludibriado. Quem podia saber que outros adiamentos fariam a caravana escapar mais uma vez entre seus dedos? Na primeira vez em que procurou a caravana, quem apareceu foram os três viajantes que causaram sua primeira e fatal digressão, quando foi atrás do Beduíno até seu ninho de águia. Na segunda vez que procurou a caravana, foi de novo ludibriado pelo aparecimento de um eunuco, de quem acabou cortando a língua, sem que isso lhe trouxesse nenhum prazer, pois o homem aceitou seus sofrimentos com uma docilidade em tudo lamentável. Por que não matou a criatura, não esmagou seus miolos contra as pedras? Por que deixou que escapasse com aquele alforje esquivo? Agora, a caravana foi engolida por uma tempestade de areia. Iria ele deixar que a caravana escapasse mais uma vez ou partiria para encontrá-la? Iria esperar, dócil como um eunuco, que seu destino o alcançasse, ou partiria na direção dele, como um homem, e atacaria? Decidiu voltar. Deixando para trás sua emboscada perfeita e sua segurança entre as pedras, o Líder ordenou que os homens voltassem para a tempestade de areia.

Foi como entrar no inferno. Manter-se na rota de caravanas era, ao mesmo tempo, essencial e perigoso. Pois, caso se desviassem, estariam perdidos para sempre e despencariam da montanha quando menos esperassem; caso se mantivessem na trilha, com a visibilidade tão ruim, poderiam dar de cara com a caravana já fechada num círculo, também quando menos esperassem, e assim suas chances de um assalto estariam liquidadas. O Líder dava ordens duras. Um guia, preso aos restantes por uma corda amarrada à cintura, cavalgaria sozinho, à frente, e seguiria a trilha, ao passo que os outros iriam atrás, bem perto, em formação cerrada, junto aos arbustos secos e ao paredão de pedra nua, à direita da trilha. Ali, podiam dar de cara com rochedos, mas pelo menos estariam escondidos quando recebessem um puxão da corda do guia para avisar do perigo. Dois puxões queriam dizer que a caravana estava à vista e eles poderiam fechar o cerco antes de atacar. Normalmente ele mandaria o Beduíno e ficaria junto com o grosso da tropa de bandoleiros, a fim de comandar o ataque. Mas o Beduíno tinha morrido, maldito seja. Percebendo a inquietação de seus homens, seu temor reprimido e sua incerteza em face de mais uma mudança de planos, suas dúvidas sobre a sensatez da ideia de dar a volta para ir ao encontro da caravana, o Líder tomou mais uma decisão fatal. Decidiu mostrar para eles que não tinha medo de encarar o destino, amarrou a corda na própria cintura e seguiu ele mesmo à frente dos outros, como se fosse o guia. Em lugar do guia que ele amaldiçoou.

☼

Em questão de segundos, se viu isolado, dentro de cones de areia rodopiante. E sucederam-se séculos. O sol turvo e encoberto não lhe dava nenhuma sensação da passagem do tempo. As partículas de areia giravam em ondas e correntezas e batiam nele como se batessem em um gongo. Ele foi engolido e sugado, de modo que a areia parecia varrê-lo por dentro e por fora. Entrava nos olhos, no nariz, na garganta, a ponto de engasgar; ele perdeu toda noção de espaço e de tempo. Esforçando-se para enxergar algo à frente, tropeçava mil vezes nas pedras da beira da estrada e tinha de reajustar o rumo. Tateando como um cego no meio do vento uivante, o Líder se viu muitas vezes à beira do precipício. Só podia avançar em relação a si mesmo; era uma diretriz imprestável. Sua mente ficou entorpecida e ele mal conseguia lembrar o que estava procurando naquela eternidade de areia.

De repente, sentiu um puxão. Foi tão forte que quase o derrubou do cavalo. Em sua confusão e desorientação, mal conseguiu distinguir, naquele momento, o puxão físico no próprio corpo da lembrança que aquilo despertou, na memória, do Beduíno despencando, em cambalhotas, pelas rochas pontudas do penhasco. Foram necessários vários puxões para ele se dar conta de que seus homens é que estavam puxando a corda amarrada em sua cintura. Eram eles que o puxavam, em vez de ser ele quem lhes mandava um sinal! Perplexo, virou-se e tateou, às cegas, seu caminho de volta para os bandoleiros. Estavam reunidos em formação cerrada, na estrada. Foi ele quem se desgarrou dos demais! E eles tinham visto a caravana, lá adiante. O Líder estava passando ao lado da caravana e nem se deu conta de nada! Só o rigor da tempestade o havia protegido e mantido a caravana inconsciente dos bandoleiros, que de repente deram de cara com ela, fechada num círculo contra o vento.

Era mais um presságio.

Mas o Líder não dedicou muito tempo a interpretar o augúrio. Naquele tumulto de areia, não podia garantir onde estavam: a que distância de Khulays, a que proximidade de Tuwal, se era grande a chance de resgate da caravana ou se estavam vulneráveis a um contra-ataque da tribo de Harb, que controlava a região. Tinham de agir rápido. E agarrar tudo que pudessem. Depressa.

Ao seu sinal, os bandoleiros arremeteram contra os animais aterrorizados, gritando como era seu costume, a fim de assustar os peregrinos, brandindo suas baionetas e espadas para matar ou espantar quem quer que surgisse em seu caminho. Tiveram uma escaramuça com a escolta armada que rodeava o howdah da noiva, mas, apesar de estarem montados a cavalo, e apesar da tempestade que continuava a girar, todos os soldados foram mortos em menos de uma hora e a maioria dos turcos deu as costas e fugiu. Tiveram mais dificuldade com os condutores de camelos, mas o gosto de sangue e as areias fofas imprimiam certo ímpeto e crueldade aos golpes dos bandoleiros. O Líder havia treinado seus homens com eficiência. O entusiasmo do ataque tinha começado a recompensar as horas anteriores de incerteza e tensão. Por fim, o fio da lâmina podia apagar sua sensação de impotência.

☼

Quando viu reunidos os camelos e as mulas carregados com as riquezas do dote da noiva, o Líder começou a sentir voltar, num jato, a velha confiança, que embotou a dúvida sobre ele mesmo, dúvida que o havia espicaçado o dia inteiro. Também alguns cavalos, árabes puro-sangue reunidos aos animais de carga, foram capturados, e as mulas e camelos de sobra foram mortos, e os howdahs e as liteiras foram incendiados. O resto dos peregrinos e viajantes foram mortos sem nenhuma cerimônia, com um só golpe, e, se algum escapou, no meio da tempestade que chegava ao fim, nenhum deles era importante no que dizia respeito à riqueza. Todas as mulheres foram reunidas sob quase nenhuma resistência e, para o Líder, era fonte de bastante satisfação ouvir seus gritos. Elas seriam conduzidas para seu acampamento, nas montanhas, e divididas entre os bandoleiros mais tarde. Porém, ele mantivera a noiva como seu privilégio.

A tempestade tinha esmorecido e virado um gemido, e a parte pior dos combates já havia terminado quando o Líder se aproximou do howdah da noiva. Seus homens receberam ordens de embalar as riquezas que acompanhavam o cadáver. A noite havia caído, naquele dia fatal, e uma lua de semblante doentio se erguia acima do cenário de destruição, um presságio de que ele havia, afinal, tomado o controle das mãos do destino. Gemidos dos moribundos enchiam o ar, alguns howdahs já estavam em chamas e o tesouro principal estava sendo embalado pelos bandoleiros. Era o momento de que ele mais gostava em um assalto: seus homens sob seu comando, os gritos das mulheres em seus ouvidos, o cheiro de queimado no ar e uma virgem para ser estuprada. Ele estava no comando mais uma vez!

O Líder sentiu a luxúria crescer dentro dele. Como pudera imaginar, horas antes, que sua sorte havia virado? Como pudera pôr em dúvida sua boa ventura? Tinha agido com toda razão ao atacar a caravana em vez de esperar, impotente, que ela viesse ao encontro de suas mãos. Desse modo, mostrou para seus homens que tipo de Líder era ele. Mostrou como era capaz de fazer a maré virar a seu favor. Sim, ele estava no auge de seu poder! Tateando com os dedos sanguinolentos a fim de se desembaraçar e abrir caminho, rompeu a cortina do howdah da noiva e entrou.

A visão que o aguardava, ali dentro, à luz das tochas e fogueiras cintilantes do lado de fora, não era a que previa. Havia uma garota ali dentro, é verdade. Mas estava à espera dele. Não apavorada, não tolhida pelo medo, encolhida no fundo do howdah, ela não gritava nem gemia nem suplicava sua misericórdia, com olhos aterrorizados. Estava à espera dele, com um olhar radiante de reconhecimento. A garota no howdah o conhecia! Por um momento, o Líder se viu hesitante, perdido. Quem era aquela criança vestida como uma prostituta? De onde foi que saiu...? E que diabos...? Enquanto ele parou por um momento, perplexo, ela ergueu os braços na sua direção.

— Você não esqueceu? — sussurrou ela, em um árabe empolado. E sorriu.

Ele ficou apavorado. Seria uma feiticeira, uma prostituta? Não era uma noiva virginal! Ele nunca tinha posto os olhos naquela criatura insolente que o saudava como um amante perdido havia muito tempo! Ele não sabia como violentar uma garota em tais condições. Ainda que não fossem mais virgens, a rigor, as mulheres que ele desfrutava ficavam apavoradas, histéricas, em geral, e tinham de ser submetidas sob a ameaça de sua adaga. Isso era um estupro prazeroso. Depois, se ele ficasse com elas, as mulheres se diluíam numa espécie de docilidade muda e assustada, que tinha de ser estimulada de tempos em tempos, até voltar ao mesmo grau de medo febril a fim de lhe proporcionar prazer.

Mas, e essa agora? Que tipo de doida era aquela? Seus olhos estavam aumentados por algo mais do que o antimônio, suas mãos cobertas de hena, estendidas para ele, tremiam com algo que não era medo. Naquele infinito segundo de espanto, quando ele se viu, por um momento, desarmado de seu intuito e incerto de seus motivos, percebeu, na luz faiscante do fogo, uma bolha minúscula se formando, e depois estourando, no lábio inferior da noiva. Era um milagre de ardor! Seria humanamente possível tamanho desejo? Ela parecia derreter de amor. Ou seria apenas um truque? Será que a feiticeirazinha tinha uma faca escondida entre as dobras de suas anáguas de seda? Estaria provocando o Líder, porque tinha intenção de se aproveitar dele? Com o coração palpitante, ele se curvou para a frente, com a adaga em punho, e então, quando estendeu os braços para ela, sentiu o perfume murmurante de seu corpo.

Sua adaga foi tolhida quando ele se curvou para matá-la e se embaraçou, de forma repugnante, nas pérolas em redor do pescoço dela; as pérolas espirraram em sementes sangrentas, espalharam-se por suas roupas de seda. Horrorizado, ele não conseguiu tocar em nenhuma moeda, entre as anáguas rumorejantes, e saiu do howdah aos trambolhões, andando de costas, rogando pragas contra seus astros malignos.

Os bandoleiros ainda estavam atormentando o último dos lacaios quando o Líder chegou, num acesso de raiva, e acabou com sua diversão. Aquela era a brincadeira de costume entre eles, uma das poucas distrações que o Líder permitia durante um assalto. Eles não entenderam por que o Líder cortou a cabeça do sujeito sem nenhuma cerimônia e deu ordem para voltarem ao acampamento imediatamente. Estava de péssimo humor. Rosnava as ordens para um lado e para outro e exigiu ver o butim tomado ao cortejo do cadáver. Parecia não estar entre as cargas que pertenciam à noiva.

Houve certa confusão. Onde estava o cadáver? Quando os bandoleiros olharam em redor, não o encontraram em lugar algum. Nenhum cadáver e nenhum butim. Nenhuma fila de mulas de carga e nenhum guarda. No tumulto da tempestade de areia, os planos de ataque traçados cuidadosamente foram esquecidos e ninguém se deu conta da ausência de um cadáver! Teriam os guardas fugido com sua carga de ouro e morte? Impossível! Todos os animais quadrúpedes, todos os homens bípedes tinham sido mortos na mesma hora. Não havia sobrado nada, senão uma mula, que estava parada à luz do luar, com um alforje pendurado num dos lados.

O Líder sentiu que algo havia escapado entre seus dedos, mais uma vez. Tinha perdido metade do valor do assalto! Parado, com o sabre ainda gotejante de sangue, olhou devagar para o círculo de bandoleiros à sua volta, na ausência de seu parceiro beduíno. De repente, agarrou um deles pelo cabelo, obrigou o homem apavorado a se ajoelhar e colar a cara no rosto do homem morto, a seus pés. Então, cortou sua garganta de um só golpe. Dessa vez, pelo menos, não houve nada para tolher a lâmina e se espalhar a seus pés, num ardor ceifado.

— Que ninguém esqueça isso! — esbravejou.

☼

Lembrou-se. Quando voltou ao acampamento e se deitou em sua tenda à espera da alvorada, de repente, lembrou. Naquela noite, ele foi incapaz de desfrutar suas mulheres, nem suas concubinas oficiais nem a carne nova que tinha sido trazida, guinchando como porcos. Ele ficou rolando de um lado para outro na cama sem conseguir dormir. Foi então que se lembrou da mula solitária, deixada ao luar. Já não tinha visto aquele alforje antes? E a mula? Onde tinha visto aquela mula?

Lembrou-se. Não era a mula daquele eunuco? Não era o alforje roubado pelo beduíno? A probabilidade daquela conjunção parecia tão remota e a coincidência tão perturbadora que o sono foi banido naquela noite e em muitas outras depois. O mistério do cadáver perdido também era muito perturbador, porque ele se lembrava de que, quando saiu do howdah da noiva, havia desferido um golpe mortal na cabeça de um homem enrolado em sua mortalha. Teria ele matado o cadáver? A gradual convicção de que havia deixado escapar uma oportunidade, de que havia perdido o controle, de que havia, de algum modo, encontrado a si mesmo, ou melhor, perdido a si mesmo, na posição do dado lançado em algum jogo que ele não compreendia, em vez de ser, como sempre se orgulhava de ser, o mestre e senhor do jogo — aquela convicção incômoda, pouco a pouco, crescia dentro dele. E se consolidou dentro dele.

Não havia nada a fazer senão levantar cedo na manhã seguinte, antes de seus homens, montar em seu cavalo e voltar para o vale de Khulays sozinho. Percorreu seu caminho pensativo através da montanha de Dafdaf, rumo à fonte, e depois através do desfiladeiro, rumo aos rochedos e às pedras, no pé do penhasco. Ele queria procurar aquele alforje dos infernos, que havia começado toda a encrenca. E não encontrou.

Muito antes de chegar, o que ele viu foi uma coluna de fumaça que se erguia no céu da alvorada. O que ele encontrou foi um monte de cinzas e um punhado de ossos calcinados, no lugar onde estivera o corpo do beduíno. Era curioso. Perto, meio enterrado na areia, também encontrou um papel dobrado, coberto por uma caligrafia requintada. Mal conseguia entender alguma coisa, porque a escrita era elaborada demais; porém, imaginou sentir e sentiu, de fato, um perfume.

O Líder tinha reverência pela escrita, apesar de não saber ler. Aprendeu que a escrita significava conhecimento e que conhecimento trazia poder. Não era analfabeto na língua do poder. Sabia ler essa língua nos olhos dos homens e nos corpos das mulheres. Toda a vida, tinha usado aquela língua, mas, agora, será que era ela que o usava?

Parou junto ao monte de cinzas por um tempo, num profundo devaneio. Havia alguma coisa naquilo tudo — o rompimento da bolha de desejo no lábio da vida, a explosão de pérolas e romãs na garganta da morte —, havia algo naqueles eventos curiosos que lhe falavam de sua falta de poder. Ele tinha sido apenas um instrumento, e não quem empunhava o instrumento. Tinha encontrado um presságio que não conseguia interpretar. Iria sempre se lembrar disso, porque não tinha o poder para esquecer. Perdeu toda a sensação de tempo enquanto ruminava sobre tais assuntos, e foi com os dedos trêmulos que dobrou de novo o pedaço de papel, com reverência, e meteu debaixo da camisa. Não voltou imediatamente para o acampamento, ficou muito tempo sentado junto à fonte, perto do santuário em ruínas, no outro lado do desfiladeiro, lutando contra o desejo absurdo de chorar, em face da memória duradoura do perfume no ar à sua volta. Mais tarde, costurou o texto perfumado dentro de uma bolsinha de seda e pendurou no pescoço, como um amuleto. Ia usar aquilo junto à pele por mais dezenove anos. Não sabia ler, mas sabia o que aquilo tinha a dizer. Pouco depois da "vingança de Aminah", ele renunciou. A liderança e a volúpia de poder tinham se tornado detestáveis para ele. Antes que seus colegas bandidos pudessem superar sua surpresa e assassiná-lo, ele se retirou para outro país, longe demais para que eles o seguissem, onde comprou uma pequena terra e cultivou figos e damascos, que açucarava e vendia para os adoradores do fogo e para sua própria comunidade de mercadores parses, do outro lado da fronteira.

Anos depois, toda vez que acontecia algo que o fazia lembrar sua falta de poder, toda vez que acontecia algo que o fazia lembrar sua impotência, toda vez que, no espanto de sua alma, ele se via recordando a multidão de mistérios que se esquivavam dele, os muitos enigmas que ele jamais conseguia entender, tocava o dedo na bolsinha de seda pendurada no pescoço e ficava distante, os olhos nebulosos. As palavras não lidas ali dentro falavam com ele numa caligrafia sussurrante que tocava as fibras de seu coração, o apertavam com força e murmuravam carinhos profundos. Falavam com ele em espirais de perfume, rolos de cachos tingidos de hena e sutis sedas aderentes, que não o soltavam. Com amor infinito, murmuravam para ele lembrar que toda a criação, no tempo e no espaço, havia abrigado milhões que desfilaram por um breve tempo, de acordo com suas forças, como ele mesmo fez. Com meiga compaixão, lembravam a ele que todos aqueles milhões inumeráveis tinham, como ele, sem exceção, sido completamente esquecidos, juntamente com suas volúpias e seus poderes fúteis. E, com um ardor especial, murmuravam para ele não esquecer que todos aqueles, iguais a ele, todos aqueles milhões, e tudo na criação, era menos, muito menos do que aquilo que existe dentro da pupila do olho de uma formiga morta, em comparação com o Todo, que ele nunca poderia nomear, o Todo, que ele não iria jamais conhecer.

O Cambista

O Cambista tinha vivido muitas vezes. Aos quarenta anos de idade, já tinha sido um cachorrinho de estimação de memsahib, um abutre, um escorpião do deserto e uma mosca. Mas ainda não tinha sido um homem.

Ficara trancado em seu ciclo de samsara, ou renascimentos, desde quando sua memória conseguia alcançar. Começou quando era uma criança pequena, pois a mãe ficou viúva quando o pai morreu e se viu obrigada a cometer sati, o que lhe permitiu compreender, numa idade ainda precoce, como se podia morrer de uma variedade de maneiras, entre as quais se incluía uma aparência de vida. As cinzas da mãe foram jogadas no Ganges, antes que ele tivesse idade suficiente para saber a diferença entre céu e paraíso, e foi deixado à mercê dos tios maternos, que tinham pouca paciência com aquele filho único de uma irmã, com a qual os parentes do marido não queriam ter nenhuma relação. Os tios eram sapateiros e um tanto avarentos, por natureza. Detestavam o menino de nariz sempre entupido, sempre escorrendo, que não demonstrava a menor aptidão para a profissão deles e que, quando dava uma martelada no polegar, uivava tão alto que os fregueses até desanimavam de entrar na oficina. Disseram para ele, em termos bem claros, que até conseguir ganhar algum dinheiro razoável e adquirir reputação, não iriam ajudá-lo a encontrar uma esposa e, a menos que achasse uma esposa, ele não seria aceito na família. Além disso, seria renegado, caso sujasse o nome da família, pois a casta deles era mais alta do que a dos curtidores de couro, que eram da casta dos intocáveis. E então mandaram o órfão embora para ganhar a vida por conta própria.

Portanto, foi esse o teor da orientação moral de seus tios, e uma das primeiras opções que o jovem contemplou foi a de mudar de nome. Tornou-se catador de restos e aprendeu a trapacear para sobreviver. Pois rapidamente entendeu que o caminho da sabedoria e do amor, do conhecimento e da devoção, de juana e de bhakti, eram caminhos da perdição. Não tinha nenhum interesse na perdição, mas muito interesse em saber de onde viria seu próximo prato de comida. Não existia outra certeza além dessa em sua vida mais do que duvidosa.

Seu primeiro emprego sério, e a vida que foi sua consequência, ocorreu quando foi apresentado à Companhia das Índias Ocidentais, em Calcutá, graças a um gesto de caridade, e de despedida, de um dos tios que havia ganhado a honra de remendar um par de botas de certo sahib britânico que trabalhava lá. Em seguida, o jovem se empregou como lacaio no escritório de um inglês, funcionário da alfândega, naquela empresa. Lá, sua tarefa honrada consistia em varrer o chão, sacudir o punkah nas tardes muito quentes e esfregar delicadamente um pano molhado na beirada da escrivaninha do sahib, abarrotada de papéis. Ele não podia esfregar aquilo na escrivaninha, o pedaço de pano cinzento e imundo e de cheiro deveras nojento, pois isso podia perturbar a ordem dos papéis do sahib. Mas ele podia esfregar o pano na beirada. E, portanto, ele esfregava a beirada da escrivaninha, a beirada da cadeira, a beirada das janelas poeirentas e da porta — e, quando o sahib não estava olhando, a ponta do próprio nariz.

Mas o sahib olhava. E olhava muitas vezes para aquele adolescente de olhos saltados, lábios carnudos e adenoide muito desenvolvida. Qual daqueles atributos merecia a distinção de ser observado com mais atenção, isso ele não sabia, mas, certa noite, na estação das monções, aquele cavalheiro a cargo do Departamento de Controle de Impostos e Taxas de Sua Majestade, para a respeitadíssima Companhia das Índias Ocidentais, situada em prestigiosos prédios no melhor bairro de Calcutá, se demorou em seu escritório até mais tarde do que o costume e se aproveitou da situação e da penumbra esverdeada para passar a mão tateante no traseiro trêmulo do jovem.

A mão tinha ficado vermelha com o sol, e era seca e áspera, mas o inglês ainda era jovem e estava começando sua carreira promissora. Pouco depois, foi promovido e deixou o Departamento da Alfândega em Calcutá para assumir um cargo mais importante, junto a um adido diplomático de pequena envergadura na Embaixada Britânica de Constantinopla. E decidiu levar consigo o jovem indiano com adenoide. Como as alternativas eram poucas, os tios deram sua autorização e até promoveram uma festa de despedida para seu sobrinho promissor e, depois daquela breve fanfarra de louvores, ele partiu, deixando todos cheios de esperança por um casamento, por ocasião de seu regresso. Foi a primeira, mas não a última, de suas viagens. Quando cruzou o Estreito de Bósforo, sabia que seu regresso a Calcutá no futuro seria tão duvidoso quanto tinha sido seu passado lá. Nessa nova encarnação, Ashwin, como ele agora se chamava, foi alçado às fileiras dos criados domésticos, onde sua tarefa consistia em limpar as poças e as sujeiras deixadas pelo cachorrinho de estimação da memsahib. Ou porque esse animal morreu pouco depois, em circunstâncias bastante misteriosas, ou porque agora ele tinha de competir com um menino turco de bochechas rosadas pelas atenções de seu mestre, aquela guinada promissora em seu destino não durou muito tempo. Foi demitido abruptamente quando descobriram a falta de algum dinheiro nas gavetas da memsahib e viram que as roupas íntimas em seu armário estavam em condições lamentáveis. O menino turco de bochechas rosadas negou, com veemência, saber qualquer coisa acerca do roubo anterior e, embora tenham descoberto que ele usava certas peças de roupa que não eram suas, a questão foi abafada e o indiano foi posto no olho da rua, sem qualquer cerimônia.

Durante aquele primeiro inverno de sua vida, ele se viu perdido e sem rumo, sem um tostão e morrendo de frio em Constantinopla. Aquilo o convenceu, mesmo depois, que ele preferia morrer de calor do que de frio e que não importava quais estações teria de viver outras vezes na vida, contanto que não fosse o inverno. Constantinopla era uma cidade cruel que mudava de rosto a cada noite, de modo a nunca permitir que seus habitantes tivessem o consolo de pensar que moravam lá. Pois ruas e travessas se modificavam, prédios morriam e eram reconstruídos em outro lugar e nada era o que tinha sido um dia antes, em Constantinopla. Era uma dessas cidades que se enraizavam e viviam em seus habitantes, e não o contrário, disseminando ruazinhas por dentro da mente. Até a hora em que esse tipo de cidade resolve absorver um homem em seu emaranhado de sarjetas, até a hora em que ela aceita receber e aquecer seu corpo, mastigar e digerir esse homem e, por fim, transformar seu espírito em dejetos, a vida dele se encontra em perigo.

Constantinopla não gostou do paladar do jovem hindu de Calcutá e cuspiu-o de sua boca. Ele poderia ter morrido de fome naquele dia de inverno em que se encostou, debilitado, de lábios azulados, na parede emporcalhada de urina de um banheiro público, não fossem os olhos de apreço de um passante turco e também sua própria decisão rápida de, na hora em que perguntaram qual seu nome, metamorfosear-se num jovem sunita de Karáchi, ávido para trabalhar. De uma hora para outra, transformou-se em Abdullah e ingressou nos serviços domésticos do turco. O turco era um devoto sunita, além de ser rico. Como já não era mais tão jovem e tinha suas necessidades, Abdullah pôde rapidamente melhorar sua sorte, pois estava se tornando adepto da arte de bajular. Porém, isso ocorreu a um preço fatal. Para sua consternação, e duradouro constrangimento, tornou-se patente que sua segurança em Constantinopla requeria certa renúncia ao orgulho viril. Se queria ser bem alimentado, teria de ser emasculado. Se queria ter acesso aos aposentos privados do turco, recostar-se nas almofadas do turco, comer os pratos deliciosos do turco, fumar seu cachimbo de água e manter-se aquecido durante o inverno, teria de abrir mão de toda esperança de voltar ao seio da família para fazer sua escolha entre as noivas hindus tilintantes. O turco preferia estar seguro e não confiava em nenhuma de suas muitas esposas.

Aquela quarta encarnação, portanto, mais do que o episódio anterior entre os britânicos, foi o período da vida em que o indiano refinou sua filosofia da dúvida. Ali nos haréns do turco, onde ele foi ficando indolente e tímido, onde era sempre superalimentado e mimado, onde adotou a tatuagem de uma rosa cor-de-rosa e outros requintes, aos poucos ele começou a conceber a ideia de uma riqueza independente e a cultivar um ceceio na fala, bem como certa crueldade. Ali, onde aprendeu a arte da bajulação e da fraude, começou a planejar como escapar do turco e ainda explorá-lo, como agir com deslealdade e ainda continuar seu amigo. E, num belo dia de primavera, encontrou sua chance. Um mercador de frutas secas, que tinha laços comerciais com o turco, chegou de Karáchi com a filha. O turco, de olho na filha, propôs ao mercador uma transação a que ele não pôde resistir, porém, no último minuto, a condição estabelecida pelo mercador foi de que o casamento fosse feito em Karáchi. Alguns disseram que era esse o ardente desejo da mãe da noiva; outros, que foi astúcia do pai, interessado em alguma barganha ainda mais vantajosa. Só uns poucos aventuravam a hipótese de que a ideia podia ter nascido do eunuco. De todo modo, embora o crédito pelas condições do casamento fosse atribuído ao mercador de frutas secas e a concordância do turco com tais condições fosse atribuída a seu apetite ilimitado, no fim aquilo se revelou fatal para ambas as partes e bastante vantajoso para o indiano. Muito cordialmente, o mercador de Karáchi preparou a filha para partir, distribuiu suas frutas secas como presentes de despedida para as várias esposas do turco e foi embora. Porém, depois que partiram de Constantinopla, o acordo de negócios voltou, mais uma vez, à mesa de negociações e o casamento foi adiado em caráter indefinido.

O turco se mostrava cada vez mais soturno, enquanto as perspectivas de consumar o matrimônio definhavam na distância incerta, e o turco se tornou cada vez mais suscetível à sugestão de que o indiano podia servir de intermediário e casamenteiro, a fim de acelerar os acertos relativos às bodas. Aquele jovem esperto lhe garantiu que tinha conhecidos importantes entre os mercadores de Karáchi e, naturalmente, protegeria os interesses do turco muito melhor se estivesse lá. Prontamente, ele foi provido de roupas requintadas, abastecido com vastos fundos e enviado de volta como emissário para renegociar com o mercador de frutas secas o casamento da filha. Conseguiu obter para si plenos poderes de procurador do turco, para agir em seu nome, e encantou o velho com promessas de que ele iria não só ganhar uma noiva como também obter negócios lucrativos entre os mercadores da cidade.

Mas, quando o indiano chegou a Karáchi, ostentou tais riquezas como se fossem suas e entrou na cidade não como um emissário, mas sim como um comerciante bem-sucedido e independente. E então, a título de um favor especial para o mercador de frutas secas, e em troca de uma remuneração modesta, com todas as despesas pagas, é claro, o indiano se ofereceu para servir de intermediário em favor do mercador de frutas secas e tentar obter, do turco, melhores condições em relação ao dote da noiva. Quando voltou para Constantinopla, meses depois, suas explicações incluíam alguns negócios comerciais; no entanto, para decepção do turco, as frutas se revelaram mais secas do que antes e a discussão sobre o dote da noiva demandava despesas de mais tempo e mais dinheiro. Desse modo, os meses se passavam, os adiamentos se sucediam, enquanto o indiano ia se familiarizando com a rota dos peregrinos e assumia sua quinta vida, de abutre.

Agora que tinha alimentado a cobiça e precisava de outras pessoas, sob o pretexto de lhes fornecer seus serviços prestimosos, ele resolveu elevar seu status, adotando um nome novo. Muhsin Aqa parecia mais adequado à sua ascensão de status, como casamenteiro e mediador, e disfarçava com um manto de respeitabilidade suas dúvidas acerca de si mesmo. O negócio de Karáchi só parou quando o mercador de frutas secas começou a enxergar aquele cavalheiro bem fornido como um objeto de barganha mais interessante para sua filha. Daí em diante, depois de jurar lealdade ao turco, o indiano virou a mesa e serviu de alcoviteiro para a moça com outros noivos, enquanto desviava a atenção do turco, de Karáchi para Kirman.

Pois, nos últimos tempos, tinha descoberto que podia manobrar o nervosismo de certo mercador na comunidade zoroastrista daquela região, que também andava atrás de um marido para sua filha. O homem, por baixo de seus gestos piedosos muçulmanos, era um zoroastrista convertido, mas como o valor de mercado da filha tinha sido manchado por sua má fama, era preciso encontrar um comprador longe de casa. O turco ficou encantado pela taxa de câmbio oferecida por aquela noiva e exultou em face da descrição que o indiano fez da jovem. Mostrou-se particularmente empolgado com o retrato pintado em miniatura que ele lhe mostrou, incrustado num estojo de alabastro, bem como com as visões proféticas que o eunuco jurou que a moça tinha acerca do casamento.

Embora o indiano, pouco a pouco, visse seu prestígio se desgastar entre os mercadores de Karáchi e perdesse também o contato com a comunidade zoroastrista, conseguiu manter de pé suas relações com o turco durante anos. Mentindo e manipulando aqueles a quem dizia servir com zelo fiel, aos poucos, conseguiu extrair para si riqueza bastante para começar seus próprios negócios, dando calote, trocando dinheiro e com a venda ilegal de bebida alcoólica na rota de peregrinos para Meca. Portanto, aquela foi sua sexta encarnação, o escorpião do deserto, que fazia negócios tortuosos com peregrinos desesperados e os ludibriava, tomando seus bens e seu ouro, quando estavam ali, longe de casa e indefesos. Nessa etapa de sua existência, do ashrama de sua vida, seu nome mudava com a mesma fluidez com que o dinheiro passava pela palma de sua mão. Com sunitas, ele era Muhsin Aqa; com xiitas, ele era Haji Abdullah; com hindus, que eram poucos e raros naquelas plagas, ele retornava às suas origens, como Aswin Munje, e afirmava ter ligações entre os brâmanes de Bombaim e de Calcutá. Também desenvolveu o dom das línguas, a fim de dar impulso a suas ocupações mais duvidosas. De fato, privações num setor da vida demonstravam ser largamente compensadas por vantagens em outro. Sua língua tornou-se seu principal trunfo. Sabia falar urdu, hindi, árabe, persa, gujrati e turco, bem como um inglês truncado de seus tempos de sahib. Em qualquer circunstância, sua língua estava afiada e a postos no que dizia respeito a bajulação, engodo, fraude e outras formas de lisonja. Era bem útil a ele e resgatava seu orgulho. Mas ainda não tinha salvado sua vida.

Certa vez, no entanto, sua língua pôs sua vida em sério risco. Foi durante o período em que ele foi abutre, quando a transação entre o turco e o mercador de Karáchi começava a azedar. Sua notoriedade em Karáchi forçou o indiano a voltar os olhos para outro lado e, como ele também andava mal visto pelo turco, que estava envolvido na aquisição de terras e propriedades perto de Damasco, ele não conseguiu partir direto para Constantinopla, como estava planejado. Viu-se na estrada de Jidá, sem poder ir em frente nem recuar. Ao parar numa estalagem na beira da estrada, certa noite, num estado de ânimo especialmente lamentável, tomado pela vergonha, de repente envolveu-se numa conversa com um jovem beduíno que apareceu do nada, do meio da noite e da lua nova. O rapaz tinha olhos fundos e ossos frágeis, mas, embora dividissem um narguilé, ele se revelou incorruptível. Era uma pena. Não passava de um pobre pastor, um mero vagabundo ou coisa pior, mas o indiano, de súbito, se viu confiando a ele suas dúvidas. Mais tarde, naquela noite, enquanto os outros peregrinos roncavam na estalagem, ele caminhou pelo deserto com o rapaz beduíno e começou a falar como nunca antes havia falado. Se foi o deserto, que parecia tão estranhamente puro debaixo da lua nova, ou se foi o áraque, que ele tinha bebido talvez um pouco demais, que soltou sua língua, ele não sabia, mas começou a contar sua história para o rapaz: todas as suas hipocrisias, mentiras, infidelidades; que na verdade era um hindu de Calcutá que fingia ser um sunita de Karáchi; que foi castrado por um turco e agora lucrava o máximo que podia com os peregrinos.

O rapaz escutou em silêncio.

— Então, você não acredita no Profeta? — perguntou.

— Ora, que profeta! — rosnou o indiano. — Há mil profetas!

— Mas você finge que acredita, aqui, como os peregrinos, você finge ser peregrino?

— Sim, eu finjo — respondeu o indiano, entediado. — Eu finjo, eu finjo e estou farto de fingir. Quem dera que Deus me permitisse parar de fingir.

— Mas você não acredita em Deus — interrompeu o rapaz, incisivo.

— Existem mil deuses — respondeu o hindu, com tristeza. — E suponho que eu acredite em todos eles. Vishnu, Shiva, Indra, Kali. Acredito em todos.

E então chorou. Talvez fossem lágrimas de autopiedade; talvez fossem lágrimas de alívio, pois foi a única vez na vida em que falou a verdade, sem a intenção de obter alguma vantagem com isso. Foi a primeira vez que exprimiu suas dúvidas e, por conta disso, pôs a vida em risco. Segundos depois, se arrependeu de sua loquacidade e bem que poderia morder a língua por sua tolice. E se o beduíno se revelasse um traidor? Mas o rapaz olhava para o indiano com tal mistura de piedade e repugnância que ficou claro que desejava não ter mais nada a ver com ele. Pouco depois, o beduíno desapareceu nas sombras, de onde tinha vindo, e deixou o indiano dormir seu sono de áraque e de desolação e ficar para sempre assombrado pelo espectro daquele completo desconhecido que, em algum lugar ignorado, no deserto, conhecia sua dubiedade. O indiano nunca mais viu o beduíno, até o dia em que o viu morto, de costas, no desfiladeiro junto à fonte seca. Com um alforje a seu lado. E, nessa altura, ele tinha perdido a língua.

☼

Foram circunstâncias curiosas que levaram o cambista a fazer aquela derradeira e fatal viagem entre Jidá e Meca, na qual perdeu a língua. Fazia alguns anos que ia e vinha, sem parar, entre Damasco e Duzdab Zahindani, com o patrocínio do velho turco, quando, numa daquelas viagens, se viu no pequeno porto de Kangan, entre Bushir e Bandar Abbas. Os negócios andavam mal e ele tinha decidido arriscar a sorte com o kad khuda local, recém-instalado no cargo e que ainda não o conhecia. Seu plano era lhe oferecer um suprimento secreto de áraque, em troca do monopólio de câmbio com os peregrinos. E lá, no jardim na frente da casa dele, o indiano teve um encontro muito estranho. Encontrou um "homem santo" da Índia, vestido da maneira mais modesta, com um pano verde enrolado na cabeça e um cajado na mão. Parecia que estava cumprindo a pé todo o caminho de volta para sua casa. Era velho, esquelético, e as costelas sobressaíam de forma repugnante. Tinha falado com o kad khuda e havia acabado de sair da casa, com uma luz ferina nos olhos, que desconcertou o Cambista. Ficou especialmente desconcertado quando o "homem santo" perguntou por seus laços de família em Calcutá e vasculhou seu rosto com atenção, por baixo das sobrancelhas peludas, enquanto ele respondia, gaguejante, sobre Karáchi. O Cambista não estava acostumado a encontrar seus compatriotas. O "homem santo" então lhe disse abruptamente que estava voltando da cidade de Shiraz para a Índia e perguntou se ele não queria saber por quê. Era uma pergunta estranha e pronunciada com uma certeza que tornava todas as respostas imateriais. Como obviamente ele não era um comerciante e Shiraz não era um local de peregrinação, o Cambista se viu perdido, sem entender qual o significado daquele comentário, quando, de súbito, sem aviso nem desculpa, seu interlocutor anunciou que estava vindo de Shiraz, porque o último avatar tinha aparecido e a nova era de Krta Yuga havia começado.

A falta de lógica no comentário levou o Cambista a fitar com um olhar vazio, durante alguns segundos, o homem de olhos brilhantes à sua frente. Que avatar? Será que o homem estava louco? O "homem santo" sorriu.

— Você mesmo já não é uma prova de que os tempos de Kali Yuga estão próximos? — disse ele. — Pois os Vedas não nos dizem que 'Pessoas de mente mesquinha vão fazer transações e mercadores serão desonestos' nesse tempo? Ora, olhe para si mesmo; você é a prova viva!

O Cambista ficou embasbacado. Seria loucura ou alguma faculdade menos inocente que permitia que aquele homem transformasse a ofensa em argumentação lógica? Ele começou a ter dúvidas acerca dos motivos do sujeito, mas, apesar de seu cinismo, a enraizada reverência que a mãe morta lhe havia ensinado em relação àqueles que se voltam para Sanatana Dharma, ou seja, as leis universais, levou o indiano a reprimir suas palavras. Louco ou são, aquele era afinal um "homem santo". O longo tempo em que ele se mantivera distante das escrituras de sua antiga religião tornou-as algo estranho e alheio para o Cambista. Mas ainda respeitava aqueles que buscavam o caminho de juana, ou iluminação, quem quer que fossem. Um "homem santo" devia ser respeitado, ainda que fosse um muçulmano, ainda que o fitasse com atenção excessiva e chegasse perto demais dele.

— Você é a prova viva! — repetiu o velho, em voz baixa. — Pois não está dito que "quando a religião dos Vedas e o dharma dos Livros da Lei tiverem de fato cessado e o Kali Yuga estiver quase esgotado, aí então o abençoado Senhor Vasudeva vai se encarnar aqui, no universo, na forma de Kali"? — Os olhos dele nunca piscavam.

Nesse ponto, o Cambista estava tão perplexo que se afastou, com um sentimento de ofensa crescente, mas o sujeito nu simplesmente foi atrás dele, inclinou-se para a frente e, com a boca a poucos centímetros da bochecha do eunuco, sussurrou:

— Eu lhe garanto que ele chegou!

Não havia dúvida de que ele estava louco. Talvez não fizesse diferença. Se o homem estivesse são, o Cambista teria de ficar preocupado com a possibilidade dele investigar suas relações familiares e causar um escândalo em Calcutá. Deu as costas rapidamente e saiu do jardim. Depois de toda aquela conversa maluca, ele não tinha nenhum apetite para tentar fazer negócios com o kad khuda. Perturbado, voltou os passos na direção do porto fedorento a fim de se distrair um pouco, junto às pessoas que tinham acabado de chegar à cidade, e de ficar vendo quem estava à espera para embarcar para a Arábia nos barcos de peregrinos.

E lá, para seu espanto, teve um segundo encontro inesperado. Viu o mercador parse que ele havia ludibriado anos antes! O homem vinha com a filha e seu cortejo nupcial. De um só olhar, o indiano percebeu que o dote da noiva era volumoso. Seria possível que o bode velho daquele turco tivesse finalmente resolvido a questão e fechado um acordo quanto ao dote da noiva? E sem seus serviços pessoais? Seria mesmo concebível que os dois tivessem fechado uma negociação que dispensava a participação do casamenteiro? Ou o casamento da garota louca tinha sido arranjado com outro noivo? O que estavam eles fazendo agora, disfarçados de muçulmanos, entre os demais peregrinos a caminho da Arábia? Havia alguma nata, alguma banha, algum óleo para ser filtrado naquela história. Ele não podia deixar que aquilo lhe escapasse entre os dedos. Porém, o indiano hesitou e se conteve, alguns momentos, escondido no meio dos fétidos barcos de pesca, perto do portão antigo. Como poderia se apresentar, agora, sem alguma introdução cuidadosa? Seu último encontro com o mercador parse não tinha sido muito feliz, para dizer o mínimo, e, como o indiano bem lembrava, a filha tinha um fraco por sonhos e prodígios que sempre arruinavam seus planos tão bem traçados. Ele tentava evitar que o vissem e elaborava a melhor maneira de agir. Era a primeira vez em muitos anos que ele precisava dos serviços de um intermediário, algum terceiro neutro que servisse como seu advogado. E então lhe veio a ideia de retornar ao kad khuda local e pedir que o apresentasse. O homem ainda não o conhecia e, se o indiano conseguisse obter aquele seu favor à custa de bajulação e de alguma pequena recompensa em forma de álcool, seria capaz de reinventar-se rapidamente. E encontrar meios de encher a própria carteira, enquanto parecia prestar um favor aos outros. Com zelo renovado, deixou o porto e rumou para a casa do kad khuda.

Mas não chegou longe. Para sua desolação, viu que tinha sido seguido pelo "homem santo", acompanhado pelo próprio kad khuda. Pior ainda, os dois estavam se aproximando do porto! Seguiam direto para o grupo do mercador parse! Desconcertado, o Cambista viu o zoroastrista cumprimentar o "homem santo" com profunda reverência e alguma familiaridade, como se fosse um velho amigo. E então, assombrado, viu quando o "homem santo" apresentou o zoroastrista ao kad khuda. Todas as suas esperanças evaporaram. Por que seu karma estava agindo contra ele? Tinha perdido sua oportunidade.

Mas o pior não havia terminado. Minutos depois, viu o "homem santo" apontando para ele — não podia mais escapar! Ia ser desmascarado por aquele santo maluco! Tinha de se preparar para uma vergonha humilhante e ser exposto em público. O mercador parse certamente não ia deixar aquilo passar em branco e sua opinião destruiria quaisquer chances futuras de fazer algum negócio com o kad khuda. O indiano já estava pensando em esconder-se e fugir do porto. Porém, exatamente nesse instante, quando o parse olhava para ele com um início de reconhecimento, enquanto o grupo de três homens se aproxima, o "homem santo" de repente tomou a questão nas próprias mãos.

— Permita que apresente um compatriota — declarou, e depois, voltando-se com cortesia para o mercador parse a seu lado, acrescentou: —Um cavalheiro que eu creio que o senhor já teve oportunidade de conhecer. Mas agora ele é meu amigo também e posso dar a ele meu aval. — Então, depois de pousar por um instante os olhos radiosos no kad khuda, concluiu: — Pode confiar nele com segurança. Pois não está dito que, quando a nova era de Krta Yuga chegar, "as mentes das pessoas vão despertar e tornar-se puras como cristal"? Esse homem, eu prometo, será a prova viva disso!

Com essa enigmática declaração final, apertou as palmas das mãos, uma contra a outra, olhou fundo para os três homens em volta e depois se curvou com reverência para cada um deles.

Foi assim que o Cambista obteve o intermediário de onde menos esperava. Foi por causa de um "homem santo" louco que o mercador parse, com relutância, aceitou renovar seus serviços de espião. Foi por causa desse encontro curioso que ele embarcou no que se revelou ser sua sétima vida e sua mais recente carreira, como mosca. Quando embarcou no navio para Jidá, o "homem santo" ficou no cais, olhando para ele com toda atenção, por um tempo sem fim.

✡

Inicialmente, no entanto, a situação não poderia ser mais propícia. A bordo da embarcação, o Cambista teve uma vasta ocasião para refletir sobre qual estratégia adotar e, quando chegaram a Jidá, parecia que o dote poderia passar inteiro para suas mãos. O turco, que era aguardado para enviar uma escolta a fim de acompanhar a noiva no caminho para Damasco, ainda não havia chegado. Existia até a possibilidade de que ele e sua escolta tivessem sido massacrados no caminho, pois cresciam os rumores de que o selvagem xeique da tribo de Harb vinha atacando autoridades otomanas naquela região, numa tentativa de obter independência. Mas havia também a possibilidade de que a escolta turca fosse simplesmente chegar depois. Se conseguissem deixar Jidá rapidamente, acabariam se desencontrando da escolta.

O Cambista sabia que tinha de agir depressa. Começou a negociar com os chefes da caravana para que pudessem seguir na direção de Meca na companhia de outros peregrinos. Uma vez na estrada, ele tinha a intenção de dar umas dicas, na hora certa, a respeito das inclinações zoroastristas do cortejo da noiva e então tirar proveito das consequências da divulgação pública daquela informação. Nada podia ser mais simples do que tirar vantagem dos que não eram muçulmanos e se encontravam no reduto sagrado de Hijaz, e ao mesmo tempo manter limpas as próprias mãos. Uma pequena escaramuça, em nome da ortodoxia religiosa, podia resultar em algumas gargantas cortadas e na posse de uma considerável quantidade de riquezas. O indiano sabia muito bem como fazer o papel de uma pessoa de luto. Tinha de agir com presteza e na hora certa.

Mas a hora certa chegou e foi embora várias vezes, sem que ele pudesse aproveitar e o indiano estava com dificuldade de manter a paciência com os chefes da caravana, que se revelaram muito mais gananciosos do que ele esperava. Para sua profunda frustração, exatamente na hora em que as negociações estavam finalmente fechadas e eles se preparavam para a partida, a escolta turca chegou e frustrou os planos do indiano. Pior ainda, entregaram uma carta assinada pelo turco, que dizia que a noiva devia, a todo custo, evitar a cidade sagrada e fazer um longo desvio em torno de Meca, pela estrada de mercadores que seguia para Usfan. Quando o indiano protestou contra o transtorno daquela rota de camelos deserta e sugeriu a solução mais sensata de prosseguir junto com os peregrinos até Hadda, antes de tomar um outro desvio, mais curto, em torno da cidade sagrada, rumo a Al Jumum, os chefes da caravana então aumentaram seu preço e as negociações tiveram de recomeçar. Embora a covardia da escolta turca lhe fosse útil (pois estavam morrendo de medo de atravessar o deserto sozinhos), sua falta de jeito para negociar se revelou fatal e o momento apropriado se perdeu, mais uma vez, quando o indiano acordou, certa manhã, para descobrir que a caravana de peregrinos tinha afinal partido sem eles, ainda antes da alvorada.

O indiano ficou profundamente indignado. Tinha perdido a oportunidade perfeita de atiçar o fanatismo religioso dos peregrinos contra o cortejo da noiva, embora ele se indagasse, em retrospecto, se um dos mais fanáticos entre eles, um jovem sacerdote muito paramentado, não teria sido justamente o responsável pela apressada partida da caravana. Pois o sacerdote tinha ficado horrorizado ao ouvir que seu haje poderia estar manchado pela presença de mulheres parses. Agora, não havia escolha, a não ser tentarem alcançar aquela ou alguma outra caravana de peregrinos, no outro lado da cidade sagrada, ou em Al Jumum ou em Usfan, e encararem sozinhos a travessia do deserto.

Era a maneira menos atraente de se livrar da noiva. Viajar na companhia de uma escolta de soldados turcos uniformizados, numa região transbordante de ódio contra eles, estava bem longe da sua ideia do que seria uma ocasião apropriada. Infelizmente, os membros da tribo rebelde e selvagem, que esperavam nas dunas à frente, não fariam nenhuma distinção entre ele e os zoroastristas, tampouco estariam dispostos a dividir o butim. Em tais circunstâncias, ele se veria fortemente pressionado a salvar a própria vida, e as riquezas do dote da noiva acabariam passando para outras mãos que não as suas.

Tanto para se tranquilizar como para, ao mesmo tempo, ganhar algum dinheiro, ele se ofereceu para conseguir alguns guarda-costas para os turcos, que desejavam proteção contra a ameaça das tribos do deserto. Os preços apresentados pelo indiano eram muito mais altos do que o que os próprios guarda-costas tinham proposto, uma patética tropa de indigentes apanhados ao acaso nas ruas de Jidá e munidos de porretes e adagas, emprestados para aquela ocasião. Porém, a despeito de todo seu esforço para ludibriar os turcos, eles acabaram se revelando mais parcimoniosos do que pusilânimes. Depois de mais duas semanas de atraso, quando uma pequena caravana comercial partiu de Jidá a fim de atravessar a rota do deserto, de Bariman para Usfan, eles resolveram partir junto. E sem os guarda-costas.

O indiano tinha certeza de que eles tinham tomado aquela decisão por causa da interferência da escrava falacha. Tinha certeza de que a escrava vinha manipulando a ansiedade deles, lhes dizendo que a fúria suprema do turco seria mais temível do que a selvageria da tribo de Harb, que a impaciência do turco era mais certa do que a dúvida de qualquer assalto. E assim, o indiano, ainda à espera do momento apropriado, durante toda a maçante e despovoada rota comercial entre Jidá e Usfan, durante três dias de viagem, não vislumbrou o menor sinal do pretexto que tanto esperava. Nem da ameaça que tanto temia.

Por fim, no quarto dia após a partida de Jidá, algumas horas depois do nascer do sol, o momento apropriado chegou. Um dia antes, o indiano e a escolta turca, por razões bem diferentes, ficaram satisfeitos de encontrar, mais uma vez, a caravana de peregrinos, no caravançará de Usfan. Os turcos, dessa vez, não tiveram nenhuma dificuldade de fechar um acordo com os chefes da caravana para que o cortejo da noiva seguisse caminho sob sua proteção adicional, e o indiano notou, com satisfação, que, por um lance de sorte, o jovem sacerdote fanático continuava entre os peregrinos viajantes. Imediatamente, começou a pingar suas indiretas e suas insinuações provocadoras, abalando os escrúpulos do jovem e perturbando sua mente com dúvidas. Parecia particularmente enojado com a presença da escrava falacha, e o indiano se aproveitou disso. Porém, quando a caravana se viu obrigada a parar na estrada entre Meca e Medina, já nas portas do quarto caravançará de Khulays, ele se deu conta de que nada do que pudesse ter sugerido ou insinuado seria capaz de produzir sequer a metade do efeito provocador dos gritos que vinham do próprio howdah da noiva.

A histeria da noiva veio bem a calhar para o indiano. O que poderia ser melhor? A caravana inteira foi forçada a parar por causa de uma mulher! Agora era a hora de denunciar os infiéis. Ali estava a oportunidade de atiçar o jovem sacerdote e instigá-lo a agir. O calor era mortal. Os chefes da caravana ficaram aborrecidos com a parada imprevista. O fedor repugnante do cadáver era insuportável e os peregrinos reclamavam. Não levaria muito tempo para apontar um culpado, de modo vantajoso para os propósitos do indiano, e então, com movimentos ágeis e algumas propinas nas mãos certas, ele não tinha dúvida de que poderia abocanhar a parte principal das riquezas do dote, sem que o turco jamais viesse a saber que ele estivera envolvido naquilo. Pois, é claro, tinha mentido quando dizia que continuava leal ao turco. A caravana estava em alvoroço. Todos gritavam e reclamavam. Os guardas em torno do cadáver, que pareciam prontos a responder a qualquer provocação, exigiam explicações. Todos os peregrinos estavam insatisfeitos, exceto o homem mirrado que tinha se prendido ao Cambista em Usfan, por razões de interpretação, e que não podia ser induzido a nenhuma forma de irritação, qualquer que fosse, nem mesmo contra as moscas. Seu velho colega falava uma espécie de persa estropiado que ninguém conseguia entender e seus hábitos estranhos e origens incertas tinham suscitado alguma suspeita entre os peregrinos, pois ninguém tinha certeza de sua fé. Parecia que estava viajando havia alguns anos pela Rota da Seda, o que o havia feito definhar até virar pele e osso. Mas o indiano tinha conseguido desviar as perguntas e proteger o velho inofensivo, porque desejava, por razões particulares, direcionar o antagonismo geral contra o cortejo da noiva. Agora, enfim, tinha chegado a oportunidade adequada.

Pegou sua garrafa de áraque e parabenizou a si mesmo por sua paciência, pois seria muito mais satisfatório ver os zoroastristas espancados até a morte, sem que ele mesmo precisasse fazer nenhum esforço especial para tanto. Naquele momento, percebeu que a escrava falacha o estava chamando. Tinha saído do howdah e caminhava em sua direção. Uma honra sem precedentes, ele deu um sorriso forçado. Sabia que ela o detestava. A desconfiança e a rivalidade entre eles eram recíprocas. Ele se via frustrado porque a escrava estivera sempre lá, guardando a noiva como um gavião. Fora ela a responsável pela irritação do indiano em Jidá e chegara a se permitir lançar um ultimato contra ele. A escrava ousara ameaçar a escolta turca com um escândalo, caso não partissem de Jidá rapidamente. Embora não passasse de uma escrava liberta, a mulher tinha um poder considerável. Judia suja!, pensou ele. Qual é seu jogo agora?

Montado na mula, o indiano mudou de posição e olhou de relance por cima do ombro para ver se o jovem sacerdote nervoso estava perto o bastante para entreouvir o que os dois iam dizer. Queria atiçar a ansiedade e exacerbar as dúvidas daquele jovem, cujo hálito tinha um cheiro tão azedo quanto o cadáver. No passado, sempre tivera medo de que um belo dia sua própria dubiedade fosse descoberta e ele fosse massacrado por alguém como aquele jovem sacerdote, com suas mãos pálidas e agitadas e sua barba de três dias. Agora, estava ávido para despertar a atenção do fanático, assim como antes desejava evitá-la.

Quando a mulher falacha começou a falar, quando começou a contar algo sobre como ele devia partir a cavalo e pegar alguma coisa de alguma pessoa em algum lugar, o Cambista pediu para ela repetir, de modo que o sacerdote ouvisse. Ela repetiu. Mas, quando ele entendeu que a falacha estava dizendo que sua senhora queria que ele fosse buscar uma mensagem de um anjo no poço seco, bem adiante, suas dúvidas se multiplicaram. Naquela estranha instrução, sentiu um cheiro de suspeita mais forte do que o cheiro que vinha do cadáver ou do hálito de um sacerdote.

Estreitou os olhos, sabendo muito bem para o que a escrava estava apontando, com seu dedo negro e pontiagudo. Havia um poço seco num santuário em ruínas a um mero farsang de distância, adiante, a uma hora de marcha da vagarosa caravana. Chamavam o lugar de Abwa'. Um homem a cavalo, ou de mula, poderia chegar lá em meia hora. O lugar cintilava a distância como uma miragem. Tinha passado por lá em suas viagens anteriores. Era um antigo sepulcro, um lugar povoado de fantasmas e de jinns; no passado, ele nunca tinha se demorado lá e, agora, tinha ainda menos vontade de fazer isso. Por que ela, a bruxa africana, o estava enviando para lá? Como ela sabia daquele lugar? Será que tinha combinado com alguém para assassiná-lo ali?

Obviamente, era uma missão falsa. Espiando através das abas bordadas do véu da escrava, entreviu nos olhos dela algo que o deixou nervoso. Compreendeu que ela havia perdido o controle sobre a noiva. "Muito bem", pensou o indiano. "Quer dizer que a garota maluca finalmente enlouqueceu mais do que você pode lidar, não é? Bem, se eu fizer um favor a você, vai ter de fazer um para mim também, Khanum!". No entanto, o que ele falou de fato pareceu bastante tranquilizador. Com um olhar de relance por cima do ombro carnudo, o indiano deu um suspiro em sinal de deferência e encolheu os ombros, dando a entender à escrava que ele era um servo da senhora dela e que faria tudo o que lhe fosse exigido. Aos ouvidos do sacerdote, o indiano tranquilizou a escrava, disse que ia tentar, por todos os meios, atender os desejos dela. Iria empenhar-se com afinco, disse ele, para satisfazer seus desejos.

Quando a mulher se afastou, não foi difícil provocar o sacerdote. Ele já estava furioso. Que história era essa, daqueles infiéis, de parar no poço sagrado de Abwa'? O indiano concordou, de todo coração, que o pedido era uma verdadeira blasfêmia. Como podiam eles se atrever a poluir o sepulcro da mãe do Profeta? O indiano enfatizou como eram penosas suas obrigações com aqueles infiéis, a cada passo daquele caminho sagrado e como ele desejava que uma mão mais pura e mais virtuosa do que a sua desfechasse contra eles a vingança que Deus, ele tinha certeza, lhes reservava. Pois (e aqui ele sussurrou algumas obscenidades no ouvido do sacerdote, acerca da relação entre a escrava e a noiva, sem falar das perversões praticadas pelas outras mulheres zoroastristas que cuidavam da garota, o que fez o jovem sacerdote corar até a raiz dos cabelos e se virar para o lado, com veemência, para cuspir na areia ardente), pois, completou com voz áspera, eles certamente mereciam tal vingança!

Depois disso, seguiu rumo à fonte em sua mula relutante. Sua intenção era pegar sua garrafa de áraque e repousar nas sombras frescas do penhasco até a chegada da caravana. Depois, podia apresentar suas desculpas ou pedir sua recompensa, mas não estava com disposição de se expor a mais nenhum desconforto. Em termos ideais, quando ele os encontrasse de novo, a raiva do sacerdote teria entrado em erupção e provocado uma revolta entre os peregrinos, e então o indiano teria muito pouco a fazer além de lamber os beiços. Não era à toa que o Cambista era uma mosca. Sabia como irritar e frustrar, ao mesmo tempo em que se mantinha à parte, livre de qualquer problema. Enquanto a noiva e seu cortejo estivessem sendo saqueados, ele não tinha nenhuma intenção de permanecer entre jinns e demônios, num velho poço, morrendo de pavor por causa de um anjo inventado.

Embora as discussões com os chefes da caravana andassem ainda a pleno vapor quando ele partiu, e o sacerdote já estivesse lançando, em voz alta, acusações contra o grupo de zoroastristas, o velho peregrino mirrado, que tinha se mantido à parte de todas aquelas questões, notou que o Cambista havia partido. Correu atrás da mula do eunuco, a certa distância, abanando os braços e chamando por ele, aos gritos, numa voz estranha e esganiçada. Era curioso. O Cambista virou-se e acenou para o velho, em resposta, fez que sim com a cabeça e sorriu, para garantir a ele que não estava indo embora para sempre, mas o velho não desistiu. Seu comportamento era ainda mais estranho, porquanto, até então, raramente se mostrara agitado. Ficou na estrada por um longo tempo, debaixo do calor esmagador, gesticulava e chamava, em notas agudas de falsete, como um pássaro. Era como se estivesse tentando dizer algo para o eunuco. Ou preveni-lo. O som agourento de seus gritos prementes e flauteados ecoava pelas dunas e fazia o indiano estremecer de leve, debaixo do sol. Ele começou a imaginar demônios e jinns.

☼

Quando os bandoleiros apanharam o Cambista e o arrastaram uivando até seu chefe, seus piores temores se confirmaram. Aqueles demônios eram reais de sobra e suas mãos e pés eram violentos. Aqueles eram jinns que sabiam o que queriam. E ele sabia muito bem o que era. Fugazmente, na intensidade da sua dor, quando seguraram seus braços e os dobraram com força por trás das costas, quando o ar saiu de seu peito num jato, sob o impacto de pontapés, ele chegou a imaginar que a miserável escrava falacha havia planejado aquilo, que ela afinal sabia que aqueles brutamontes estavam à espera dele, que ela o havia mandado na direção do seu fim. Dominado pelo terror, ele se viu convencido de que a escrava era mesmo uma bruxa africana e tinha conspirado com os demônios e os diabos para que ele fosse estrangulado, para pagar por seus delitos. Como ela sabia? Quem contou para ela? O indiano até começou a imaginar que ela havia tomado um beduíno como amante e que se tratava do mesmo sujeito a quem ele havia confessado seus crimes.

Sua imaginação era desenfreada; seus pensamentos eram rodopiantes. Mas, quando os homens começaram a lhe fazer perguntas, por temor pela própria vida, ele teve de manter a mente firme a fim de responder; e então se deu conta de que eles não passavam de bandoleiros do deserto. Eram ladrões reles e pérfidos. Nem mesmo eram os membros da tribo de Harb, movidos pela fúria política que povoava seus corações, mas apenas bandoleiros rapaces, governados pela cobiça.

Ele já tinha sido assaltado antes; já tinha sido atacado por bandoleiros no passado, mas sempre conseguira se virar por meio de subornos e partilhas do butim, por meio de promessas ou de mais informações sobre outras vítimas. Mesmo quando se sentiu mais incomodado com a possibilidade de um ataque das tribos de Harb, ao longo da solitária estrada do deserto que vinha de Jidá, ele não havia imaginado algo como aquilo. Pois estava completamente só, agora que o pavor tinha finalmente chegado; também não tinha nada com que negociar com os bandoleiros, a não ser sua língua tortuosa, suas palavras vazias. Não tinha ninguém a quem trair, ninguém que pudesse esconder e nenhuma dúvida para explorar. A certeza da ameaça o deixava sem ar para respirar.

    Tentou todos os seus antigos estratagemas, propôs todos os seus velhos truques, usou todos os seus antigos charmes para oferecer seus serviços, como um disfarce para seu intuito de autopreservação. Porém, depois das perguntas, depois das respostas, depois que os fatos sobre a caravana ficaram esclarecidos, depois que o número de guardas e soldados e o relativo valor das riquezas do dote da noiva foram anotados, ele se deu conta, com um terror crescente, de que os velhos jogos podiam não mais funcionar. Com pânico cada vez maior, ele se deu conta de que mais uma vida estava chegando ao fim. Os bandoleiros tinham espremido tudo dele, e não era de áraque que eles estavam atrás. Haviam tirado tudo de valor que possuía e não tinham mais nenhuma necessidade dele.

    Com horror crescente, viu a sede de sangue em seus olhos; com um medo cada vez mais profundo, reconheceu a crueldade em seus sorrisos. Eram selvagens, e não homens. Eram feras. Nada os faria parar. Se chegasse ao fim dessa vida, haveria outra vida para ele? O "homem santo" tinha razão quando disse que estava chegando a era de Kali, quando os países seriam devastados por assaltantes e vagabundos! De fato, ali estava o Kali Yuga! O anjo da garota, maldita seja ela, o havia conduzido à beira da ruína e da morte certa. Estava tudo terminado! Tinha tanta certeza de que iriam matá-lo, tanta certeza de que iriam estripá-lo diante dos próprios olhos, que, quando o chefe apresentou a ele a escolha fatídica, abrir mão da língua ou abrir mão da vida, aquilo pareceu a mais pura misericórdia. Sua língua salvou sua vida então, e assim ele entrou em sua oitava encarnação.

☼

O alforje foi a primeira coisa em que ele esbarrou quando fugiu cambaleante dos bandoleiros, rumo à parede do penhasco, na beira do vale. A sombra fria do penhasco tinha sido seu último pensamento coerente, quando vagava para dentro do calor escaldante do meio-dia e agora ele não tinha mais pensamentos coerentes. Por isso, deixou que aquele derradeiro pensamento, assim como sua mula paciente, o levasse adiante. Seu próprio ser estava concentrado numa boca que uivava em agonia. A luz derretida do sol batia nas rochas e na areia e subia e caía sobre ele como um mar em chamas. Será que o "homem santo", que ficara parado no cais de Kagan, olhando para ele, tinha visto que o fim de sua viagem para Jidá seria aquele: um mar que se estendia, num contínuo, e passava da água para o fogo?

Então, viu o alforje. Tinha se rompido e aberto e uma parte de seu conteúdo se espalhara nas pedras baixas. Ele olhou sem entender. O sangue escorria pelo seu peito e ele estava tonto. Incapaz de se abaixar, desceu da mula e sentou-se numa pedra, num movimento abrupto, como um saco de onde escorre um líquido. Meio deslumbrado, inclinou-se para a frente, tateante, e tocou num dos embrulhos perto dele. O cordel se desamarrou e as peças de papel se desenrolaram em suas mãos sangrentas. Com o suor escorrendo por cima das pálpebras e a boca em forma de um medonho O, ele puxou o rolo de papel sobre o colo e começou a ler. Estava em árabe, escrito em caligrafia requintada.

"O Dia da Ressurreição", leu. E parou. Depois, começou de novo. "É um dia em que o sol nasce e se põe como qualquer outro dia". As palavras serenas ressoaram como um trovão no céu azul e limpo. Sua cabeça girava com as moscas. "Quantas e quantas vezes o Dia da Ressurreição se pôs e o povo da terra onde isso ocorreu não aprendeu com o fato". Ele não gostou disso. "Se tivessem escutado", prosseguiu a leitura, "não teriam acreditado e, desse modo, nada lhes foi contado".

A lógica era de uma perfeição circular, que desafiava a contestação. Quem tinha feito isso com ele? Quem estava lhe dizendo tais certezas pérfidas, naquele dia oportuno, que havia começado como um dia comum qualquer? Começou a chorar, como uma criança perdida, gemia de dor, virava para a esquerda e a direita, olhava para trás e para todos os lados à sua volta. Estava sozinho, debaixo do céu implacável. Aonde podia ir? Depressa! Não sabia para onde queria ir, mas precisava correr para algum lugar, e depressa. E esconder-se.

E foi então que notou uma nuvem preta. Moscas. Estavam pairando acima de algo, entre as pedras. Zumbiam alto, acima de uma massa informe. E muitas já zuniam em volta dele, atraídas pelo sangue.

Imediatamente, o indiano reconheceu o beduíno. Dez anos tinham passado, pelo menos, desde a última vez que vira aquele rosto, agora torcido para trás, sobre o pescoço partido. Os olhos sanguinolentos estavam esbugalhados, mas ele o reconheceria em qualquer lugar. O rapaz do deserto, na noite de lua nova! O único ser humano a quem havia contado sua desoladora história de falsidade e subterfúgio! A única alma humana que conhecia seu segredo! E, de súbito, o indiano estava certo disso, seu único amigo. Ele se ajoelhou, sangrando em profusão, com o papel que estava lendo apertado junto à fronte encharcada. Desabou no meio das pedras, agora inconsciente da própria dor, ao lado do corpo no qual as moscas zumbiam furiosamente. Ele curvou a cabeça, sozinho no pé do alto penhasco e embaixo do céu sem rosto, onde abutres voavam baixo, e começou a chorar, entre soluços profundos e cortantes, como se seu coração fosse rebentar. Seu amigo estava morto! E ele nunca mais iria falar de novo, com nenhuma alma viva!

O tempo parou para o indiano. Ele não tinha ideia de quanto tempo ficou ali de joelhos. A verdadeira enxurrada de futilidade que era sua vida desabou sobre ele, a desventura de estar trancado no ciclo de renascimentos de samsara, a prisão da desventura e da angústia, de dukkha e de sofrimento no mundo. Oh! Fugir! Atingir a libertação de moksha e passar para além das dúvidas da existência material! Estar livre daqueles renascimentos sempre malévolos e sem sentido. Ele não conseguia suportar aquelas ressurreições intermináveis! Vishnu, deus do sacrifício, me liberte! — rezava ele, em seu coração. Rama, Krishna, Buda! Me ajudem! Por que os avatares do passado não vinham para socorrê-lo? Por que não pronunciavam as palavras de libertação?

Mas por que fariam isso? E como poderiam? E alguma vez ele já dera ouvidos a suas palavras? Alguma vez já dera atenção a seus avisos? Ora, mesmo quando o "homem santo" lhe disse que tinha chegado a nova era de Krta Yuga, quando o último avatar Kalki estava no limiar da porta, ele não deu atenção. E então se lembrou das palavras que tinha acabado de ler: *Se tivessem escutado, não teriam acreditado e, desse modo, nada lhes foi contado!*

Na hora em que recordou as palavras, clamores e gritos distantes dos condutores de camelos podiam ser ouvidos do outro lado do vale. A caravana tinha chegado à fonte. Havia certa inevitabilidade naquele fato, que ecoava a lógica aterradora que ele tinha começado a reconhecer à sua volta. Como não tinha dado ouvido às palavras dos avatares, talvez devesse preparar-se para dar atenção ao significado de seus feitos. Tinham colocado as pedras todas onde deviam estar. O corpo do beduíno tinha caído ali para que ele o encontrasse. Ele tinha sido enviado a fim de receber a mensagem de um anjo, e ali estava ela. A caravana tinha chegado, portanto ele tinha de entregar a mensagem. A lucidez daquilo tudo palpitava como uma ferida aberta na cabeça. O momento adequado era agora. Ou nunca. O indiano sabia que tinha de representar seu papel ou nunca mais seria livre para representar papel nenhum. Se desejasse merecer as palavras de libertação, precisava pôr aquelas palavras em ação, de modo que pudesse escutá-las quando fossem proferidas.

Trôpego, se pôs de pé e começou a apanhar os embrulhos espalhados entre as pedras e enfiou tudo no alforje. As moscas se banqueteavam em volta dos olhos do rapaz morto e ele as espantou com as mãos furiosas. Tinha de levar o alforje para a escrava e voltar imediatamente para espantar as moscas. Os abutres também estavam se juntando, seus pescoços feios se esticavam, enquanto os enxotava aos gritos, com raiva cada vez maior. Precisava entregar o alforje depressa e depois ficar vigiando os ossos do rapaz beduíno. Tinha de entregar a mensagem do anjo, voltar e queimar o cadáver numa pira funerária digna, para que pelo menos aquele pudesse ser libertado. Tinha de fazer tudo aquilo para libertar o beduíno do ciclo de samsara. Pela primeira vez em suas muitas vidas, não sentiu dúvida nenhuma, mas como a fé não tinha valor, a menos que fosse expressa por meio de ações, montou na mula e atravessou depressa o desfiladeiro.

☼

Na hora em que o indiano capengava de volta para o cadáver, com um saco de carvão nas costas, a caravana tinha partido da fonte e estava de novo a caminho. Ele roubou o carvão que tinham separado para o banho da noiva, enquanto o peregrino observava com espanto, seus olhos velhos arregalados além dos limites das rugas à sua volta. O indiano encheu sua garrafa com a água do poço recém-escavado, que, para seu turvo assombro, fluía com abundância. Roubou também uma caixa de pederneira da bagagem da escrava no cortejo da noiva. O velho viu o indiano fazer tudo aquilo e se aproximou dele, murmurando sílabas de dúvida. Mas ele rechaçou o sujeito sem dizer nada. Quando o peregrino emitiu aqueles mesmos sons agudos, rapidamente ele passou as rédeas da mula para as mãos do homem enrugado para aquietá-lo, pois não desejava atrair a atenção de ninguém. Sabia que não ia mais precisar da mula.

A única pessoa que ele viu, quando entregou o alforje, além do velho peregrino de olhos enrugados, que ninguém sabia de onde tinha saído, foi a escrava falacha, que o desprezava. E, como ela estava sob o efeito de drogas, foi um encontro breve. O indiano conseguiu se esquivar do sacerdote.

Evidentemente, as tentativas do sacerdote para atiçar a raiva geral contra os zoroastristas tinham se desviado para questões mais prementes. A afronta ideológica deu lugar à indignação olfativa. Além do mais, os preparativos perfumantes para o banho da noiva proporcionaram um alívio momentâneo, de modo que não era mais conveniente culpar os zoroastristas: o que cheirava tão mal era o cadáver. Uma briga tinha irrompido entre os guardas do cadáver e os chefes da caravana acerca do lugar onde deviam carregar aquela carga deplorável, e tal questão tinha superado todas as demais. Todos se queixavam, dizendo que os guardas deveriam se posicionar no final do cortejo. Porém, eles argumentavam que era perigoso e que, se ficassem no fim, atrás de todos, poderiam se tornar vulneráveis ao ataque de bandoleiros. O indiano pensou nos bandoleiros lá na frente e passou correndo pelos lacaios que gritavam e os guardas que gesticulavam, mantinha a cabeça curvada, embaixo do saco de carvão. Um grande peso tinha caído de seus ombros. Decidira não viajar mais com a caravana. Sem mais fingimentos. Ele tinha só um pensamento na cabeça: realizar uma boa ação e cumprir um ato de devoção amorosa, erguendo uma pira funerária e queimando o cadáver do beduíno. Se conseguisse fazer isso, talvez o Senhor Vishnu tivesse piedade dele. Se conseguisse cumprir sua promessa, talvez ele também fosse libertado por meio da morte. Enquanto a caravana se afastava lentamente para o outro lado do desfiladeiro e sumia de vista entre as dunas, o indiano trabalhava com fervor, amontoava os carvões ao redor do cadáver, ao pé do penhasco. Estava tão absorto em sua tarefa que só percebeu a tempestade de areia quando ela já estava em cima dele.

☼

A tempestade de areia chegou como um bálsamo no espírito ferido do indiano. Chegou como uma onda de areia depurativa, que o cercou e o varreu para o alto e o purificou por dentro e por fora. Chegou como uma confirmação da libertação, vinda do ardente Senhor Vishnu, a confirmação de que suas vidas anteriores estavam sendo purificadas. O vento carregou para longe todas as moscas e os abutres. Também varreu a areia como uma mortalha sobre os ossos partidos e o monte de sangue escuro coagulado. Apagou todas as suas dúvidas, com seu indiscriminado desrespeito pelas evidências. O vento trazia o perdão.

O indiano buscou abrigo junto ao paredão do penhasco, perto do cadáver, até a tempestade de areia terminar. Fechou os olhos chorosos e a boca sangrenta para a areia não entrar e escondeu a cabeça embaixo dos braços, encostado nas pedras amigáveis, e sentiu-se abençoado. Já não movia mais os lábios, mas escutava,

escutava as palavras de libertação. Quando a tempestade terminou, sua boca tinha parado de sangrar. Bebeu um pouco de água que tinha trazido do poço e, apesar da dor, lavou a boca. Então, enquanto o sol se punha, ele acendeu o fogo.

O cadáver do beduíno ardeu suavemente a noite inteira e o indiano ficou de vigília ao seu lado, de cócoras, balançando de leve para frente e para trás. A cabeça estava pesada, cheia de sons e sílabas. Eles martelavam em seus ouvidos: o grito bruto do corvo carniceiro e o roçar do escorpião terrível na areia, o zunido das moscas e o latido dos cães de estimação. Ele tinha de ouvir tudo isso. Por vezes eram tão clamorosos que ele chegava a uivar. Esbravejava sem articular palavras e os ecos voltavam para ele, rebatidos na parede de rocha sem rosto, como as vozes de jinns e demônios. E então, quando todas as sílabas e sons silenciaram, nas últimas horas antes da alvorada, ouviu outro rumor, que vinha do fundo dele mesmo.

"Quando o abençoado Senhor Vasudeva tornar-se encarnado aqui no universo, na forma de Kalki, as mentes das pessoas irão despertar e tornar-se puras como cristal".

Ele reconheceu imediatamente o tom do "homem santo", mas o som vinha de dentro dele mesmo. Então, também ele tinha enlouquecido? Pensou na possibilidade calmamente, com uma serena resignação. Um eunuco sem língua no meio do deserto, com o resto de um gole de água na garrafa. A semelhança era grande. Caso ainda não tivesse enlouquecido, talvez estivesse no caminho. De fato, talvez fosse para lá que estava seguindo agora. Louco. Porque, de qualquer forma, para onde mais deveria ir? E o que mais deveria fazer? E por quê?

Com aquele "por quê", recordou o que o "homem santo" tinha dito: "Você é a prova viva!". Suas últimas dúvidas evaporaram. Entendeu que tinha de ser a prova viva, que era por meio do bhakti, ou devoção, que um homem encontrava seu caminho para o Nirvana nesta vida. Ele tinha de viver de tal maneira que fosse a prova da pureza do cristal. Tinha certeza de que precisava fazer isso, não existia nenhum outro "porquê". E, se aquele caminho era o que os sãos chamavam de loucura, ele não se importava; pois agir de outro modo não seria nada mais do que loucura. Sua vida tinha de provar que aquilo era a pura razão.

O sol subiu naquele dia como subia em qualquer outro dia, mas o indiano, que nascera hindu, sabia que era o dia da ressurreição. Então, voltou seus passos para trás e, pela primeira vez, para Calcutá. Não era fácil. Abdicou de seus inimigos e de seus temores de família, de sua vergonha e de seu fingimento, fez a promessa muda de abjurar sua má conduta em seu regresso. Seguiu a pé, levando um cajado. Quando o chamaram de "homem santo", na estrada, ele riu em silêncio e balançou a cabeça, e apontou para a tatuagem de uma rosa enrugada em sua barriga, agora encolhida.

Não se sabe se chegou a seu destino ou se morreu no caminho. Também não se sabe até que ponto conseguiu manter sua promessa. Se sucumbiu às vezes a roubar, como era seu costume, se dramatizou sua miséria abjeta para produzir sensação e efeito, como era seu instinto. Se, por sua incapacidade de falar, ficou tentado a abrir a boca a fim de chocar ou despertar a caridade, como deveria ser sua tentação de todos os dias, é incerto. É provável que tenha feito tudo isso; é possível que não. Quem pode ter certeza de alguma coisa? Hábitos antigos não morrem facilmente e, afinal, ele era uma criatura de instintos duvidosos e apenas um ser humano. Porém, se conseguiu acreditar, para além das próprias dúvidas, por tempo bastante para que suas melhores ações falassem mais do que suas palavras teriam falado, uma coisa é certa: aquela foi a última de suas vidas neste mundo contingente.

Ele morreu homem.

A Escrava

A Escrava era uma judia da Abissínia, uma falacha, vendida aos árabes quando ainda não passava de uma criança. Só riu duas vezes na vida. A primeira, quando perdeu a virgindade; a última, quando perdeu seu filho.

    Criada nos haréns de um xeique cruel, foi estuprada muito jovem, no início da adolescência, antes de ser enviada para o outro lado do golfo em troca da liberação de uma carga na alfândega. O xeique foi assassinado pouco depois. Mais tarde, ela foi vendida para um zoroastrista convertido que morava nas províncias do leste da Pérsia. E a esposa dele morreu pouco depois. O povo dizia que a risada dela era portadora de uma maldição. Era uma jovem esguia, magra, de vinte anos, quando foi obrigada, contra seus costumes religiosos, a se submeter às atenções do zoroastrista. Tinha hábitos estranhos, jamais comia com outros membros da casa e fazia questão de preparar a própria comida, em separado. Também havia certos dias do mês em que ela se refugiava num quartinho em cima das cocheiras, aonde só era possível chegar por uma escada precária e, nessas ocasiões, apesar da ameaça de castigos, ela se recusava serenamente a cumprir qualquer uma de suas tarefas normais. Tinha a pele suave e parda, grandes olhos amendoados e braços e pernas angulosos, e seu rosto em forma de coração foi muito belo antes de ser maculado pela varíola na época da peste. Chamavam-na de Sheba, mas não era esse seu nome original.

Os preconceitos de raça e de religião no Oriente Médio se combinavam para tornar os judeus um povo cujo riso muitas vezes era perigoso. Havia séculos que a Abissínia havia abastecido os árabes e os persas de escravos, mas poucos daqueles filhos e filhas de Ham eram do povo falacha. Na maior parte, eram cristãos coptas, e muitos eram muçulmanos, tanto sunitas como xiitas; mas, entre aqueles servos de pele escura, os judeus eram pouco numerosos. Comportavam-se com orgulho demais para poderem servir com satisfação, como se os vínculos ancestrais com Salomão ainda estivessem vivos, como se sua possível conversão entre os opressores egípcios ainda estivesse muito fresca na memória. E, embora fosse o costume entre persas e árabes tratar os escravos como membros da família e libertá-los após algum tempo, uma escrava falacha raramente era alvo de tal privilégio e muitas vezes era acossada por demoradas humilhações, que ela, não raro, impunha a si mesma.

A mulher chamada Sheba não era exceção. Nascera com as algemas da lei de Moisés e com as correntes da escravidão nas canelas; carregava a pesada canga de superstições e de preconceitos em seu pescoço comprido e negro. Porém, além de tudo que havia herdado dos ancestrais, acrescentava ainda uma inteligência sombria e taciturna, que era só sua, uma mente que se detinha na desolação e era ávida por devoção, um espírito inclinado à melancolia e ao desespero. Tinha uma capacidade de autopunição e obediência que se enraizava nas crenças gnósticas de uma construção severamente negativa. Era isso que tornava amargo seu riso.

Quando seu filho morreu, ainda bebê, por causa da varíola — que atacou também sua senhora — Sheba, a Escrava, riu por três dias e três noites. Ouviram seu riso terrível, no quartinho em cima das cocheiras, onde ela se trancara em quarentena. Sabia que tinha sido castigada por Deus. Sabia que, ao se submeter aos trêmulos abraços de lábios molhados do seu mestre gentio, que se dividia entre culpa e desejos, ela cometera um pecado grave. O fato de não ter escolha naquela questão a fez rir mais ainda. Assim como a ironia de seus motivos, pois ela havia violado um dos mandamentos divinos a fim de ter um filho. Perder o filho, portanto, era um castigo perfeito.

No entanto, embora a culpa da sua profanação possa ter sido, em algum grau, dela mesma, a Escrava calculava que a infidelidade de seu mestre tinha, em certa medida, cancelado sua culpa. Pois ela mesma não sentia nada pelo zoroastrista. Portanto, raciocinava a Escrava, uma vez que seus motivos não eram estritamente adúlteros, sua vida foi poupada durante a peste, mas não sua beleza. Segundo a mesma lógica, ela acreditava que, embora seu filho tivesse morrido, ela fora recompensada por sua perda ao ganhar a filha do zoroastrista para criar, como se fosse sua própria. A mulher falacha tinha sua teologia pessoal, de fato. Ela adorava a criança e a protegia ferozmente, como uma pantera. E com a mesma devastadora falta de humor.

Portanto, para ela, não significava nada ser escrava ou ser livre. Quando seu mestre lhe conferiu o privilégio de ser liberta, depois de ter se aproveitado de sua condição de escrava, a falacha encolheu seus belos ombros e ajeitou o véu de modo que ele não visse a expressão de seu rosto feio. Era uma expressão enigmática e o teria deixado confuso, não por causa das marcas de varíola, mas porque lhe diria que não havia nada que ele pudesse lhe dar que ela não preferisse deixar de lado, prontamente, em favor da filha dele. Assim como não havia nada que ele pudesse tomar da escrava que lhe fosse fazer falta, contanto que ainda tivesse a garota consigo. Se ele tivesse imaginação ou inteligência suficiente para adivinhar a importância daquele dar de ombros, até poderia temer suas consequências para a garota. De todo jeito, ele continuava misericordiosamente isento de imaginação e de inteligência, enquanto a judia se escravizava à sua idolatria sem obstáculos.

Desse modo, o zoroastrista não tentou dissuadi-la quando ela decidiu continuar como criada da menina, depois de seu casamento. Na verdade, ficou aliviado em segredo, pois havia muitos anos que a presença da Escrava era um problema em sua casa e uma sombra em seu coração. Ela continuava delicada, magra, de corpo ágil e ar imponente, mas seu lindo rosto tinha sido perfurado por crateras e seu bebê havia morrido de varíola. Ela era uma lembrança constante, tanto de perdas dolorosas quanto de ganhos proibidos. Agora, apesar de ter de mandar a filha embora, ele tinha esperança de se ver livre também da culpa na consciência. Além do mais, tinha trazido para casa uma nova esposa, com ligações ainda mais vantajosas e ricas e, embora as gestações da esposa, até então, parecessem nunca produzir nada além de enjoos matinais, ele era um homem que mastigava sua comida devagar. Seus apetites tendiam para o otimismo, ou pelo menos para aquela modalidade de otimismo que, uma vez alcançada, resistia a reavaliações e não requeria nenhum esforço mental ou dispêndio espiritual para se manter. Pois ele não acreditava em nenhum tipo de despesas excessivas. Exceto pelo bem da filha.

As intermináveis negociações em torno do casamento reforçaram a preocupação da Escrava com a garota e, se isso era possível, aumentaram seu sentimento de posse e de ciúmes. Durante os meses que antecederam sua partida, ela não admitia que as parteiras mundanas e as mulheres indecentes, que em geral preparavam uma noiva para a noite do casamento, poluíssem a mente da garota. A Escrava alegou que aquilo era um direito seu e empenhou, naquela tarefa, uma mistura de severidade judaica e ascetismo supersticioso, que infundiu em todo o processo uma dose profunda de seriedade. Tentou incutir na menina o caráter sagrado da situação. Tratou-se de uma tarefa santa quando a Escrava ensinou a menina a usar os panos para estancar seu sangramento mensal e como controlar seus ciclos pela lua. Ela falava em tom de respeito silencioso, como se estivesse na presença de mistérios profundos, enquanto explicava para a menina as expectativas do marido no leito nupcial. Mas tudo aquilo servia apenas para tornar a noivinha ainda mais alegre. Ela era incorrigível.

Seus humores caprichosos pareciam imunes a qualquer influência. Suas expectativas eram chocantes, não podiam ser contrariadas, e seus ardores eram embaraçosos. Quanto aos acessos e aos transes da garota, nenhuma epilepsia poderia ser tão lúcida e nenhuma loucura tão amável. Entre os falachas, era costume extirpar a genitália das meninas no raiar da puberdade a fim de evitar tais perturbações, mas, embora a Escrava tivesse, também ela, passado por aquela e outras brutalidades e tivesse sofrido as consequências, como ratos no útero, durante longos anos, desde então, ela preferia morrer a mutilar sua adorada menina para torná-la mais dócil para o marido. Ela também preferia morrer a diminuir a intensidade dos sonhos e das visões da menina. O lado escuro daqueles anjos encontrava sua contrapartida nas próprias superstições da Escrava.

E as superstições existiam em profusão. Ela estava aprisionada na antítese de sua própria constituição, contradições supersticiosas que anulavam umas às outras, como uma febre acompanhada por calafrios. Ao longo dos sempre adiados preparativos para o casamento, a Escrava remoía em pensamento a semelhança que havia entre aquilo e os preparativos para a morte. Embora tivesse permissão para acompanhar a noivinha e fosse continuar a seu lado em sua nova vida, nos montes da Síria, ela temia ter de enfrentar alguma fatal separação da menina. E tal separação, sentia ela, não teria volta. Essa volta não implicava nenhuma ressurreição. As flutuações ocorriam de forma cada vez mais forte, até a Escrava sentir-se enjoada de tanta apreensão. Na hora em que tomou o barco em Kangan e virou o rosto na direção do litoral da Arábia, onde sua própria desgraça havia começado, ela começou a desconfiar que a febre e os calafrios não eram imaginários. Uma enfermidade estava crescendo dentro dela, como uma gravidez monstruosa. Havia se instalado naquela parte de seu corpo que, por tanto tempo, ela vinha negando, e tinha começado a mordê-la com dentes de rato. Seu fatalismo sussurrava que algum monstro bestial ameaçava nascer de dentro dela. De início, atribuiu a doença à escassez de visões da noiva durante as últimas semanas. Desde o momento em que se tornou o único alvo das atenções do pai, naquela viagem, a esterilidade da imaginação da garota era insuportável. Não havia sonhos e, sem eles, a falacha se viu abandonada à mercê dos próprios pesadelos. Mas, pouco a pouco, à medida que as semanas passavam, teve de admitir que devia haver outras razões responsáveis pelo seu desconforto. Viagens marítimas produziam associações dolorosas; suas memórias se atiçavam. Faziam a Escrava se lembrar do passado, o aperto demorado da mão da mãe, arrancada à força de sua mão, os primeiros horrores do harém. Viagens marítimas faziam a Escrava se lembrar das águas puras dos rios das montanhas da Abissínia, muito longe de onde eles estavam. Na primeira vez em que atravessou aquelas ondas, ela tentou se jogar nas águas tranquilas e secou os olhos no mar de tanto chorar. As picadas do sal abriram velhas feridas; e as vozes rudes dos marinheiros, as ordens ríspidas do capitão, a visão de outro escravo da Abissínia, cujos olhos sondaram fundo através da brecha do seu véu, no porto de Al Mukha, a encheram de recordações dolorosas e de um temor crescente. Mits'iwa, Djibouti e Aseb estavam logo depois do fatal estreito de Bab al Mandab, as águas que tinham testemunhado o início calamitoso de sua escravidão.

Porém, tais hábitos são mais profundos até do que aquelas águas. Ela se fez dura para manter os ratos a distância. Concentrou-se em ventilar o ar lânguido e impregnado de sal, abanando folhas de palmeira, a fim de aliviar a noiva petulante. Fixou a atenção em descascar limões doces para a garota com enjoo e espremia o débil espirro de acidez duradoura em sua pele fina, perto das narinas, a fim de prevenir a náusea. Ficou aliviada por o tempo não estar ruim, por suas obrigações serem constantes, por não lhe sobrar tempo para recordar a ocasião em que estivera num barco tal como aquele, nem para onde tinha ido nem de onde tinha vindo.

No entanto, mesmo quando a viagem já havia terminado, as mordidas de ratos não pararam. Agora, em terra, era ela quem sofria com as ondas da náusea. Talvez fosse por causa da atmosfera sufocante de Jidá. O ar do porto era estagnado de umidade; o porto fervilhava de peregrinos, lixo, moscas e ladrões; fedia com os cadáveres de cachorros, comida estragada e degradação. Quando entrava no bazar e caminhava pelas ruas estreitas e passagens sinuosas da cidade, em busca de guloseimas e artigos indispensáveis para sua jovem carga, a Escrava esbarrava em africanos altos que espreitavam as sombras como reis exilados. Havia muitos deles; a Abissínia estava perto demais. Vê-los a deixava enjoada e, no entanto, desejava aquilo; suas feições eram familiares, seus olhos assombrados eram lindos. Certa vez, a Escrava encontrou o mesmo homem que olhara para ela de modo tão penetrante, em Al Mukha, com uma pérola na orelha esquerda, e o que ela viu refletido em seus olhos a perturbou mais ainda do que os outros. Se ela soubesse que nome dar àquilo, o chamaria de conhecimento da liberdade, mas fugiu do olhar dele, pois fazia lembrar algo que ela não queria admitir.

Talvez sua náusea fosse fruto da ansiedade, pois, a despeito da promessa de ir até lá para realizar seu haje, o turco não cumpriu a palavra. Ele não estava em Jidá. O indiano insistia em tomar providências alternativas para que o cortejo da noiva seguisse para Meca, o que acarretava mudanças de planos e negociações dispendiosas. De fato, talvez a náusea da Escrava fosse devida à presença sufocante do próprio cambista, pois desde o momento em que escavou, sorrateiro, a confiança do tolo mestre da Escrava em Kagan, ele não parava de inventar mentiras todos os dias. Parecia decidido a pôr a vida delas em perigo. A Escrava desconfiava do cambista, com todo coração, mas não passava de uma mulher e sua opinião nem era consultada. Quando os soldados do Turco finalmente chegaram na última hora para escoltá-los no caminho em torno da cidade sagrada, rumo a Medina, ela se sentia agradecida por ver que os planos do indiano tinham naufragado, pois nenhum deles era muçulmano e, segundo a lenda, se transformariam em pedra caso pusessem o pé no haram. A Escrava tinha certeza de que o cambista estava planejando a morte de todos eles.

No entanto, a escolta turca, que era mais neurótica do que as mulheres do cortejo da noiva, oferecia pouca proteção. A mulher falacha sabia que, se os selvagens árabes da tribo do deserto atacassem, como todos diziam que andavam fazendo, os soldados turcos tratariam de salvar a própria pele primeiro e deixariam todos os demais à mercê da sorte. Talvez fosse por sentir-se abalada demais pela tensão nervosa que ela acabou pedindo uma audiência com o chefe da escolta. Escolheu um momento em que o indiano estava ocupado com outro assunto e em que o mercenário estava bem disposto, sob o efeito de seu cachimbo de água e do café. Coberta por um véu pesado, ela se aproximou, quando ele estava sentado entre seus homens. A Escrava se postou perto, de cabeça baixa, e esperou a atenção dele, mudando o pé de apoio a fim de controlar as ondas de náusea que a envolviam. Quando os comentários grosseiros dos soldados despertaram o chefe e ele finalmente perguntou o que ela desejava, a Escrava pediu que ele recordasse que seu empregador, o Turco, já ficara esperando a noiva em Meca havia tempo demais, para ter de agora esperar também em Medina. Soaram risadas brutais quando o chefe a pôs para fora, com um aceno.

Porém, quando finalmente atravessaram o deserto a salvo até o caravançará de Usfan, a náusea da Escrava se agravou por causa do fedor do cadáver que se uniu a eles na estrada para Medina. No terceiro caravançará, no caminho de Meca, encontraram uma caravana de peregrinos e souberam que o cadáver putrefato de um mercador xiita, que havia morrido durante seu haje, agora iria viajar em companhia deles pelo resto do percurso. De nada servia que tivesse sido um homem abastado, pois a decomposição não tinha nenhum respeito pela riqueza. O fedor adocicado e enjoativo era insuportável e iria piorar em todo o trajeto até Medina. E quem podia ter certeza de que, mesmo quando chegassem lá, afinal, o Turco estaria de fato à espera deles? Com tais temores, e com o enjoo que crescia na Escrava, ela não conseguia dormir à noite, ficava deitada, de guarda, aos pés da menina, como uma pantera de vigia. Porém, a despeito de toda sua ferocidade, ela não podia proteger a menina contra o anjo nem proteger a si mesma contra os ratos. No quarto dia de sua viagem a partir de Jidá, quando a noivinha emitiu um grito penetrante e desabou desmaiada, dizendo que um anjo havia caído do céu, na frente deles, Sheba, a Escrava abissínia, sentiu uma inexplicável pontada na virilha e soube que aquilo era mortal. Só havia uma coisa a fazer, e ela fez. Colocou uma pitada de xarope de ópio embaixo da língua da garota e também na sua própria boca. E então, pela primeira vez em muitos anos, sorriu.

☼

Os condutores de camelo praguejavam, os burros zurravam pedindo água, o cadáver cheirava pior do que nunca e a Escrava, ao emergir do howdah coberta por um véu, teve de cobrir a boca com mais um pano para conter o impulso de vomitar. Sangrava abundantemente, como se uma represa tivesse rompido dentro dela, mas conseguiu reunir todas as suas forças para sair em busca da mensagem do anjo.

Onde se podia procurar mensagens de um anjo no meio do deserto? Ela encolheu os ombros diante da visão de um jovem sacerdote que se aproximava de seu howdah; ele parecia estar sempre olhando para ela e, certamente, não era nenhum anjo. Era um estudioso xiita, pelo que diziam, e puritano ao extremo. O sacerdote já estava em Jidá quando eles desembarcaram e se juntaram à caravana de novo, na estrada para Medina. Desde o primeiro encontro, ele deu mostras de intolerância com relação às mulheres do cortejo da noiva, e o haje dele parecia ter reforçado seu fanatismo em vez de atenuá-lo. Uma das assistentes zoroastristas da noiva, jovem carnuda, de bochechas vermelhas e olhar esquivo, reclamou que o sacerdote ameaçara apedrejá-la por passar perto dele durante suas orações do meio-dia. Se ele estava mesmo fazendo as orações do meio-dia, protestou a jovem com fervor, como foi que ele notou sua presença? Aquela desavença provocou um estado de guerra entre o sacerdote e as mulheres do cortejo da noiva. A Escrava aconselhou a jovem a manter silêncio e se cobrir com o véu a todo custo, pois temia que, se o sacerdote fosse provocado, elas acabassem com as gargantas cortadas. Mas a viagem era longa, o calor, atordoante, e as criadas tolas sentiam-se estimuladas com o entretenimento daquela atenção; a ideia daquele jovem nervoso e escrofuloso se aproximando de suas gargantas ou chegando perto delas, por qualquer razão que fosse, as fazia dar risadinhas e as levava a falar mais alto do que nunca. Por mais que a Escrava mantivesse uma distância discreta e ignorasse as interjeições do sacerdote, ele parecia, no entanto, invulgarmente perturbado com ela e manifestava uma antipatia especial pela Escrava falacha. Agora, ao primeiro olhar em que viu a Escrava surgir de trás da cortina do howdah, ele se aproximou. Ela puxou o véu para baixo sobre o rosto e, de cabeça curvada, se expôs ao calor.

— E por que temos de nos submeter a seus caprichos? — rosnou ele, com brutalidade. — Por que vocês, mulheres, detiveram a caravana e nos obrigaram a obedecer às suas exigências?

Ela nada respondeu na hora, se afastou dele o mais depressa que pôde, abrindo seu caminho delicadamente entre as ilhas de estrume. A incapacidade de reagir inspirava nela uma sensação de liberdade que era refrescante. Sabia que o que quer que ela dissesse estaria errado e, portanto, não havia o que dizer. No vento do deserto, seu véu se colava ao seu corpo magro e anguloso. Esperava que o sangramento não começasse, pois a sanha dos ratos estava se revelando impossível de estancar. Mas também nisso ela sentia uma espécie de alívio; aqui também não havia nada que ela pudesse fazer e tudo o que tentasse daria errado. Não era a primeira vez na vida que sentia o gosto daquela paradoxal e delirante sensação de liberdade que acompanha toda perda de alternativa. Ela reconheceu aquilo. Era perigoso. No passado, tinha sido prenúncio de seus acessos de risos desvairados. Com uma perigosa leveza no coração, ela acenou para o cambista indiano, que vinha montado na sua mula ali perto, e pediu sua ajuda. Provavelmente, ele estava escutando, escondido. Tanto melhor. Como era a fantasia da sua menina, melhor que o eunuco fosse mesmo em busca de mensagens dos anjos na loucura do sol do meio-dia.

— Por favor, Muhsin Aqa — disse ela. — Imploro a você, vá na frente e espere por nós depois do poço, lá adiante. Alguém está esperando você lá.

O indiano estreitou as pálpebras, olhando para ela com deferência, esfregou o nariz. Tinha gestos tão vulgares.

— Às suas ordens, Khanum — murmurou, em tom brando. — Mas por que a respeitável Khanum manda um servo ir a um poço seco? Existem outros lugares — e lambeu os lábios de forma abjeta — que oferecem mais alívio. O santuário está abandonado há muitos anos.

— Há uma mensagem para você lá — respondeu ela, secamente. — Espere até chegarmos e entregue a mensagem à minha senhora.

Era um absurdo e ela sabia disso; mordeu os lábios a fim de deter a perigosa onda de leviandade que ameaçava jorrar de dentro dela. Em segredo, torcia para que houvesse de fato um anjo vingador à espera do eunuco nas sombras do poço. Rezava para que, quando a caravana chegasse lá, suas chamas destrutivas já tivessem transformado aquele homem melífluo num monte de cinzas. Que ele apodreça e nunca retorne. Que o anjo dê cabo de sua vida. Seria o melhor. O pior seria se o indiano simplesmente não aceitasse ir ou meramente fingisse que ia ou que, quando a caravana chegasse lá, estivesse à espera, petulante e de mãos vazias, por vingança. Então ela recordou as circunstâncias da expectativa e tateou por dentro da roupa, na cintura. Ignorando os olhos ardentes do sacerdote, voltados para ela, penhorou a cobiça do indiano através da brecha de seu véu e estendeu para ele rapidamente umas moedas de prata retiradas de seu cinto.

— Pegue isto e faça o que minha senhora está pedindo, se você sabe o que é bom para você! — sibilou enquanto jogava as moedas na palma de sua mão suada. Porém, a Escrava não foi rápida o bastante para o mulá. Ele apanhou um punhado de terra quente para atirar nela.

— Prostituta! — gritou ele, com voz rouca. — Prostituta dos demônios! Está pagando a um eunuco em troca de seus prazeres? — A areia foi soprada de volta contra o rosto do sacerdote, entrou na garganta e ele se curvou, tossindo.

Quando a Escrava correu de volta para seu howdah, se viu sorrindo mais uma vez. Com o narcótico misericordiosamente embotando seus sentidos e o sangue escorrendo pelas pernas, ela se perguntava relaxadamente como foi que veio a compartilhar exatamente a opinião daquele sacerdote boquirroto, com relação ao espírito emasculado que ela havia acabado de enviar em missão ao encontro de um anjo.

☼

Quando o indiano retornou, mais ou menos duas horas depois, a Escrava estava tão debilitada com a perda de sangue e tão tonta pelo efeito da droga que não captou facilmente o que ele dizia. A caravana tinha percorrido o caminho até o poço e havia parado mais uma vez. Talvez estivesse contando para ela que lá havia água doce de fato, perto do santuário abandonado. Talvez não estivesse dizendo nada. Mais tarde, a Escrava não conseguiria lembrar. Ela havia despertado com um violento solavanco do howdah e barulhos fortes do outro lado das cortinas oscilantes. Os condutores de camelos discutiam com seus animais nervosos, o chefe da caravana esbravejava instruções que todos ignoravam, a Escrava não sabia onde se encontrava nem por que eles estavam parando. Só quando o cambista jogou o alforje em cima dela, a Escrava recordou as razões, com uma forte pontada, e entendeu que, por algum milagre, ele havia de fato encontrado um anjo e trouxera de volta uma terrível confirmação da presença sagrada. Onde foi encontrar um alforje no meio do deserto? O que tinha acontecido com ele para estar tão suado e tão empalidecido, com suas roupas esfrangalhadas? O que era a mancha escura sobre o peito e a barriga? Seria sangue, aquilo em sua boca? O homem se aproximou em silêncio e lhe entregou o alforje. Nada disse, mas fitou-a com uma tão repentina ausência de dissimulação que os véus remanescentes do torpor imediatamente se desprenderam de seus sentidos. Ela despertou de súbito e puxou uma manta por cima de si, com vergonha das manchas no próprio colo. Porém, antes que pudesse dizer qualquer coisa, ele deu as costas e foi embora. Foi a última vez que o viu.

Perplexa, a Escrava olhou para o alforje na sua frente, com suas braçadeiras e tiras de couro rasgadas. Seria aquilo, de fato, a mensagem de um anjo? Por mais inconcebível que parecesse, tudo indicava que sim. O anjo havia de fato enviado uma mensagem. A rigor, várias mensagens. O alforje estava cheio. E seu significado era terrível, pois a calma que baixou sobre a noiva, quando começou a ler, foi mais perturbadora, para a Escrava, do que sua histeria tinha sido anteriormente. Assim como seus ares de segredo.

Como filha de um homem abastado, a noiva fora instruída nos rudimentos da leitura e da escrita, para que, como se dizia entre o povo, ela não precisasse de nenhum intermediário para se comunicar com os amantes. Só que a noiva era uma criatura histriônica. Tudo que lia, poesia ou canção, era compartilhado com a Escrava; tudo que escrevia, em seguida lia em voz alta para a Escrava. Em segredo, a africana desconfiava daqueles sinais mágicos, tinha medo do papel que podia transportar vozes humanas. Porém, contanto que fosse a sua favorita quem dava voz às palavras, ela se sentia em segurança; contanto que fosse ela quem transformava em música os sinais no papel, a Escrava ficava contente. Agora, pela primeira vez, ela foi excluída. A mensagem do anjo tinha erguido uma barreira de escrita entre ambas.

Quando a garota exigiu que a deixasse sozinha para ler, no calor sufocante de seu howdah, a Escrava, temerosa de que ela fosse abrir todos os rolos, puxou as tiras do alforje atrás de si, ao sair, e levou-o, junto com sua carga fatídica, para debaixo do sol. Parecia um alforje absolutamente comum, mas a Escrava não confiava naquilo. Os embrulhos lá dentro eram numerosos e de vários formatos e tamanhos; estavam todos envoltos em seda e barbante e todos eram igualmente capazes de se interpor entre ela e a noiva. Não tinha nenhuma vontade de abri-los. De fato, sentiu uma forte repulsa em relação aos embrulhos e se viu tentada a jogar tudo fora. Apenas seu estrito senso de obediência a impediu de fazer isso, pois, se a noiva pedisse para ver o resto, teria de mostrar tudo. Porém, a garota pareceu não se dar conta de que o alforje tinha desaparecido e ficou absorta, em sua solidão, durante a hora seguinte.

A falacha não sabia o que fazer com o alforje. Sua cabeça rodava devido à perda de sangue e seu corpo estava se desmanchando.

De modo turvo, tinha consciência de vozes que gritavam. A maior parte dos peregrinos e dos viajantes tinha se agrupado em torno do chefe, na frente da caravana, e eles estavam envolvidos num debate, travado aos berros, sobre alguma questão, portanto havia poucas pessoas e, sobretudo, animais à sua volta. A Escrava sentiu-se aliviada com o fato do sacerdote não se encontrar em lugar nenhum que pudesse ver. Perto do poço, estava uma mula, que a Escrava identificou vagamente como a mula do cambista. Parecia estar sob a guarda de um pobre velho, pois ele segurava as rédeas enquanto o animal bebia água do poço. De modo turvo, ela sentiu inveja do animal. Pensou que talvez pudesse amarrar o alforje ao flanco da mula e deixar o resto para o indiano, pois era melhor que ele cuidasse daquela coisa maldita que tinha encontrado. A Escrava não era capaz de enfrentar aquilo. Porém, quando tentou andar, cambaleante, com sua carga, quase teve um desmaio. E caiu.

☼

O velho peregrino ajoelhou-se a seu lado, fazendo, com a boca, curiosos ruídos de estalo e de sussurros. Tinha os olhos gentis e colocou a mão velha e rugosa sobre seu abdômen. Ela estremeceu. Então ele fez mais alguns estalos e sussurros e deixou a mão pousada sobre a cabeça da Escrava. Seu toque era delicado, paternal. Ela sentiu um desejo absurdo de chorar. Mas algo estava lavando o gosto de lágrimas de sua boca e ela se deu conta de que bebia água de uma xícara que o velho segurava junto aos seus lábios. Então, notou que ele tentava lhe dizer algo numa língua estrangeira e que tinha retirado de debaixo das roupas dele uma curiosa bola preta, que estendeu para ela, na palma da mão. Por meio de mímica, mostrou que a Escrava devia romper a bola com os dedos e pôr seu visgo na boca. Ela obedeceu, admirada, sem sentir nenhuma vergonha quando levantou o véu diante dele. Os dois estavam ocultos atrás da mula e não havia ninguém perto. O visgo era totalmente sem gosto. A Escrava mascou aquilo embaixo da língua e deixou que ele mesmo pusesse o resto em sua boca. O velho fazia uns poucos ruídos de encorajamento, emitia uns poucos sons flauteados de pássaro, enquanto ela engolia a substância estranha. Estava fraca demais para questionar o que estava fazendo e, de forma um tanto nebulosa, pensou que o velho era uma espécie de curandeiro, de xamã, uma espécie de médico-bruxo, aquele peregrino velho e encarquilhado. Ninguém sabia de onde tinha vindo, embora alguns dissessem que não era muçulmano.

Ela ficou em silêncio, com o alforje ao seu lado, junto ao velho peregrino, na areia. Sentou-se em silêncio à sombra da mula e se recostou na pedra fria do poço, enquanto o resto do visgo se dissolvia na língua. O tempo para ela ficou em suspenso. A curiosa bola preta parecia cimentar a fenda que se alargava dentro dela. Pelo menos por um tempo. Sua força parecia estar voltando. Será que o velho a havia curado? Seria possível? Ela murmurou sua gratidão para ele em idioma amárico, da Abissínia. O velho não entendeu nada, mas fez que sim com a cabeça e sorriu, sem o menor sinal de perturbação. Ofereceu a ela uma segunda bola, mas a Escrava recusou. Seu autocontrole estava voltando o suficiente para preveni-la das sutis pressões da dívida. Ela devia algo ao velho.

De forma impetuosa, pois sabia muito bem que nada era de graça, ela lhe entregou o alforje. Ergueu o pesado fardo e apertou-o contra o velho. Quando ele balançou a cabeça e recuou, a Escrava se mostrou insistente. Tem de ficar com isso, disse ela, por favor! E lutou para se pôr de pé, outra vez. Você tem de ficar com isso, insistiu ela em amárico. E, a fim de mostrar sua determinação, colocou o alforje de novo no dorso da mula do cambista, cujas rédeas continuavam na mão do velho.

☼

A partir daquele momento, ela esteve muito ocupada. Não tinha tempo para pensar. Precisava trabalhar e esquecer. Era, de fato, uma bênção. Por ora, a fenda havia sido contida e ela já tinha forças para voltar a suas tarefas. Pois a noiva estava chamando.

A garota tinha adquirido o capricho louco de se vestir em trajes de casamento no meio do deserto. Assim que leu a mensagem do anjo, exigiu que a Escrava esquentasse água e preparasse um banho. Recusou toda comida e só pediu para beber pequenas porções de água do poço, insistindo para que, de cada xícara que bebesse, acrescentassem nove xícaras à água de seu banho. Nada que a mulher abissínia pudesse dizer tinha qualquer efeito. Nenhuma branda advertência, nenhum conselho sensato, nenhuma lisonja, nenhum apelo; estava inflexível. Sempre tivera, é claro, um fraco por banhos e, naquela viagem, talvez em consequência dos odores atrozes e do calor opressivo, a predisposição se desenvolvera numa espécie de obsessão. Seus caprichos tinham se tornado embaraçosos. Ela havia até se tornado vegetariana e não admitia comer nada com sabor de óleo ou alho. E o banho que estava exigindo agora, imediatamente, no meio do deserto, também não era do tipo comum. Era um banho purificador em grande escala, com todos os rituais e as cerimônias que o acompanhavam. Parecia não lhe ocorrer que tal procedimento era de execução quase impossível naquelas circunstâncias. Muito menos quando as condições estavam se deteriorando.

Em vista do aguçado sentido de impureza que a garota tinha desenvolvido, era ainda mais notável que ela sequer percebesse o forte sangramento da Escrava. Parecia cega para tudo que não fossem os preparativos para o anjo. Não notava nada, não via nada à sua volta, não ouvia nada que lhe diziam, continuou inconsciente do clamor que a rodeava, durante o restante daquele dia terrível. Quando falava, era apenas para reiterar que deviam se apressar, se apressar para que ela estivesse banhada, vestida e pronta para receber o anjo. Em todos aqueles anos, foi a única vez que a Escrava perdeu a paciência com a criança.

— Não existe anjo nenhum! — gritou, já no limite de sua capacidade de suportar. Mas a noiva a ignorou e continuou a aparar as unhas com uma faquinha que sempre trazia consigo, cujo cabo de prata lavrado era ornado com uma pedra semipreciosa.

— Os olhos dele são de ametista! — disse a noiva.

A pobre mulher mirava a faca com horror, temendo o pior. Achava que sua adorada menina tinha finalmente enlouquecido e acreditava ser a culpada da demência da noiva. Se não tivesse mandado o indiano para o deserto, ele não teria voltado de lá com aquele maldito alforje. Se tivesse sido menos fraca, teria protegido a noiva melhor contra a epilepsia, contra os efeitos secundários do ópio e contra o anjo. Qualquer que fosse a terrível catástrofe destinada a acontecer agora, com certeza seria por culpa da Escrava. Portanto, a fim de expiar sua ação fatal, ela trabalhava com ainda mais afinco.

Um banho de purificação ritualística no meio do deserto não é fácil de executar em prazo curto. A única vantagem daquele lugar e hora específicos era que o poço fornecia um suprimento de água abundante. Esvaziaram as bolsas de água penduradas embaixo do howdah e as encheram de novo rapidamente, pois a garota não admitia água velha no seu banho; tinha de ser fresca e nova. A Escrava abissínia fez a maior parte do trabalho pesado, vasculhando as ruínas em busca de palhas velhas e soprando os carvões em brasa embaixo das bacias de cobre para aquecer a água. E então descobriram que estava faltando um saco de carvão nas mulas de carga; tinha sido roubado. A escolta armada turca imediatamente levou a questão aos chefes da caravana e pediu uma compensação. Os guardas do cadáver eram suspeitos e foram acusados, pois, entre os peregrinos, já eram conhecidos como ladrões. Em seguida, como uma discussão desembocava em outra, estourou uma enorme desavença em torno da exata posição em que o cadáver devia viajar na caravana. Era como se os peregrinos não tivessem nada melhor para fazer.

Não era nem de longe habitual que cadáveres viajassem naquela rota, como era habitual, entre peregrinos xiitas, viajar entre Najaf e Karbila. O cadáver pertencia a um peregrino muito rico, um mercador de Bushir, que tinha de fato morrido, diziam eles, enquanto caminhava ao redor da Caaba sagrada. Obviamente, aquela era uma consumação devotamente almejada por aqueles que faziam sua "última peregrinação" no crepúsculo de suas vidas. Alguns até se tornavam mojaver a fim de ganhar a permissão de serem enterrados no famoso cemitério de 'al Baqr, em Medina. Mas o velho mercador de Bushir, era evidente, não tinha nenhuma intenção de morrer, pois estava a caminho para fechar negócios em Damasco. Portanto, teria ele o direito de ser enterrado em 'al Baqr?

Os aspectos políticos, teológicos e também econômicos daquela questão provocavam muita divergência de opinião e estimulavam teorias opostas entre os peregrinos. A única consideração que os unia era que o cadáver devia ser mantido atrás da caravana, no fim, e o mais distante possível, pois seu fedor era repugnante. Os soldados que guardavam as riquezas do defunto, no entanto, e que sem dúvida estavam de olho nos seus próprios benefícios financeiros naquela história, não admitiam viajar tão afastados dos demais, por razões de segurança, segundo diziam. Isso provocou um clamor em que as vozes se erguiam de todos os lados. A Escrava, que lutava desesperadamente para aquecer a água, sem ter combustível suficiente, teve de gritar repetidas vezes, pedindo ajuda, para as três mulheres do cortejo da noiva, que tinham sido atraídas pelo espetáculo da discussão geral e foram escutar mais de perto. As desmioladas criadas zoroastristas pareciam não ter a menor ideia da natureza imprópria nem dos perigos de seu envolvimento naquele debate, ainda que apenas como membros da plateia. Se estivesse menos sobrecarregada de serviço, a Escrava teria parado para se perguntar o que teria acontecido com o indiano, pois, em circunstâncias normais, ele andaria por perto, pairando em círculos, como uma mosca em cima de um prato de doces. Ele trataria de conduzir aquele rebuliço numa direção que lhe fosse vantajosa e que lhe permitisse criar algum tipo de problema para o cortejo da noiva. A Escrava supunha que ele estava no centro da discórdia acerca do cadáver; afinal, a riqueza do defunto era considerável. Onde quer que o indiano se encontrasse, porém, os gritos da Escrava para as outras mulheres, mais uma vez, chamaram a atenção do jovem mulá desavorado. Como se fosse atraído pelo cheiro de sangue, ele se aproximou novamente, a pele lívida por baixo da barba desgrenhada, os olhos fixos nos tornozelos nus da Escrava, de cócoras junto à fonte abandonada, soprando os carvões em brasa embaixo das caçarolas de cobre para aquecer a água. Ela estava vertendo essência de flores na água morna quando o mulá se aproximou, e a fragrância era fresca e inebriante, bania os odores do cadáver, que aderiam ao calor pesado em volta deles. O aroma clareou a cabeça da Escrava. Ela percebeu que ele estava esfregando ferozmente as mãos sarnentas.

— Vaidade de mulheres! — vociferou. — Que acariciam seus corpos lascivos com águas e óleos, perfumes e bálsamos, para prepará-los para capturar a alma descuidada do homem!

Ela riu de leve, rouca. E ele recuou, cambaleante, apavorado.

☼

A água mal tinha aquecido antes que a caravana retomasse a viagem. A Escrava tinha de colocar as bacias de água quente e fria dentro do howdah, que balançava, o que fazia espirrar água, óleos e perfume por todo lado, e precisava concentrar seu inteiro esforço a fim de esfregar o corpo da garota com um pano áspero e seus pés com pedra-pomes, enquanto as duas sacudiam para lá e para cá. Sentia-se oscilar de vertigem. O efeito do misterioso visgo preto, que havia curado seus diques rompidos, corroídos pelos dentes de ratos inumeráveis, era forte, mas não era indelével. Quanto mais iria durar?

Ela não sabia quanto tempo havia passado, estava apenas consciente de que a noiva continuava no meio de seu banho quando irrompeu outra crise. Mais gritos dos condutores de camelos; mais brados dos guardas. O cadáver tinha desaparecido, disseram. Tinha sido deixado para trás, no poço. A abissínia nem havia notado que o cheiro enjoativo já não estava mais com eles, pois o howdah estava carregado pelos odores de bálsamos e ela trabalhava com obstinação. Agora, quando ouviu a notícia de que o cadáver desaparecera, quis rir de novo, de modo selvagem e irreverente.

De fato, havia uma espécie de motim na caravana. Os guardas voltaram seus animais de montaria e partiram de volta, a fim de recuperar o cadáver. Não admitiram a ideia de mandar um homem sozinho, alegando que não seria seguro. Em vez disso, fizeram questão de irem todos juntos, com as riquezas que pertenciam ao cadáver, pois disseram que não podiam deixá-las em confiança do chefe da caravana. Este os amaldiçoou de forma cabal e recusou-se a se responsabilizar pelas consequências; havia uma tempestade de areia se formando e a segurança dos guardas, agora, era problema deles. Todos começaram a gritar instruções e opiniões diferentes e, no meio do caos, o sacerdote decidiu que era o momento de convocar uma oração. Tinha voz fina e anasalada, que subia e baixava, com crescente desespero, por cima da discussão. A Escrava começou a se perguntar se os demônios do riso não estavam ameaçando atacar. Conseguiria ela resistir?

No entanto, eles não atacaram de imediato. Em seu lugar, mandaram seus emissários de areia. Pouco depois do motim dos guardas, a tempestade de areia os engoliu. Penetrou em todas as brechas e fissuras humanas que encontrou na caravana e abriu caminho por dentro da fraqueza individual de cada pessoa, se infiltrou em todas as falhas íntimas. Os peregrinos, agora, precisavam manter a aparência de unidade, não tinham opção. Ainda que apenas forçados pelas circunstâncias, eles tinham de agir como se fossem um só. Todos tinham de obedecer ao chefe da caravana e todos os animais e suas cargas, tanto os homens como seus pertences, se reuniram e formaram um círculo. A escolta armada criou uma barricada de proteção em torno do howdah da noiva. Porém, no que dizia respeito à Escrava, não podia haver proteção contra o redemoinho e a dissolução que estavam em efervescência dentro dela, bem como não havia defesa contra o terrível riso que vinha subindo, subindo. A breve resistência, possível graças à bola de visgo do velho peregrino, estava se dissolvendo rapidamente.

A tempestade estava no auge, quando a noiva fez uma trouxa com todos os panos de seda encharcados, que ela havia sujado e estragado com o banho, e disse à Escrava que jogasse tudo fora. Jogue fora e pronto, disse ela, e atirou as sedas caríssimas nos braços da mulher. Cetins preciosos que levaram meses para serem bordados com figuras de frutas e flores, almofadas sofisticadas, enfeitadas com contas e engalanadas com fios de ouro por inúmeras costureiras que martirizaram os dedos até o osso de tanto trabalhar, agora estavam todas encharcadas de água, cobertas com manchas de óleo e perfume e prontas para serem lançadas para a tempestade uivante. A falacha se agarrou aos tecidos preciosos durante um breve momento de resistência. Vinha de um povo de tecelões, fiandeiras, costureiras; jogar todo aquele esforço humano na areia e no vento era, para ela, uma forma de blasfêmia. Mas a garota não ia tolerar nenhuma oposição. Sua fúria repentina rompeu as últimas barreiras de resistência na Escrava e, embora curvada de tanta dor, ela obedeceu. Encostada ao howdah no meio da tempestade uivante, ela contemplou, espantada, como as sedas foram instantaneamente chicoteadas pela ventania, como fantasmas em fuga, e partiram em rodopios, como missivas do inferno, enviadas para o outro mundo. Sua menina recebia mensagens dos anjos, mas, quando a mulher abissínia enviava respostas, vejam só que demônios saíam do inferno que ela trazia dentro de si! Agora, ela soluçava de dor, mal conseguia respirar.

Durante duas horas, a areia chicoteou em torno deles. Durante duas longas horas, ficaram cercados pelos brados de fantasmas infelizes, o uivo de almas penadas. A Escrava sabia que eram as almas vomitadas das profundezas da Geena que estavam dentro dela e se tornou mais fria do que o gelo. Sua encantadora menina se mantinha sentada como uma princesa, no coração imóvel da tempestade esbravejante, submetendo-se calmamente ao complexo ritual de seu cabelo. Mas a Escrava mal conseguia sentir os próprios dedos agora; estavam frios demais. Pois, após todos os sutis desenhos traçados com hena terem sido refeitos nas palmas de suas mãos e nas solas dos pés, a noivinha tinha exigido não os óleos e as tranças de costume no cabelo, mas a regalia completa de um toucado de noiva. Já. Naquele instante. Sem demora. Que preparativo de casamento mais estranho era aquele! E que linda noiva a pequenina se tornou! Na hora em que a tempestade começava a amainar seu furor, ela estava completamente pronta. Pasma, a Escrava olhou para a noiva como se estivesse a uma grande distância e entendeu que ela estava absolutamente perfeita. Os demônios do riso podiam fazer o seu pior, pensou a Escrava; não eram capazes agora de ferir aquela beleza.

Quando os demônios atacaram, vieram de dentro. As comportas da enxurrada tombaram; a barragem foi rompida inexoravelmente. A mulher abissínia ouviu o trovão dos cascos dos demônios e o baque nauseante dos camelos quando tombam de joelhos, os apupos das vozes selvagens dos demônios e os gritos de morte das mulas. Viu as chamas cintilantes das tochas e ouviu os burros pinoteando e zurrando de dor, sob as esporas dos demônios. E, enquanto o sangue escorria, ela começou a rir, rir e rir, até tombar desacordada.

☼

Sheba, a Escrava, não morreu no assalto dos bandoleiros. Quando voltou à consciência e identificou que era seu próprio sangue que havia encharcado a areia embaixo do seu corpo, entendeu, com clínica indiferença, que também não tinha sido estuprada. Entendeu que os ratos tinham nascido, entretanto, e que ela estava morrendo. Percebeu que havia um homem perto e que ele ia morrer logo se não bebesse água. Era o sacerdote, o mulá. Estava a certa distância dela, delirante de sede, enrolado numa mortalha sanguinolenta, como se lutasse para não ser enterrado. Seu turbante tinha caído, deixando exposto o cabelo escuro, acinzentado pela areia, e sua cabeça sangrava. Era tão jovem. A lua era jovem também e cintilava de leve sobre os tufos de capim do deserto, entre as dunas. Uma mula de idade indeterminada estava parada ali perto, na escuridão nuançada. Havia um cheiro acre de queimado no ar, e Sheba, a Escrava, sentia-se imensamente velha.

O sacerdote implorava água. Com dor infinita, com seu último grão de força e de ímpeto de obedecer, ela desamarrou uma das bolsas de água fumegante que pendiam embaixo do howdah, onde o fogo ainda ardia, e levou-a até os lábios rachados do sacerdote. Levantou a cabeça dele com grande dificuldade e lhe deu água.

— Beba — ordenou, com rudeza. Mas teve o cuidado de deixar que o homem bebesse só um pouco de cada vez. Quando ele começava a ter ânsias de vômito, ela afastava a bolsa de água e esperava. Em tais casos, só era possível beber um pouco de cada vez, do contrário o corpo se revoltava contra a própria coisa de que precisava. Ela havia aprendido aquilo muito tempo antes, quando era jovem, quando viu as consequências de uma sede grande, quando ela se embriagou de amor e enlouqueceu de beber. Agora estava mais velha e já era tempo de aplicar sua sabedoria. O homem bebia um pouco de cada vez, daquela repugnante água morna que a Escrava levava a seus lábios e, a certa altura, em seu delírio, chegou a beijar as mãos dela. A Escrava nem tinha mais energia para se admirar com aquilo.

Em seguida, o sacerdote adormeceu e chegou a roncar. Ela deitou a seu lado e pensou por que ainda não estava morta. Deve ter sido um demônio vingador que resolveu assim, concluiu ela. Deve ter sido o fatídico demônio dos malditos que afrouxou os portões do inferno e convocou os espíritos do desespero e do riso para habitarem na terra, e eles a mantiveram viva apenas tempo o bastante para salvar a vida de um homem que a detestava, embora ela fosse incapaz de salvar a menina que amava. Deve ter sido um demônio sombrio e terrível cujo flagelo se abatera sobre ela e a havia punido por algum mal inominável que ela mesma ignorava ter cometido. O que será que ela fez? Que mal merecia tamanho castigo? A Escrava tentava descobrir seu nome no complexo labirinto de sua teologia pessoal. Mas ela só conseguia pensar numa certa perfeição humana. E no mistério da sua destruição brutal. Além daquele evento, não podia haver pensamento nenhum. E então ela repousou, chegando à conclusão de que não acreditava mais em Deus. Esse era seu pecado, pensou com certa satisfação. E então, Sheba, a Escrava moribunda, parou de pensar, até que viu o sacerdote olhando para ela. Estava de joelhos. Descobriu-se deitado ao lado de uma mulher seminua, na areia. Olhou para ela sem reconhecê-la, de início. Seu véu tinha caído e seu rosto devastado estava exposto ao luar. Estava encharcada no próprio sangue. Então, o sacerdote desabou e chorou. Foi então que ela lhe deu o anel de cornalina que ganhara de certa perfeição humana, por piedade. Pois ele também parecia ter perdido a fé em Deus.

☼

Ele a levou de volta para o poço, por piedade, pois não havia mais nenhum lugar para ir. Ela estava morrendo de uma doença devastadora e não conseguia dar mais nenhum passo. Para ela, ir para frente ou para trás era a mesma coisa. O poço foi onde o inferno começara, por isso ficou contente por terminar também ali. Com infinita delicadeza, ele a ergueu e a colocou sobre a mula, caminhou a seu lado para que a Escrava pudesse escorar-se nele, pois estava fraca demais para se manter ereta sozinha. Num silêncio solícito, ele caminhou ao seu lado, enquanto passavam pelas carcaças queimadas dos camelos e dos corpos esventrados dos infelizes peregrinos, espalhados em volta das dunas. Calado, o sacerdote guiava a mula através das horas restantes daquela noite. Uma hora antes da alvorada, finalmente chegaram ao santuário em ruínas e à fonte. Mas só quando chegaram, ela viu o que estava amarrado ao flanco da mula. Era o alforje do anjo.

A Escrava teve medo. Como o alforje havia sobrevivido, quando tudo o mais fora destruído? Como coubera a ela herdar o alforje, quando havia perdido tudo o mais? Deitou-se nas ruínas e se recostou na beira do poço com o alforje ao seu lado. Mentalmente confusa, agora, e enfraquecida pela dor, e também pelo medo, ela pediu ao sacerdote que lhe desse um dos embrulhos de seda que estavam dentro do alforje. Levou muito tempo para abrir. Quando conseguiu, descobriu que continha um único rolo, com uma só invocação. Tremendo dos pés à cabeça, a Escrava pediu que lesse para ela. E assim ele fez, em sua voz anasalada, que se ergueu no ar da aurora.

Era a invocação para um mistério oculto, uma beleza abençoada, uma recordação de compaixão e alegria, por meio da qual toda a criação seria estimulada e renovada. Que recordação, perguntou-se ela? Que beleza? Que compaixão e alegria? Não havia mais nada disso, certo?

A questão a manteve ocupada durante o breve tempo que restava de sua vida. Ela recordou a compaixão da mãe, a alegria de seu bebê recém-nascido e a beleza da noivinha. E então recordou o mistério da sua destruição brutal. Para além daí, não havia mais nenhum pensamento. E, exatamente na hora em que tal pensamento ameaçava desvelar todos os demais, ela também recordou a piedade que sentiu do sacerdote. Foi então que sua alma começou a falar para ela como um gotejar de água que mina entre pedras secas. Sua alma cantou uma cançãozinha de água fresca, que a lavou em ondas, que se ergueram do poço. Isso a fez lembrar-se da voz da mãe, que cantava para ela, quando ainda era uma criança livre, e sua própria voz cantou as mesmas canções para seu bebê morto. Aquilo era cheio de simplicidade. Falava sem a ajuda das células do cérebro. E, de surpresa, entre aquelas ondas, lhe veio à cabeça que, embora talvez ela não fosse uma adúltera, havia cometido o pecado da idolatria, que é muito mais grave. Teria sido isso afinal? Acreditar numa certa perfeição humana seria um pecado muito mais vasto do que sua descrença? E, se era, pensou, quem seria imenso o bastante para perdoar aquele seu vasto pecado? Seria a piedade grande o suficiente para compreender aquela fraqueza humana e ter compaixão dela? Na ausência de Deus, debaixo de uma lua cruel, em meio à carnificina e à emboscada de morte e de perfeição, quando a beleza estava morta e não podia mais ser pensada, antes que se cumprissem os cem anos lunares dos velhos profetas, onde, em que e em quem se poderia encontrar tamanha, desmesurada capacidade de perdoar?

Nela mesma? O mistério dentro dela era imenso, bem como sua surpresa ao descobri-lo. Não foi propriamente seu pensamento que a levou a tal compreensão. Foi algo diferente do pensamento que a tornou de súbito transparente, com a verdade daquela imensidão que havia dentro dela. Imensa de perdão, venerável de saber, imperecível e eterna.

Quando um dervixe de passagem perguntou qual o preço do alforje, ela respondeu que podia dar de graça. Mais tarde, o dervixe e o sacerdote fizeram o que ela havia pedido: jogaram seu corpo devastado no poço seco, no santuário em ruínas, e o cobriram de pedras.

O Peregrino

O Peregrino era um velho que havia transcendido muitos temores. Mas ainda havia um temor que o dominava, toda vez que se via apanhado no meio de uma tempestade de areia. O temor de ser enterrado vivo, de ser estrangulado pela areia e coberto de terra e pedras. O enigma do medo o havia acompanhado por todo o trajeto, desde o deserto de Gobi até Najd, e ele ainda não tinha encontrado a solução.

 O Peregrino havia procurado e descoberto mil chaves para aquele enigma. Tempestades de areia eram semelhantes às palmas das mãos, não havia nenhuma igual às outras. Cada punhado de medo na palma da mão tinha um nome diferente. Entretanto, havia determinados princípios gerais, sempre os mesmos, na procura de uma solução e de um nome para o medo. Se a tempestade de areia indicava movimento, era necessário ficar parado; se indicava imobilidade, como aquela que caiu sobre a caravana de peregrinos na estrada entre Meca e Medina, então era preciso se mover. Porém, a imobilidade e o movimento tinham de ser do tipo certo; o puxão para dentro exigia as proporções exatas do impulso para fora. Se a tempestade de areia indicava escuridão e frio, o Peregrino precisava buscar a posição correta de luz e de calor; se era uma tempestade de areia macho, ele tinha de reagir a ela com os poderes femininos convenientes. O enigma de cada tempestade de areia era resolvido por meio do equilíbrio. E, no equilíbrio, estava o segredo de Buda.

— Existe, ó, monges — disse Buda —, um estado no qual não existe nem terra nem água nem calor nem ar; nem o infinito do espaço nem o infinito da consciência, nem o nada nem a percepção nem a não percepção; nem este mundo nem o outro mundo, nem o sol nem a lua. É o incriado.

Desse modo, o Peregrino estava em busca do incriado, a fim de decifrar as tempestades de areia do enigma de sua vida.

Nesse caso, quando a tempestade de areia atacou, a alguns farsang de distância do quinto oásis na estrada para Medina, o velho Peregrino entendeu prontamente que, a fim de incriar a tempestade de areia, ele precisava se mover na direção do poço pelo qual a caravana havia passado ao meio-dia. Precisava incriar seu caminho de volta para lá e confiar na tempestade de areia, que ele tanto temia, para guiá-lo. Sentiu isso na força do vento e decifrou nas picadas das partículas de areia contra sua pele. Reconheceu que era uma tempestade macho e entendeu que tinha de resolvê-la por meio de instintos femininos. Seu enigma, no uivo do vento árido, correspondia ao vazio que percebia dentro do coração. Podia sentir os dentes da chave do enigma girando em todo seu ser, desde o topo da cabeça até os pés descalços e calejados. Portanto, em vez de obedecer ao líder e integrar-se ao círculo formado pelos demais, obedeceu à tempestade de areia. Minutos depois que ela atacou, portanto, o Peregrino abandonou a mula do indiano com sua carga e, segurando as abas de suas vestes em torno do corpo, voltou-se na direção de onde tinha acabado de vir. Na direção do poço.

Poucos conheciam o Peregrino idoso ou tinham se dado ao trabalho de se aproximar dele. Pertencia à classe dos pobres e tinha caminhado na parte de trás da caravana, junto com os animais de carga. Não tinha camelo, e a mula que acabara de conseguir, na verdade, não era sua. Ele marchara penosamente ao lado dela a tarde inteira, com a mão pousada no alforje que estava pendurado no seu dorso, mas não havia montado na mula; não queria sobrecarregar o pobre animal. Além do mais, estava habituado à sensação e à textura da areia embaixo dos pés calejados; precisava sentir a terra embaixo de si a fim de se manter alerta aos propósitos de sua peregrinação. Agora, deu palmadinhas na mula e um tapinha carinhoso na sua anca, como sinal de partida, o que fez o animal zurrar um louvor choroso, como se estivesse se despedindo. O triste som logo foi coberto pelo uivo da tempestade.

Ninguém notou sua partida. Todos estavam agrupados, muito juntos, colados a seus animais, as cabeças curvadas e os rostos encobertos por tiras de panos protetores. Mais cedo naquele dia, o indiano, seu único amigo, tinha encontrado outro destino e já não estava mais com eles. Havia também um dervixe que tinha dividido o pão e o azeite com ele, de tempos em tempos, mas também havia desaparecido desde o meio-dia. Ninguém mais prestava atenção ao velho. Só o jovem sacerdote, que o havia incentivado a fazer orações quando eles partiram de Meca, tomou consciência de um vulto apagado, de pernas tortas, que se afastou do círculo protetor da caravana e avançou cambaleante para dentro da tempestade, enquanto as areias rodopiavam em volta deles. No entanto, ele estava ocupado com outras coisas e logo esqueceu o enigma do Peregrino que sumiu de vista.

O Peregrino era um uigur do noroeste da China e falava uma curiosa mistura de turco e persa, que poucos conseguiam entender. Fazia anos que estava viajando, ainda antes de alcançar os desertos da Arábia, e se alguém cismasse de lhe perguntar sobre isso, ele poderia dar provas de que tinha vivido mais de sete décadas, pelo número de dentes que havia perdido. De fato, tinha perdido tantos dentes que agora só restava um. Ninguém mostrava nenhum interesse por ele ou por seus dentes, no entanto, nem pelo modo como havia se unido à caravana de peregrinos, em Meca; nem mesmo o indiano que deixara a mula de herança para ele, pois quando o indiano se certificou de que o Peregrino nunca levava dinheiro nenhum consigo, apenas mostrou-se gentil, mas sem nenhuma curiosidade. Como o cambista era a única pessoa na caravana que compreendia sua língua misturada, o Peregrino tentou lhe explicar sua filosofia de vida, segundo a qual, aos quinze anos, era preciso fixar o coração em aprender, para que, aos setenta, fosse possível entrar numa fase da vida em que se podia obedecer aos ditames do coração. Porém, fosse porque o indiano nada sabia de Confúcio, fosse porque a fala do velho saía deturpada em razão da perda dos dentes, quando sua história chegou aos quarenta anos, o indiano já havia parado de escutar o velho.

O uigur estava tão encarquilhado quanto uma noz quando saiu em sua peregrinação, tão careca quanto um ovo marrom e lustroso, mas ainda tinha um dente na boca, com o qual podia morder a vida de forma incisiva. E seus olhos, quando vistos por detrás das rugas dobradas do rosto, eram tão aguçados quanto agulhas e igualmente cintilantes. Como raramente falava e preferia usar os olhos, percebia muitas coisas que os outros não viam. Uma das coisas que notou foi que o dervixe, que às vezes se demorava a seu lado, no fim da caravana, havia tingido a barba e o cabelo de preto com antimônio. Havia um brilho nas raízes que traía um loiro estrangeiro. O sujeito era um charlatão. Era muito bom em seu papel de dervixe, tinha aprendido todos os gestos e os encantamentos e falava árabe tão bem quanto o persa, mas o velho, que tinha visto muitas coisas, desconfiava dele. Já vira outros com olhos de gelo, como ele, nas altas trilhas de Kashgar, e nas montanhas da Pérsia ocidental, entre os bakhtiári. Diagnosticou que o sujeito era um agente político disfarçado por baixo da máscara de piedade. E, entre todos os peregrinos, inclusive o sacerdote, que o queria ver estripado, era do dervixe que ele mais desconfiava.

O Peregrino nascera no norte, acima do velho lago salgado de Lop Nur, no vale de Tarim, um território árido, descampado, que mantinha seu passado tão estritamente fechado quanto seus segredos futuros. Sua terra natal era um oásis de baixada chamado Turfan, nas origens da antiga Rota da Seda, e seus ancestrais maniqueístas foram convertidos pelos turcomanos. Embora fosse, originalmente, sunita da província de Xinjiang, suas crenças muçulmanas eram temperadas pelas filosofias budistas, pois havia estudado para ser monge no norte do Tibete e tinha morado muitos anos nas estepes da Mongólia. Desse modo, por meio da prática e da paciência, da disciplina e da determinação, ele havia superado todos os temores, exceto um: se adaptara a muitos enigmas de mudança, mas ainda não se adaptara ao enigma forjado pelo aniquilamento.

O uigur tivera um sonho, quando jovem, no qual a terra de seus pais, um dia, se tornaria um deserto venenoso, desolado como a lua. Em seu sonho, ele se deu conta de que seu destino era comandar seu povo para livrá-lo do aniquilamento daquele lugar fatal antes que fosse tarde demais. A rigor, foi aquele sonho que o levou inicialmente a tornar-se monge. Quando um velho professor chinês, em seu mosteiro, lhe disse um dos preceitos de Confúcio, "obedeça ao caminho de manhã, morra contente à noite", ele pensou, de início, que tinha encontrado a resposta para o sonho. Acreditou que o contentamento era o modo como seu povo devia viver e também morrer, pois nada era mais deletério nem mais venenoso do que a lua do descontentamento. Parecia bastante simples, mas a solução para o destino de seu povo aparentava ser mais complexa do que aquele tipo de simplicidade; parecia tão enigmática quanto o próprio problema. Pois, em seu sonho, ele fora levado a compreender que o "Caminho" que permitia sair do descampado atravessava um deserto; estava à espera, como um regato de mercúrio num círculo de areia. Em outras palavras, a solução estava diretamente ligada ao próprio problema.

Como parecia haver pouca diferença, para ele, entre um deserto e um descampado, entre a solução em um e o aniquilamento em outro, o uigur tinha ficado um tanto embaraçado por seu sonho e, de início, não soube como proceder. Na juventude, tinha um modo literal de pensar. Durante alguns anos, vasculhou pelo deserto de Gobi, de uma forma bastante desordenada, em busca de regatos, mas o único "Caminho" que encontrou estava nos braços de mercúrio de uma vaqueira mongol, que ele encontrou, um dia, no meio do rebanho de cabras do pai dela e que desejou no mesmo instante. Foi então que abandonou o mosteiro e desistiu de sua busca sem qualquer vacilação; foi então que resolveu ignorar o aspecto venenoso das profecias futuras em favor de um presente mais fértil. Não tinha medo de viver e passou muitos anos tendo filhos, criando cavalos e pastoreando ovelhas nas estepes da Mongólia. Chegou a esquecer seu sonho, até a esposa morrer. Mas a essa altura ele já havia começado a perder os dentes e a dar um nome para seu medo.

Sua esposa deu a ele nove filhos fortes, todos sobreviveram, mas, depois da morte da esposa, o uigur sentiu nos lábios o gosto de sal de um deserto sem vida. Sentiu seus dias áridos como a lua. E aí, pela primeira vez em muitos anos, recordou seu sonho. Recordou o aniquilamento venenoso que aguardava seu povo e se viu guiado por um sentimento de urgência, que não havia sentido antes. Reuniu seus filhos, deu a eles sua bênção, dividiu suas cabras, ovelhas e cavalos entre eles e retomou a busca que tinha abandonado na juventude. Se o "Caminho" devia ser encontrado no deserto, resolveu buscar em todos os desertos conhecidos pelos homens, apesar do medo. Então, voltou-se para buscar entre as dunas de Gobi, mas agora tinha uma mente menos literal e descobriu que ele havia se transformado no deserto de seu luto.

Após dois anos de sofrimentos estéreis nos descampados de Gobi, o uigur voltou para Turfan e começou a seguir os passos de seus ancestrais. Viajou noites e dias inteiros sem água pelo Taklamakan e ouviu as correntezas de vozes de espíritos e de instrumentos de cordas que chamavam, queixosos, pelas areias. Foi acossado por dedos ferrenhos e por mãos brutais de guerreiros enterrados e ouviu o rufo de seus tambores nas dunas retumbantes. Caminhou pela antiga Rota da Seda, através de Yarkland, rumo a Tachkent. Buscou entre as montanhas de Altai do Cazaquistão, e viveu com povos nômades das planícies de Turan. Encontrou muitas tempestades de areia e reuniu uma multidão de chaves para outros tantos enigmas. Porém, todos aqueles caminhos o levaram para mais solidão e mais dúvida. Através de todos os caminhos, ele fugia de seu medo. Quando chegou aos vales de sal e areia de Dasht-i-Kavir e Dasht-i-Lut, no nordeste da Pérsia, alcançou as bordas do deserto do ceticismo e não tinha certeza de que algum dia fosse conseguir encontrar o "Caminho" para livrar seu povo dos descampados malditos.

Foi com o coração afundado em desgosto que voltou os passos rumo à Península Arábica. Decidiu doar seus trajes de monge mais uma vez para se tornar um peregrino na estrada para Meca, pois embora tivesse perdido quase todos os dentes, ainda tinha fé. Apesar do medo ter agarrado sua garganta na tempestade de areia, seus olhos continuavam brilhantes e em busca de inspiração. A Rota da Seda continuava à sua frente, por todo o trajeto para o Saara. Mas ele sabia que, se os desertos da Arábia não lhe mostrassem o "Caminho", ele não teria mais nada, senão o deserto do desespero, para explorar antes de morrer. E seu coração estava pesado, ao pensar no futuro de seu povo.

☼

O Peregrino manteve seu próprio conselho desde que deixou a cidade de Meca. Sua presença na caravana era tão discreta quanto uma ausência. Alguns, ao ouvirem o uigur murmurando preces, comentavam em voz baixa que era um infiel por cumprir suas devoções de maneira completamente irreconhecível. Era irônico que tivesse despertado a desconfiança dos piedosos, ao passo que o dervixe não causou nenhuma suspeita. O jovem sacerdote estava pronto a apedrejá-lo até a morte, mas o cambista interveio e garantiu aos peregrinos que o velho inofensivo era um muçulmano tão devoto quanto ele mesmo. Os que estiveram com ele em Meca atestavam que o Peregrino havia cumprido seu haje com rigor escrupuloso, em todos os aspectos, exceto no dia final de sacrifício, quando ele não foi visto. Via-se que ele não comia carne. De fato, raramente comia qualquer coisa: apenas um pouco de pão encharcado em seu azeite, algumas tâmaras e queijo de cabra. Raramente falava e mesmo assim só para o intercâmbio indispensável às suas necessidades diárias, que eram poucas. Na verdade, a maioria das pessoas lhe oferecia comida de graça, em troca dos remédios que ele preparava, pois o Peregrino era capaz de curar muitas doenças.

Entre suas habilidades, que havia adquirido ao longo da vida, estava a ciência da cura, e ele empregava seu instinto para aliviar seus companheiros viajantes. Era tão discreto em suas curas quanto em suas demais atividades e sempre oferecia remédios como que envergonhado diante de tal necessidade. E assim foi considerado um dos fiéis e escapou da sanha do sacerdote excessivamente zeloso.

Guardava consigo um estoque de remédios em suas viagens, e tinha aprendido, em todos os desertos por onde havia passado, a encontrar substitutos e adaptar sua habilidade às doenças endêmicas de cada região. De fato, essa habilidade pode ter sido de grande ajuda na sobrevivência e na força bruta de seus filhos, pois ele diagnosticava as enfermidades dos filhos, na infância, e fazia remédios com ervas e capins da estepe da Mongólia para protegê-los da morte e das doenças. Raramente ficavam doentes. Quando a esposa morreu, também não foi por causa de doença. A esposa apenas olhou para ele, na cama, um dia de manhã, as bochechas vermelhas como na hora em que os dois primeiro se beijaram, e disse:

— Estou cansada.

Em seguida, deu as costas para o Peregrino, como se dormisse, e morreu. A brisa suave da primavera que peneirava entre seus cabelos era semelhante a um hálito humano, só que vinha do paraíso. Ele nunca se perdoou por não ter reconhecido a proximidade da imortalidade dela, pois só tinha dominado a arte de diagnosticar a morte.

Quando saiu do Império do Centro e voltou seus passos da China para os nove distritos do Continente Divino da Região Vermelha, que formavam o mundo, o Peregrino sabia que teria de buscar todos os desertos para se curar da morte da esposa. Sabia também que, até descobrir a fórmula de sua própria imortalidade, não poderia ter esperança de curar as doenças dos outros. E, enquanto procurava os enigmas de mil tempestades de areia, também se deu conta de que nunca seria capaz de salvar seu povo do veneno de seus sonhos, a menos que superasse seu medo. O antídoto do medo estava em algum lugar na região da confiança. Mas onde?

Seus olhos afiados procuraram os sinais de confiança que ele havia deixado escapar antes e que se tornaram seus principais cuidados. Pois o *Homem Superior*, o Peregrino sabia, tinha nove cuidados. Ao ver, tinha o cuidado de ver com clareza. Ao ouvir, tinha o cuidado de ouvir com nitidez. No seu olhar, tinha o cuidado de ser gentil. Em suas maneiras, devia ser respeitoso. Em suas palavras, leal; nos atos, diligente. Quando em dúvida, pedia informações e, quando irritado, tinha cuidado com as consequências. E, por fim, primeiro devia verificar se a busca do lucro era consonante com o Certo. Se conseguisse curar num "Caminho" como esse, pensava o Peregrino, talvez pudesse proteger seu povo do veneno e descobrir um medicamento para seu medo.

Porém, desde o início da viagem, o Peregrino teve a sensação de que havia fracassado. Não só não conseguira ser superior como tampouco havia conseguido ser um homem comum, pois em todas as suas viagens ainda não tinha atravessado um deserto pior do que aquele da sua peregrinação. O abismo que havia encontrado em Meca quase o derrotara. Embora fosse obrigado a cumprir todos os ritos, sentia-se inclinado a abandonar todos os seus esforços, dando as costas e fugindo do santo dos santos. A paralisia resultante daquele fracasso, com sua sensação de um vazio sem fundo, encheu-o com o nadir de todos seus temores de tempestades de areia. Em seu haje, ele diagnosticou sua morte espiritual.

Pior de tudo, tinha feito três tentativas de curar outras pessoas durante a viagem subsequente para Medina e também não conseguiu. Não conseguiu diagnosticar a condição de três outras pessoas. Na verdade, essas três tentativas ocorreram todas no mesmo dia em que a tempestade de areia atacou. Parte do enigma da tempestade de areia, ele tinha certeza, repousava em seu triplo fracasso. E essa chave, ao que parecia, estava dentro do poço.

Foi a descoberta repentina de tal fato, quando a tempestade de areia atacou, que o fez voltar atrás e refazer seus passos rumo à fonte. Agora, ao encarar seu medo, enquanto o vento ferroava seus olhos, ele rememorou o começo daquele dia e determinou que devia incriar seus fracassos um por um. "O incriado", segundo Buda, "não está vindo nem indo nem está parado...".

☼

Tinha começado muito bem. Ele acordou ao raiar do sol com a voz da esposa que o chamava pelo nome. E havia orvalho escondido nas dobras de sua pele. Recebeu aquilo como uma bênção. Então sua rotina de vida interveio. O sacerdote ergueu seu batalhão de preces matinais, como de costume, para atacar o sol nascente e, apesar dos camelos que resmungavam e das mulas tristonhas que relutavam em retomar suas cargas, a caravana logo se pôs a caminho. Fazia três dias que estavam viajando, desde que saíram de Meca, e aquele era o quarto dia. Incorporaram em seu grupo a caravana de uma noiva, com sua escolta de soldados turcos, e o dervixe se tornou ainda mais esquivo do que já era. Dali a nove dias, chegariam a Medina, e o cadáver, pensou o Peregrino, sem dúvida seria deixado lá, pois era tristemente necessário enterrá-lo no cemitério daquela cidade. O Peregrino tinha pena do cadáver; se tornara o alvo das queixas de todo mundo. Em vez de rezar pela alma do falecido, os peregrinos maldiziam o fedor que ele deixava para trás. O uigur tinha seus próprios métodos de se proteger do odor pestilento e ofensivo. Ele possuía um bálsamo pungente, feito de unguentos de eucalipto e de gengibre, e bastava uma pitada no interior das narinas para banir qualquer outro cheiro. Envolvido em seus próprios odores, portanto, ele podia se dar ao luxo de dirigir alguns sussurros de paz para o desafortunado cadáver, cujo caixão malfeito estava se desmanchando sobre as costas da mula sacolejante. O Peregrino rezava por sua decomposição eficiente e seu rápido alívio no calor escaldante.

Ele não havia fracassado com o cadáver, pois já se encontrava fora do alcance de qualquer cura, porém havia fracassado com relação a três almas vivas. O indiano, que era membro da escolta que acompanhava a noiva para Damasco, foi o primeiro entre os peregrinos a fazer amizade com o uigur desde que deixaram a cidade sagrada. Ironicamente, também foi o primeiro com quem ele fracassou. Embora o uigur não tivesse nada para oferecer em troca da defesa que recebera do indiano, senão pomadas para dor de cabeça e pós para dor de barriga, sentia-se agradecido ao cambista e andava em busca de uma ocasião para demonstrar sua gratidão. No decorrer daquela quarta manhã, apenas uma hora depois da caravana ter saído do pequeno caravançará, ocorreu uma crise que obrigou toda a caravana, camelos, mulas, animais de carga e peregrinos, a parar no meio do deserto e, pouco depois daquela parada imprevista, aconteceu algo terrível com o cambista. Foi um acidente que o Peregrino não só se mostrou incapaz de evitar, mas do qual também, pior ainda, sentiu-se inteiramente responsável.

Quando a crise ocorreu, estavam no meio do nada, não tinham chegado a nenhum lugar onde normalmente o chefe da caravana faria uma pausa. À frente deles, os olhos aguçados do Peregrino podiam avistar um penhasco alto, que se erguia ao norte da estrada. Abaixo, à direita, na distância nebulosa, achou que conseguia enxergar uma concentração de rochas ou talvez alguma ruína, mas ainda estava a um bom farsang de distância. No entanto, quando protegeu os olhos contra a luz do sol nascente, achou que podia avistar vultos de homens parados no alto do penhasco contra o fundo do céu. Um bom número deles. Na certa, bandoleiros ou ladrões. O Peregrino já fora espancado por tantos bandoleiros em suas viagens que nem tinha mais medo deles. O motivo por que não levava dinheiro nenhum consigo e apenas fazia permutas com bálsamos e pomadas para obter comida era que, desse modo, os bandoleiros raramente viam grande razão para matá-lo. Porém, a presença de bandoleiros era motivo de preocupação para o resto de seus companheiros de viagem, sobretudo os mais abastados. Resolveu procurar o indiano e dizer o que tinham pela frente. Com certeza, ele ia advertir o chefe da caravana.

O motivo da repentina parada da caravana não estava claro. Alguns diziam que havia uma crise entre as mulheres do cortejo da noiva. Outros diziam que a questão era o cadáver, cujo fedor era tão infernal que obrigava a transferir o caixão para a parte de trás da caravana. Quando o Peregrino conseguiu abrir caminho, entre guardas que gritavam e cuidadores de mulas indignados, e chegar à parte da frente da caravana, descobriu o indiano em conversações com a mulher alta e magra que era a escrava da jovem noiva. Tratava-se de uma abissínia, mas o Peregrino raramente a via. Era uma mulher extremamente discreta que não se misturava com os peregrinos. Na maior parte do tempo, ela se mantinha perto ou dentro do howdah da noiva, mas de repente ali estava ela, parada entre as mulas e os camelos, que gemiam, conversava com o indiano e apontava para o alto. Para os penhascos ao norte.

A coincidência pareceu estranha. O Peregrino se perguntou se ela também teria visto a silhueta dos ladrões no alto do penhasco contra o fundo do céu. Forçou os olhos e agora não viu nada. Se houvera mesmo alguém lá em cima, minutos antes, tinha sumido, a menos que o Peregrino tivesse sonhado aquilo. Porém, a escrava, pela maneira como apontava, parecia estar enviando o indiano na mesma direção. Por que fazia aquilo? O Peregrino examinou os dois com atenção. Em seu diálogo, havia algo que abalou suas suscetibilidades. O que era? E então aquilo chegou até ele, como um abismo que se abriu a seus pés. Chegou até ele, com o cheiro de seu próprio temor. Sentiu ali os odores da morte. Diagnosticou que era o indiano.

Quando o velho Peregrino viu o cambista montar na mula e partir rumo ao penhasco, começou a correr atrás dele, gritando em seu idioma:

— Pare! — exclamou, com premência. — Você está indo na direção da própria morte! Vi bandoleiros lá na frente e, para onde quer que você esteja indo, eles vão ver você! Vão matar você! Não confie nessa estrada! Volte!

Mas o cambista não lhe deu ouvidos. Prosseguiu, impermeável aos apelos desesperados do velho, só se virou uma vez para acenar com a mão, como se fosse para uma criança mentalmente retardada que precisasse de uma resposta tranquilizadora. O Peregrino, de forma terrível, sentiu o desespero afundar dentro de si. Seguiu a mula por algumas centenas de metros, chamando outras vezes, suplicou que o indiano voltasse, lhe disse que era a morte, que a morte estava lá na frente, a morte estava à espera para apanhá-lo. Mas não adiantou. A mula torta, carregando sua carga bastante pesada, avançava de modo inexorável, esvanecendo no calor do horizonte. O Peregrino parou no meio do deserto e chamou até ficar rouco e a figura do cambista desaparecer por completo. Então, ele baixou a cabeça à areia.

Foi seu primeiro fracasso. Mas o segundo foi ainda pior, pois envolveu uma grande perda de confiança. Ao recordar aquilo agora, na tempestade de areia, chegava a ter calafrios com a lembrança, apesar do vento quente. O medo o agarrou entre seus braços ardentes, por todos os lados, e o estrangulava, sufocava, esganava. Seus olhos ficaram vidrados de fúria, mas ele ainda podia ver o bastante para incriar aquele dia. A areia cerrava os dedos com força em torno da sua garganta, mas o Peregrino ainda tinha a sensação de que estava na direção certa. Obrigou-se a pensar em seu segundo fracasso e continuou em movimento, enquanto a tempestade de areia ditava as ordens. Quando refez os próprios passos de volta para a caravana, descobriu que o debate a respeito do cadáver e das mulheres tinha sido suspenso. O chefe da caravana dera ordens para retomar a viagem e prometeu que os problemas iam ser resolvidos em breve, em ambos os casos. A título de uma concessão especial a todos os peregrinos que se sentiam ofendidos com o cheiro insuportável, o chefe da caravana prometeu que ia resolver a questão do cadáver no santuário em ruínas, situado a um farsang à frente, seguindo pela estrada. Não havia água nenhuma no poço, ao que parecia, porém, a título de mais uma concessão à escolta da noiva, o chefe aceitou que a caravana fizesse uma parada lá para que as damas resolvessem seus assuntos. O sacerdote ficou furioso e tentou provocar um protesto geral contra aquela decisão.

O Peregrino não sabia como avisar o chefe da caravana a respeito dos bandoleiros, lá na frente, pois o homem estava distraído e tinha se recusado a ouvir qualquer outro protesto ou pedido. Para se aproximar dele, o Peregrino teria de usar diplomacia e também o idioma correto. Com quem deveria falar, agora que havia perdido seu defensor? Qualquer que fosse sua língua original, o dervixe obviamente não queria nem tentar entender o idioma do uigur; pão e azeite, ele podia suprir, em caso de necessidade, porém, com as palavras, ele era bem mais parcimonioso. Em todo caso, o Peregrino tinha visto o dervixe se esquivar entre as dunas, e ele havia desaparecido pouco depois da parada imprevista da caravana. O homem sumia em missões ignoradas, com propósitos incertos, para reaparecer depois, mais à frente, na estrada, quando se esgueirava e se unia sorrateiro à parte de trás da caravana, como uma ideia que só vem à nossa cabeça quando já é tarde demais. Se alguém lhe perguntasse, diria que tinha ido meditar. Quem mais poderia ajudar o Peregrino a prevenir o chefe da caravana? Ele teve de desistir.

O sacerdote, entretanto, não queria desistir de sua cruzada contra as mulheres do cortejo da noiva. Passou o resto da manhã, na viagem, tentando atiçar a revolta entre os peregrinos, à medida que iam se aproximando do santuário em ruínas, para que protestassem contra o atraso forçado imposto a toda a caravana por aquelas infiéis sem Deus e exigissem sua imediata segregação do restante da caravana. Fez um extenso discurso sobre a pureza e as sepulturas; protestava contra a presença blasfema de mulheres impuras naquela rota sagrada. Elas possuem sua própria escolta, exclamava com fervor. Pois que sigam sozinhas! Que elas não venham agora conspurcar a companhia dos puros, com seus apetites sórdidos! O peso de seus argumentos parecia se apoiar em alguma união sagrada que os aguardava mais à frente e que estaria prestes a ser irremediavelmente violada pela presença da caravana da noiva.

O Peregrino percebeu que aquele jovem infeliz sofria de uma doença de pele que havia deixado feridas feias e escamas sarnentas no rosto e nas mãos. Percebeu também, pelo odor do hálito rançoso e pela coloração da parte branca dos olhos, que o jovem estava extremamente desidratado. Parecia quase inflamável, de tão revoltado e seco. O velho curandeiro ainda não diagnosticava morte nem imortalidade naquele desconforto, mas determinou que, quando eles parassem, tentaria oferecer ao pobre homem algum tipo de alívio. Se havia fracassado em sua tentativa de prevenir o indiano contra a morte que o aguardava, poderia pelo menos fazer aquele companheiro peregrino sentir-se menos infeliz. Que mal podia haver nisso?

Porém, quando chegaram à fonte, mais ou menos uma hora depois, a vida de todos deu uma guinada para melhor, sem a sua intervenção. Exceto no caso do sacerdote. Pois se descobriu que tinha sido escavado um poço novo perto do poço seco, no santuário em ruínas, e a alegria foi geral. Todos aproveitaram o pretexto oferecido pelas mulheres para celebrar a água. Os argumentos do sacerdote foram completamente refutados. As bolsas de água foram enchidas, os recipientes transbordavam, as pessoas afundavam dos pés à cabeça e só as mulas e os camelos se queixaram, pois o chefe da caravana fizera questão de que todos partissem antes do prazo necessário para que os animais pudessem se reabastecer de água. Porém, o sacerdote obstinadamente se manteve à parte e se recusou a beber um gole que fosse daquele poço. Suas razões, obviamente, não tinham qualquer relação com alguma compaixão dos animais. Hesitante, o Peregrino chegou perto do jovem infeliz. O sacerdote estava andando para um lado e para outro, balbuciando algo sozinho. Mordia os lábios, já rachados e sangrentos. As moscas o assediavam, infestavam as feridas abertas no rosto e nas mãos. O Peregrino pensou nos seus filhos de semblante limpo e seu coração se contraiu de compaixão pelo pobre homem.

Estendeu ambas as mãos na direção do jovem sacerdote. Pela experiência com as tempestades de areia, tinha aprendido que a mão aberta representava a mensagem mais clara; na ausência de uma língua comum, aquele gesto demandava o mínimo de interpretação. Em cada palma aberta, portanto, ele ofereceu sua cura ao jovem sacerdote. Na direita, ofereceu um copo de água fresca, que vinha diretamente do poço; na esquerda, uma caixinha na qual havia um creme branco especial, de pó de zinco misturado com óleos e essências que ele mesmo havia extraído. Gentilmente, falou no seu idioma e disse para o jovem que seu corpo precisava de água e que sua alma deveria se acalmar, antes que ele pudesse rezar de maneira correta. Tranquilamente, aconselhou-o a beber e usar o medicamento.

Mas o Peregrino não havia contado com o temperamento do sacerdote desafortunado. Ou com sua falta de confiança. Depois de rogar uma praga feia, que não condizia com sua dignidade, o jovem arrojou o copo na areia e cuspiu no rosto do Peregrino. Em seguida, afastou-se, arredio, como um cormorão enfurecido, com suas vestes negras endurecidas pela areia, enquanto as moscas o cercavam numa orgia de contentamento. Seu infortúnio era mais azedo do que o odor do cadáver. Logo depois, sua voz alta e anasalada pôde ser ouvida, acima do resto, enquanto ele despejava sobre o chefe da caravana suas queixas contra os guardas, o cadáver, o Peregrino suspeito e, acima de tudo, contra as mulheres, embora ninguém se importasse. Estava claro que ele precisava esbravejar e encolerizar-se, qualquer que fosse o motivo. E, com toda certeza, ele não queria ajuda.

Foi na hora em que o Peregrino estava enxugando o rosto que o indiano de repente reapareceu, surgindo do nada. O velho mal tinha conseguido vencer o sentimento de vergonha por causa de seu segundo fracasso, quando se viu, de novo, face a face com o primeiro. Porém, o cambista estava vivo! Ou não estava? O sangue escorria de sua boca, ensopava a camisa e escorria pela barriga. Os olhos fitavam vidrados e desvairados. Trazia um alforje nos braços e olhou através do uigur. O velho Peregrino, com espanto, se deu conta de que ele, de algum modo, havia escapado da morte.

Observou, com preocupação fascinada, quando o indiano entregou sua carga para a escrava abissínia. E viu, num estado de perplexidade crescente, quando ele deu as costas para o howdah, com o rosto imóvel e sem expressão, e disparou entre as mulas da caravana da noiva. Em choque, o Peregrino observou como o indiano pegou um saco de carvão e pôs sobre as costas — ele, que nunca se dignara a carregar nem a mais ligeira carga e pedia ajuda aos homens do séquito da noiva para tudo de que precisava — e, por fim, chocado, viu como o cambista foi embora, cambaleante, outra vez na direção do penhasco fatal.

Foi então que o Peregrino avistou os pássaros da morte sobrevoando em círculos o penhasco e compreendeu seu erro. Não era a morte do indiano que ele tinha pressentido, mas de outra pessoa. De fato, não foi a morte que ele havia diagnosticado naquele homem, mas a proximidade da imortalidade! Pois parecia que ele havia caminhado para dentro da morte e saíra de lá outra vez, e tinha descoberto algo muito mais terrível do outro lado dos penhascos!

Quando correu atrás do amigo e tentou mostrar sua compaixão, o indiano o repeliu. Deu as costas, pegou as rédeas da mula que costumava montar e jogou-as, sem cerimônia, nas mãos do velho. O velho uigur viu, então, que a língua do indiano tinha sido cortada e começou a se lamentar, como tinha feito antes.

Quando o Peregrino então recordou seu sentimento de fracasso, curvou-se sob o peso da tempestade de areia, que despejou sua carga de medo e de enigmas sobre sua cabeça velha e nua. Como havia fracassado amargamente na tentativa de proteger dos bandoleiros o seu único defensor! Como poderia encontrar um "Caminho" agora para sair do deserto do silêncio perpétuo? Como havia confundido, de forma fatal, a diferença entre morte e imortalidade mais uma vez. E traíra sua confiança. Mas o pior ainda estava para vir. Pois, mesmo quando o uigur ficou parado junto à fonte, com as rédeas da mula na mão e seu copo pequeno na outra, enquanto a discussão continuava a pegar fogo em torno do cadáver e enquanto os pobres animais, por toda volta, ainda gemiam querendo água, uma figura saiu do howdah da noiva. Uma figura leve, fina, de ossos delicados, envolta num véu que não podia esconder a mancha doentia que se espalhava e descia pelas pernas. Era a escrava, e o Peregrino sentiu que dela vinha um indubitável cheiro de morte.

☼

E aquele foi seu terceiro fracasso. De fato, o Peregrino havia diagnosticado a morte no diálogo entre os dois, mas se tratava da morte da escrava e não do cambista. E ele havia percebido também a proximidade da imortalidade, que, de alguma forma estranha, pertencia ao cambista e não à escrava. E o Peregrino cometera o erro fatal de aproximar-se do sacerdote, que não estava nem pronto para a morte nem preparado para a imortalidade e, assim, ele havia desperdiçado a chance de ganhar a confiança de três almas humanas. Entre todos os desertos que já conhecera, a sensação de vergonha que experimentara com aqueles três fracassos era o pior. E não havia nenhum brilho de inspiração para indicar como sair de lá.

A única coisa que podia pensar em fazer naquelas circunstâncias era oferecer um alívio temporário para a mulher que desabou junto à fonte, pois ele não demorou a compreender que não havia cura para sua doença. Recostou a mulher na pedra fria e mergulhou seu copinho nas águas borbulhantes. Quando bebeu, ela voltou à vida. O Peregrino então lhe deu o único remédio que tinha para alguém naquele estado: o tradicional remédio feminino. Era usado para todas as enfermidades, exceto para aquela doença suprema, da qual se sabe que as mulheres padecem. Muitas vezes, era usado para mulheres estéreis e para aquelas que nunca mais teriam filhos. O Peregrino havia preparado sua versão pessoal da pasta curativa e a ofereceu à escrava da sua maneira de costume: um grão preto na palma da mão aberta.

Ela o recebeu com total simplicidade. Depois de beber a água, a escrava estendeu a mão estreita, tatuada com riscos azuis, e ergueu a pasta até os lábios. Levantou o véu também com simplicidade, revelando para ele a devastação da varíola em seu rosto. Por que a escrava fez aquilo? Quando o Peregrino recordou a condição da mulher e reavaliou sua doença, quando se deu conta do tipo de vida que ela devia ter levado para ser conduzida a tal situação, se viu perplexo com a confiança simples da mulher naquele momento. O que poderia ter causado aquilo? Com certeza, não foi seu gesto, pois ele tinha provas bastantes, a partir do episódio com o sacerdote, de que seus gestos não eram capazes de garantir confiança. Além disso, a morte estava consumindo seus órgãos vitais e era uma morte causada exatamente pela perda da simplicidade. Isso ele diagnosticou depressa e com segurança. Portanto, como foi acontecer dela aceitar seu remédio de maneira tão simples? Como pôde a escrava confiar nele, a despeito do estado em que se encontrava?

Tateante em meio às rajadas de vento da tempestade de areia que o fustigavam, o Peregrino meditava novamente naquela questão e se deu conta de que estava perdido. Por que ela aceitara sua ajuda? Ele não conseguia entender; estava perdido. A simplicidade mesma talvez a curasse, e não sua pasta inútil. Ele estava certamente perdido. Onde ela havia descoberto simplicidade, quando estava morrendo justamente por falta de simplicidade? Será que o poço estava à frente ou atrás? A tempestade de areia o açoitava com uma repentina fúria triunfante. As mãos da tempestade o agarravam, o estrangulavam. Seu próprio medo o devorava. E, naquele momento, de repente se lembrou do alforje.

Será que o alforje continha a chave daquela tempestade de areia? Será que o fato de ter recebido o alforje da mulher na beira do poço era o motivo dele ter de voltar lá? Era o mesmo alforje que o indiano havia trazido nos braços; disso, tinha certeza. Foi o alforje que o havia guiado, nas costas da mula, por toda a manhã e foi o alforje que ele tinha deixado para trás, em sua súbita decisão de se afastar da caravana e voltar para o poço. Era o alforje que a escrava lhe tinha dado, depois de ingerir o remédio preto para mulheres, com toda simplicidade. Ele sabia que a mulher teria três ou quatro horas, antes de voltarem as dores e a hemorragia. E, enquanto suas forças lentamente retornavam, a escrava tateou junto aos pés e lutou para erguer o alforje. Tinha caído de seus braços quando ela desmaiou, e agora a escrava ofereceu o alforje para ele, insistiu para que o Peregrino ficasse com o alforje. Implorou que ele aceitasse e guardasse. A escrava falava em amárico, idioma que o Peregrino compreendia de forma estropiada, porque havia aprendido o alfabeto no mosteiro de Labrang. Mas, embora o sentido dos sons sobrevivesse na tradução, ele recuou com horror ao ver o sangue do indiano no alforje.

Mas a escrava foi insistente. Cambaleante, ficou de pé e colocou o alforje nas costas da mula do indiano. E então deixou o Peregrino com seu estranho legado e foi cuidar de seus afazeres, que eram acender o fogo e esquentar água para sua senhora.

O velho se viu como herdeiro de uma mula que jamais montaria e de um alforje que jamais usaria. Mas afinal parecia que o alforje não era para usar, pois já estava cheio. Estava entupido de embrulhos. Quando ele abriu, viu que estava cheio de rolos e pacotes, todos envoltos em seda e pergaminho, tudo amarrado em cordéis. Prendeu o alforje no dorso da mula, retirou um dos embrulhos e ali mesmo, ao lado do poço, enquanto se faziam os preparativos do banho da noiva e o sacerdote protestava contra a violação do túmulo da mãe do Profeta, ele abriu o rolo de pergaminho e, dentro, encontrou um papel delicado, todo coberto de caligrafia persa.

Os olhos do uigur eram brilhantes, seus olhos eram aguçados, mas teve dificuldade para ler as letras finíssimas naquele papel delicado. O sol do meio-dia batia diretamente no papel, que reluzia na sua frente e o ofuscava momentaneamente. Mal conseguia distinguir o que estava ali. Tinha sido escrito com muita pressa, sem os pontos. No entanto, a pontuação parecia enigmática. Procurou as linhas e encontrou palavras oblíquas, opacas. Elas lhe diziam que a estrada é reta e o caminho é estreito, apesar de ser mais amplo do que os céus e a terra e tudo que existe entre os dois. Dizia que o ponto primordial era o começo e o fim, o centro e a circunferência do céu e da terra e de tudo que existe entre os dois. Ele não entendeu.

O velho Peregrino não conseguia conceber os pontos primordiais. Não conseguia ver como as estradas podiam ser estreitas e amplas, como um ponto podia conter um círculo. Ficou intrigado com aquele legado do céu e da terra e de tudo que existe entre os dois. Seus três fracassos tinham escurecido sua mente. Se havia algum sentido naquela mensagem, o Peregrino precisava acreditar que ainda ia amadurecer, pois, por ora, ele não o compreendia.

Portanto, quando veio a ordem para a caravana prosseguir, ele dobrou as peças de papel e colocou-as junto com outros remédios na bolsa que carregava em torno da cintura e baixou a cabeça, sob o sol causticante. Tinham de recomeçar. Rumo a Medina. Ele caminhou atrás dos camelos queixosos e dos burros que zurravam ao lado de sua mula, um dos poucos animais que tinham se refrescado com a água do poço. E manteve a mão pousada no alforje por todo o caminho.

☼

Uma hora mais tarde, notaram que o cadáver tinha sido deixado para trás. Houve alarde e gritos de protesto e troca de acusações. O Peregrino sorriu consigo mesmo, diante da surpresa encenada de tudo aquilo. Ele já sabia; tinha visto acontecer. Tinha observado como os guardas deixaram o cadáver para trás, junto à porta norte da ruína, junto à fonte. Fizeram de propósito, não havia nenhuma dúvida. Pois ficara decidido que eles deveriam seguir no final da caravana, com sua carga deletéria, e o Peregrino, que caminhava entre os animais de carga, viu tudo. Esperaram que a caravana começasse a andar e então, quando todos estavam em movimento, dois guardas se esgueiraram por trás do santuário com o caixão, que se desfazia, e saíram pelo lado norte da ruína, agora sem o caixão. Quando o motim amadureceu, a julgar pelo protesto ruidoso dos guardas que insistiam em levar todas as riquezas do defunto de volta para o poço a fim de recuperar o cadáver, ficou bastante claro que eles estavam querendo, na verdade, fugir com os tonéis de óleo e os sacos de arroz, os fardos de seda, algodão e especiarias. Era bastante óbvio que estavam voltando para o litoral com seu butim e não tinham a menor intenção de dar mais nenhum passo rumo a Medina. O Peregrino se deu conta de que a alma do morto tinha tão pouca chance de receber preces dos sacerdotes quanto seu corpo de receber um enterro adequado.

Mas não havia nada que o Peregrino pudesse fazer com aquele conhecimento. Assim como o conhecimento a respeito dos bandidos que estavam mais adiante, o conhecimento de que o cadáver tinha sido deixado para trás se enrolava dentro de seu crânio enrugado, à espera de ser decifrado algum dia. Como o sentido de seu sonho de infância, como a mensagem em sua bolsa de remédios, certos conhecimentos precisavam amadurecer para serem entendidos. Os enigmas das tempestades de areia também só poderiam ser decifrados quando a chave fosse encontrada e seu medo fosse encarado. Ele suspirou, deu uma palmadinha na mula.

A confiança, o Peregrino se deu conta, tinha de ser exercida primeiro sobre ele mesmo.

E quando a tempestade de areia atacou, ele igualmente teve de confiar nela. Sabia que, se quisesse resolver o enigma da tempestade de areia, também teria de voltar atrás — para o poço —, onde os guardas haviam simplesmente, sem nenhuma cerimônia, largado o cadáver para apodrecer numa inocência despercebida. Ele sabia que só conseguiria encontrar o equilíbrio feminino naquela tempestade de areia masculina se retornasse para o poço. Precisava se mover naquela direção e incriar seu dia, passo a passo, a fim de chegar à imobilidade no coração do enigma daquela tempestade de areia. Esse conhecimento lhe veio também sem nenhuma fanfarra ou alarde. Veio como um amadurecimento sereno e não precisava de nenhum drama ou surpresa para sacudi-lo, embora seu coração fosse capturado pelo tremor familiar de seu medo. E agora, em meio àquela ventania uivante, quando ele havia perdido seu caminho no coração daquela cortante tempestade do deserto, de repente se lembrou do alforje. De início, pensou que o segredo da simplicidade da escrava residia ali; porém, o alforje lhe havia entregado palavras rodopiantes, tão desconcertantes quanto a própria tempestade de areia. Precisava confiar também naquelas palavras, apesar de ser testado pelo pior de seus temores, apesar de estar perdido. Havia vagado sem rumo por algumas horas a essa altura. A areia tinha conseguido penetrar em todos os orifícios e seu uivo soava alto nos ouvidos do Peregrino. Pela luz velada à sua volta, sentia que ainda faltava uma hora para o pôr do sol. Estava tão castigado e golpeado pelo vento naquele momento, que avançou aos tropeções de encontro às pedras que jaziam a seus pés, e caiu e cortou o lábio. Quando sentiu o sangue nos dedos retorcidos, se deu conta de que tinha perdido o último dente. Pronto!

De repente, compreendeu. Já não precisava mais ficar mordendo a vida, contanto que pudesse beber a imortalidade. Tinha compreendido tudo! A fonte da simplicidade da escrava era a água do poço. Ele lhe dera água para beber, antes de dar seu remédio, e essa era a fonte da confiança da escrava. Foi isso que a preparou para a imortalidade, embora não pudesse escapar da morte, já diagnosticada. E o alforje tinha sido abastecido daquele mesmo poço. Apenas ele não tinha reconhecido seu remédio. Aquele amadurecimento final baixou em seu coração como um golpe físico. Por que não havia compreendido antes?

Assim que o Peregrino se deu conta do motivo pelo qual a escrava tinha aceitado seu remédio, o enigma da tempestade de areia começou a se desvelar. A questão toda começou a se esclarecer diante dele. Enquanto tateava seu caminho à frente, parecia que todos os enigmas haviam começado a convergir e ele quis gritar, cantar, chamar a esposa e abraçá-la. A sua alegria quase se equiparou ao seu medo. Manteve a boca fechada, no entanto, pois a tempestade ainda estava em seu ponto culminante e a areia era grossa. Tinha se enfiado nas dobras de sua roupa, nas rugas de sua pele, nos vincos em torno dos olhos, nas ranhuras das orelhas, em toda parte. Para ele, foi uma luta se pôr de pé e cambalear no meio daquele vento sólido. Sentia uma grande ânsia de baixar no chão a pesada carga do céu e da terra e de tudo que existe entre os dois, de incriar a si mesmo. "Existe, ó, monges, um estado que não é nem terra nem água nem calor nem ar; nem o infinito do espaço nem o infinito da consciência, nem o nada nem a percepção nem a não percepção; nem este mundo nem o outro, nem o sol nem a lua. Ele é o incriado". Ao recordar essas palavras do Buda, o Peregrino deu mais um passo.

Às cegas, o rosto cheio de vento e areia, sentiu os pés afundarem. E, embaixo dele, do fundo, vieram os rufos dos tambores de exércitos, em posição de batalha, enterrados nas dunas, à espera para devorá-lo. "O incriado", o Peregrino recordou, "não vai nem vem nem está parado. Ele é sem estabilidade, sem mudança; o eterno que nunca dá origem e nunca passa".

Os dois pés afundavam rapidamente na areia. Seu medo estremeceu na garganta, quando ele ouviu o embate das armas, o trovão da guerra dentro de si. Havia pisado na areia movediça. Em um segundo, afundou até os joelhos. Foi aprisionado depressa. E agora tinha chegado a hora de ficar quieto e encarar o grande encontro interior. Agora, não podia fugir de seu medo. Mas a alegria estava crescendo. Diz o Buda: "Lá está o fim da dor". O

Peregrino havia alcançado o equilíbrio. E começou a afundar na areia movediça com uma sensação de simples perplexidade.

Portanto, ali era o centro do céu e da terra e de tudo o que existe entre os dois! Ali estava o seu "Caminho!", o *ponto primordial* do seu círculo. A trilha era reta, com certeza; no entanto, como ele tinha vagado amplamente para conseguir alcançá-la. Todas as suas jornadas o haviam levado àquele ponto e a nenhum outro. Toda a sua busca tinha chegado àquele fim e ele não poderia ir além. O Livro das Mudanças lhe dizia que existiam muitas estradas distintas no mundo, mas o destino era sempre o mesmo. Existem centenas de deliberações, mas o resultado é um só. Os nomes são diferentes, mas a fonte é o *ponto primordial!* De forma lúcida, ele diagnosticou a própria morte e prescreveu o antídoto da imortalidade.

Estava sendo sugado para dentro e seu coração se alçava para fora. Foi apanhado entre aquele vício no plexo solar e puxado para dentro da vastidão do incriado. Enquanto afundava depressa, tateou entre as roupas e conseguiu puxar o rolo de dentro de sua bolsa de remédios. As palavras do alforje eram a chave da tempestade de areia, como água e ar. Elas afirmavam que o enigma do medo era desvelado por meio da simples confiança. O Peregrino estendeu os braços para o alto, quando a areia alcançou as axilas, e cobriu seu rosto com o pergaminho, apertou-o em suas narinas, como se aquilo fosse ar. O céu e a terra e tudo o que existe entre os dois subiu daquele ponto primordial em que ele estava afundando e para lá ia retornar, como ele. O Peregrino já não podia ler, mas lembrou.

Repetiu as palavras então em voz forte, com o último fôlego que restava. Gritou as palavras bem alto, em seu próprio idioma, deixou-as ondular através dos lábios, como água, como o amor de sua vida, como a alegria de viver. E então, enquanto a vida corria pelas veias como mercúrio e saía dos pulmões, o Peregrino cantou as palavras, com a areia na garganta: *O ponto primordial!*

Enquanto afundava cada vez mais, a semente de seu coração simplesmente explodiu de alegria. Ele abriu a boca quando a areia a alcançou e bebeu-a com sofreguidão, pela cura de seu povo, pela proteção de suas terras férteis, pela força e beleza de seus filhos e dos filhos de seus filhos. E, quando a terra o engoliu por completo, sem dentes, mas feliz, ele já havia morrido, livre do medo.

☼

A areia movediça que engoliu o Peregrino ficava numa ravina logo depois do santuário em ruínas de Abwa', na estrada entre Meca e Medina. Ficava a cinco passos do monte de entulho retirado do fundo do poço seco, onde o corpo da escrava foi jogado, dentro do santuário. Porém o cadáver, encostado na parede norte da ruína, tinha sido deixado longe demais da orla da ravina para ser engolido pela misericórdia da areia movediça, e ainda continuava a exalar um cheiro ruim, azedo.

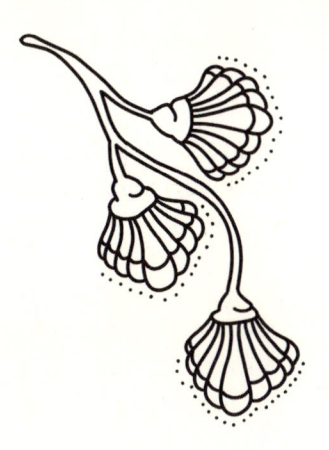

O Sacerdote

O Sacerdote atirou o corpo da mulher morta dentro do velho poço e cobriu-o de pedras. Em seguida, pegou baldes de água no poço novo e despejou-os em si mesmo. Temia ter sido contaminado. Sabia que a mulher não havia morrido de nenhuma doença contagiosa, apesar das marcas devastadoras no rosto; porém, era uma mulher, e ele fora obrigado a tocar nela.

O Sacerdote era escrupuloso quanto às suas obrigações religiosas. Havia nascido como o filho caçula de uma família temente a Deus, absolutamente escrupulosa quanto às suas obrigações religiosas. Todos os tios e irmãos mais velhos tinham concluído seus estudos de teologia e jurisprudência em Karbila e estavam entre os mais notáveis mujtahids e estudiosos xiitas da Pérsia. Todas as mulheres de sua família eram conhecidas por sua virtude impecável e tinham longas linhagens de distinção semelhante. Algumas invejosas da cidade diziam que cada uma daquelas personificações do recato devia ser, com certeza, igual à Virgem Maria que os cristãos cultuavam, pois de que outro modo seria possível que tivessem concebido alguma criança? O jovem Sacerdote era o último com o privilégio de ter nascido de tal conjunção de castidade e era uma pessoa bastante desagradável, com tendência a sofrer de pruridos e eczemas pelo corpo. Também tinha herdado, assim lhe disseram, o temperamento difícil da mãe, que Deus guarde sua alma, que morrera em total respeitabilidade antes que ele alcançasse a idade de treze anos e o deixara órfão, entre tias de luto. A partir de então, foi enviado para o madraçal de Karbila, onde foi educado por alguns dos mais ilustres ulemás daquele tempo. Quando decidiu partir em sua peregrinação para Meca, mal tinha completado vinte anos e era completamente virgem.

Claro que já fora casado. Na primeira vez, aos dezessete anos, foi com uma jovem que pegou uma virulenta disenteria e morreu na véspera da cerimônia. Não é preciso dizer que o casamento não se consumou. Mais tarde, houve também uma esposa temporária, mas ela não se mostrou satisfatória e, três dias depois, o casamento foi anulado. Por fim, após muito debate, o pai deu um jeito para que ele ficasse noivo de uma terceira donzela, cuja parentela era tão eminente que seria muito difícil que sua beleza física pudesse se equiparar a tamanha grandeza, a despeito de todas as garantias do contrário. Naturalmente, ele nem foi ver a garota, mas pediu que o casamento fosse adiado para depois de sua peregrinação.

Tinha medo das mulheres. As únicas mulheres que o sacerdote havia conhecido, além daquelas noivas insatisfatórias, eram primas de feições turvas, que o provocavam implacavelmente na infância, e vagas tias, semelhantes a mariposas, eternamente vestidas de preto, com sombras violetas embaixo dos olhos. Houve também uma simples enfermeira da província, que tinha um cheiro azedo, de gordura de carneiro, e que o espremeu contra o peito volumoso quando a mãe morreu, o que despertou sensações inesquecíveis de sufocamento, que o assombravam ainda de tempos em tempos. A razão pela qual ele partiu em peregrinação naquele ano também foi uma mulher. E era a mais assustadora de todas.

Ela tinha chegado a Karbila uns nove meses antes, quando ele ainda era estudante. Foi logo depois da morte de um dos professores mais conhecidos nas escolas do sikhismo, e aquela mulher tinha adquirido autoridade suficiente para lecionar suas aulas de trás de uma cortina. Certamente, tinha credenciais impecáveis de uma família de sacerdotes. Certamente, era poeta e uma erudita destacada. Mas era mulher! O inferno inteiro tinha desabado sobre a comunidade xiita do Iraque por causa dela.

Diziam que havia rejeitado o véu. Sussurravam que havia deixado o marido e os filhos. Começaram a acusá-la de heresia, pois tinha ideias que chocavam por serem inconformistas. E ela desafiava a todos. Dava aulas para mulheres e também para homens e deslumbrava as plateias com provas extraídas do Corão. Afirmava que as leis do passado deviam ser abolidas e adaptadas a fim de pôr em prática aquela teoria infame. O debate teológico foi intenso e acabou por atiçar as tensões políticas entre a comunidade xiita do Iraque e seus governantes otomanos, o que levou o cônsul persa a pedir a intervenção dos poderes britânicos. Muitos clérigos em Karbila estavam dispostos a pôr de lado suas diferenças ideológicas a fim de verem aquela mulher perigosa banida da comunidade xiita. Ela havia provocado um grande escândalo.

O jovem Sacerdote tinha assistido a algumas aulas daquela mulher. As aulas tinham lhe causado insônias febris e um conflito mental ferrenho. Ela ficava sentada, quieta, atrás de uma cortina, e mantinha o domínio sobre uma sala cheia de homens apenas com o poder de sua oratória. Sempre escutava seus críticos e deixava que falassem por quanto tempo quisessem, mas, quando chegava sua vez de se pronunciar, demolia seus argumentos de uma simples tacada. Reduzia suas contestações a pó. Ninguém podia se equiparar a ela no conhecimento do Corão. O Sacerdote tinha visto com os próprios olhos, homens com duas vezes sua idade trêmulos de impotência diante de sua lógica. Ele viu um mulá perder o controle e chorar.

Um de seus jovens colegas foi provocado a desafiar a mulher numa disputa verbal. Ele alegava que a única maneira de levar a melhor sobre ela seria mediante a pura contradição, não deixando que ela falasse. Para comprovar sua tese, ele a interrompia a toda hora a fim de desviar a discussão e, por fim, recorreu a lançar pequenas ofensas, numa tentativa de minar a força das provas da mulher. Nesse ponto, ela ergueu a cortina e, de súbito, entrou na sala, sem o véu, diante de todos aqueles homens. Quando o jovem Sacerdote se lembrava daquilo, ainda ficava vermelho até a raiz dos cabelos caspentos e sentia os braços e as pernas tremerem, embora já tivessem se passado muitos meses daquele fato. Pois ele havia abandonado seus estudos naquele exato instante, naquele exato dia, e decidira partir em peregrinação por causa do que sobreveio. A mulher entrou na sala, sem véu, aquela mulher, olhou bem de frente para seu colega, boquiaberto, por alguns instantes. A bochecha da mulher trazia a marca de uma espiral preta. Sua sobrancelha estava levantada, como a curva de uma lua crescente. Ela o observou com frieza, do topo do turbante até o dedão do pé, embaixo da bainha encardida de sua túnica, e então, diante dos colegas jovens, ela lhe disse, depressa, que ele não era digno de falar sobre aqueles temas sagrados enquanto não aprendesse os rudimentos do decoro para o debate religioso.

A experiência deixou o Sacerdote tão abalado (de fato, muito mais abalado do que o seu colega) que ele fugiu dali num ímpeto violento, que nada foi capaz de aplacar. O que o perturbou não foi a visão do rosto da mulher, o espanto de sua beleza, ou o choque causado por suas ações. O que o perturbou, acima de tudo, foi constatar que estava de acordo com ela. Duvidava das opiniões daqueles que a contestavam. Começou a perder o respeito por aqueles mestres, porque discordavam dela. Quando a mulher repreendeu seu colega, o Sacerdote ficou apavorado ao ver que as palavras da mulher eram inteiramente justas. E quando aquele colega começou a disseminar rumores de que ela recebia amantes em seu quarto e os alimentava com romãs servidas da própria boca, o Sacerdote não conseguiu suportar nem ouvir tais mentiras, a despeito da infâmia que ela havia cometido. O pulso do Sacerdote chegou a parar diante da visão do rosto da mulher, do som de suas palavras, e ainda agora ele chegava a tremer quando as recordava, mas, se fosse honesto consigo mesmo, teria de admitir que aquilo nada tinha a ver com romãs. O problema era que a mulher o havia levado a questionar seus motivos e suas convicções mais profundas. O problema foi que ele se viu perdendo todo sentido de um propósito, toda confiança em seus estudos, toda justificativa para sua futura profissão. Por ter ouvido a mulher, ele começou a ter dúvidas sobre sua intenção de se tornar sacerdote.

Contudo, as linhas demarcatórias entre sexualidade e espiritualidade não estavam claras para ele. E foi, portanto, num estado de considerável confusão mental e de excitação física que ele fugiu de Karbila. Voltou-se para Meca como sua salvação, em busca de se purificar dos poderes de sedução daquela mulher. Decidiu que sua peregrinação iria dissipar suas dúvidas, restaurar a verdadeira têmpera de seu sangue para poder assumir sua profissão de uma forma nova. Queria purgar sua língua, seu coração, sua mente, das influências perniciosas. Tinha esperanças ardentes de que seria confirmado em sua fé a tal ponto que nunca, nunca mais na vida, seria vulnerável a uma mulher assim, nem se submeteria de novo às suas ideias heréticas. O jovem compenetrado sentia que tinha de cumprir à risca todos os rituais e deveres da peregrinação a fim de garantir sua salvação.

Sua fé era intransigente, escorada em sonhos de martírio e autossacrifício. Sua vida opaca se tornou radiosa mediante as fantasias candentes associadas ao sofrimento e à morte dos Imãs durante as cerimônias especiais do calendário xiita. Desde sua adolescência, bastante acidentada, alimentada por um fervor que às vezes beirava o fanatismo, ele havia jejuado por dias e chegou a rezar para morrer a fim de pôr sua fé à prova. Contudo, embora permitisse que a imaginação se demorasse naquelas cenas apaixonadas, ele governava suas ações por meio de uma rigorosa obediência às leis de sua religião, chegando até as raias da obsessão quando se tratava de questões de ritual ou dogma.

Era particularmente meticuloso no que dizia respeito às tradições relativas ao haje. Lera tudo sobre o assunto e aprendera tudo de cor. Sabia quais invocações devia repetir, quantas vezes e onde; sobre que fatos históricos devia meditar e por quê; que trajes vestir, que animais sacrificar no Zibh e como caminhar entre determinados lugares durante os dez dias de sua peregrinação em Meca, a mais sagrada das cidades. Sabia quais eram todas as rochas, pedras, santuários e ruínas importantes no caminho entre as cidades sagradas. Chegou a treinar o arremesso de pedras para poder lançar com precisão seu escárnio justo contra as imagens satânicas no vale de Mona. Estava resolvido a partir em seu haje no Festival dos Sacrifícios, que naquele ano caía numa sexta-feira santa. Suas expectativas eram intensas e elevadas. Pois aquele era o tempo, no Hajj-i-Akbar, em que, segundo a tradição, o retorno do Décimo Segundo Imã apareceria na Caaba. Era uma ocasião muito promissora para ser peregrino, segundo o calendário islâmico. Ele rezou para que, caso sua peregrinação fosse aceitável, ele recebesse provas disso por meio do cumprimento daquelas mesmas profecias. Como prêmio por sua virtude, desejava com ardor ser um dos primeiros a testemunhar a aparição do prometido Qa'im.

Partiu de Karbila no fim da primavera, portanto, com o intuito de garantir que chegaria à Arábia a tempo hábil de perfazer seu haje. Passou algumas semanas na casa da família, dissuadindo familiares dos planos de casamento até seu regresso e submetendo-se à atenção pesarosa das tias. Essas senhoras insistiam que o estado de sua pele requeria troca diária de camisa e rigorosa abstinência de frutas secas. Quando ele protestava debilmente contra essa última restrição, pois tinha um fraco especial por frutas secas, elas também o cobriam de remédios inúteis e tinturas para seus eczemas. Sua família era formada por negociadores firmes. O pai e os irmãos mais velhos também, inicialmente, julgaram excessiva e zelosa em demasia a sua decisão de partir em peregrinação. Discutiram com ele também por deixar seus estudos incompletos e tentaram acusar a natureza presunçosa do fato de querer fazer seu haje antes deles. Porém, acabaram cedendo aos desejos do Sacerdote e não tiveram parcimônia na hora de lhe fornecer suprimentos para a viagem, pois sentiam que, a longo prazo, aquela peregrinação traria honra para o nome da família. Após um breve período de jejum preparatório, portanto, ele partiu em sua longa jornada, com um estoque secreto de frutas secas, uma vasta quantidade de camisas e uma exacerbada percepção de destino. Conseguiu deixar para trás todos os remédios e bálsamos.

Mas sua partida triunfal teve vida curta. Antes mesmo de chegar a Shiraz, foi assaltado por ladrões que o deixaram nu em pelo, vagando no deserto sem sequer uma camisa. Apenas um punhado de frutas secas impediu que morresse de fome, e o Sacerdote refletiu sobre a previdência das tias. Não fosse a bondade de um mercador que estava de passagem por ali, conhecido de um tio distante que tinha relações eclesiásticas em Shiraz, o Sacerdote teria sido obrigado a retornar para casa, coberto de ignomínia. Aquele parente clerical, entretanto, refez seus suprimentos com modestas comodidades e o repreendeu severamente por sua falta de senso prático. Varreu de um só golpe os entusiasmos do jovem relativos à proteção de Deus, bem como suas expectativas de honra espiritual, e lhe deu instruções rigorosas acerca de medidas de segurança na rota dos peregrinos. Os caminhos eram longos e árduos, preveniu o homem respeitável; só era possível manter a cabeça nas nuvens enquanto os pés continuassem firmes no chão. Embora nunca mais fosse desfrutar o luxo das camisas, o jovem sacerdote partiu para Bushir, então, na companhia de uma caravana de mercadores, que prometia uma proteção muito melhor.

Contudo, o conselho sensato não satisfez por completo o jovem Sacerdote, com seu voraz apetite de aprimoramento espiritual. Além de obter reconhecimento entre as fileiras dos devotos, ele havia aprendido que o sofrimento suportado no decurso da peregrinação tinha, no mínimo, o dobro do valor das dificuldades enfrentadas em qualquer outra circunstância. Tornara-se um calculista sagaz no que dizia respeito ao sistema de crédito e débito na religião. Somava todas suas ações meritórias a fim de garantir que as obrigatórias e desejáveis superassem as outras, indesejáveis e proibidas. Tentou também limitar o número de ações neutras, porque eram um desperdício de energia espiritual. E mantinha o olho aguçado e bem aberto para o bônus que era poder acompanhar os passos dos virtuosos. Em sua opinião, nada existia de tão eficaz quanto a companhia e o exemplo dos virtuosos de Deus, pois estes ofereciam um aprimoramento espiritual instantâneo a um custo relativamente baixo.

O barco estava abarrotado de virtuosos de Deus. Havia dúzias de notáveis e plebeus, todos arrastados em seu haje naquele período auspicioso, a exemplo dele mesmo. E o jovem Sacerdote ficou satisfeito de ver que podia contar com aquela companhia apropriada. A bordo do barco, não havia apenas personagens de alto escalão social, mas também dignitários do mundo eclesiástico. O Sacerdote estava empolgado com aquele privilégio. Fez força para sentar-se o mais perto possível dos passageiros ilustres a fim de que seu brilho espiritual roçasse nele, por assim dizer. Era imensamente gratificante, como resultado de suas relações com os tios, ser considerado digno de se apresentar a alguns deles no início da viagem. Sentiu-se seguro de que tal distinção previa honras espirituais futuras no auge do haje.

Todavia, os testes correspondentes eram rigorosos. O tempo era ruim, e as razões, limitadas. Ele teve enjoo e não havia água suficiente. O barco estava superlotado, o que deixava os ânimos exaltados com o balanço das ondas. Mas ele redobrou suas preces e esperava que suas devoções não passassem despercebidas. Com certeza, aqueles sofrimentos se somariam a seus créditos espirituais no final, não era assim?

Porém, embora conseguisse sublimar seu enjoo marítimo em proveito da alma, o Sacerdote obteve menos êxito ao enfrentar o mau humor e a descortesia entre seus colegas peregrinos, em particular aqueles de quem esperava receber algum benefício. Isso foi bastante perturbador para ele. Um daqueles cavalheiros tinha relações com a família real dos Qajar e era responsável pela ordem pública na capital; outro era um mulá, como ele mesmo, e aparentado com o Imã Jumih de Shiraz. No curso da viagem, o Sacerdote descobriu que ambos eram intratavelmente rudes. O último achou ocasião de discutir até com o mais sereno dos passageiros a bordo e, em certa altura, se tornou tão digno de censura que o capitão ameaçou jogá-lo ao mar. Não fosse a empenhada defesa de um jovem mercador que vinha da mesma cidade que ele, o Imã Jumih teria perdido um irmão no Golfo de Omã. O jovem Sacerdote ficou chocado. Seria possível que homens de alto escalão eclesiástico se mostrassem tão carentes de virtudes espirituais? O irmão do Imã Jumih, a única pessoa que tinha água de sobra, julgou correto ignorar sua sede extrema, quando os suprimentos estavam baixos, e continuou impermeável àquela necessidade evidente, a despeito de suas relações clericais e do fato dele ter se posicionado perto o bastante para que todas suas preces fossem ouvidas. Seria possível que aquele cavalheiro ilustre fosse mais governado pela avareza do que por Deus? Apenas esse pensamento encheu o jovem de uma dor mais desesperada, e também mais familiar, do que a própria sede. Foi por pensamentos como esse que ele havia fugido de Karbila.

Tentou descobrir algum modo de interpretar as circunstâncias de forma adequada ao arcabouço de sua fé. Como não podia criticar as ações de seus superiores espirituais, buscou alívio pondo a culpa em seus inferiores. Decidiu que seu colega passageiro, cujo comportamento se mostrou em acentuado contraste com o do irmão do Imã Jumih de Shiraz, tinha sido presunçoso demais ao exibir o comportamento do mulá. Afinal, o homem não passava de um mercador, apesar da presunção irritante de seu turbante verde, que simbolizava sua alegação de pertencer à linhagem de Maomé. Porém, mesmo um siyyid não tinha direito de tão exacerbadas aspirações de virtude. O Sacerdote resolveu desprezá-lo.

Após dois insuportáveis meses no mar, finalmente chegaram a Jidá. A cidade estava fervilhante de peregrinos. E também, para desolação do jovem Sacerdote, coalhada de punguistas e proxenetas. Meio dia depois de chegar, teve uma bolsa cheia surrupiada. E perdeu um dos tapetes de seu tio, cuja substituição custou quase o preço de sua viagem de Bushir. Descobriu que organizar a viagem rumo à sagrada cidade de Meca esbarrava a cada passo em chefes de caravana inescrupulosos, mercadores desonestos e uma hoste de outros intermediários e ladrões, cujo trabalho consistia em tomar o dinheiro dos ingênuos e ludibriar os sensatos.

A peregrinação, ele descobriu, era algo que se devia barganhar e regatear. Sentiu-se indignado com a grande variedade de charlatões que pululavam nos bazares, apregoando seus supostos encantos e bugigangas, tornados sagrados por associação com os santuários: amuletos e contas que tinham dado sete voltas em torno da Caaba e traziam a promessa de repelir o mau-olhado; vinagres fermentados, preparados em infusão sob o pôr do sol sagrado, portadores da promessa de juventude eterna; pastas, pomadas e remédios de cheiro pútrido, misturados com o pó da cidade mais santa das santas, que prometiam agir como elixires contra todos os tipos de doença. Certo dia, ele foi assediado por um bando de meninos maltrapilhos, numa rua sofisticada, que queriam negociar esmolas. Quando o Sacerdote lhes disse para irem embora, eles ergueram vozes esganiçadas e o acusaram de hipócrita. Isso ocorreu num dos mais movimentados maidans de Jidá, perto dos banhos públicos, na entrada de Bab al Meca, e muita gente virou para ver o que era a confusão. Mortificado, o Sacerdote se viu jogando moedinhas para seus perseguidores, só para fechar suas bocas, mas sentiu-se envergonhado e conspurcado por sua ação. Jejuou no dia seguinte para purgar o desgosto e ficou ainda mais impaciente para partir de uma vez.

Porém, havia atrasos intermináveis. Esperava-se que, em breve, fosse partir uma grande caravana, a qual absorveria a maior parte dos peregrinos que rumavam para Meca, mas sua partida era postergada todos os dias. O abastado cortejo de uma noiva, que se encontrava estacionado em Jidá desde a semana anterior, era a causa aparente. Alguns diziam que a noiva ia para a Síria, através do Golfo de Ácaba; outros diziam que o cortejo estava aguardando outra escolta, a fim de seguir por terra rumo a Rabigh. A ganância induziu o chefe da caravana a pensar num desvio, a fim de conduzir a senhora e seu inumerável cortejo de mulas e burros, pelo menos em parte do trajeto, antes de virar para o leste, rumo a Meca. Os peregrinos sentiram-se ultrajados. Alguns dos mais impacientes entre eles traçavam planos alternativos, que demandavam acréscimos de última hora, tanto de dinheiro como de homens. Uns poucos resolveram se arriscar a viajar sozinhos para Meca, apesar dos perigos dos bandoleiros na estrada. A maior parte andava envolvida em difíceis barganhas com os chefes das caravanas. O conflito havia despertado suscetibilidades religiosas que o jovem Sacerdote sentia de maneira aguda. Fulminante contra as mulheres, ele inflava as queixas e se unia aos rumorosos protestos que ocorriam diariamente nos portões da cidade. Enquanto isso, se viu envolvido em constantes conversas com um indiano, um cambista sunita de Karáchi, que parecia não só servir de intermediário para a noiva como também era muito atuante na organização de alternativas de transporte para alguns peregrinos que desejavam partir sem mais demora e direto para Meca. O Sacerdote também desconfiava que ele traficava bebida alcoólica ilegal, mas como era um homem que mantinha relações amistosas com vários membros ilustres do meio eclesiástico, não havia ninguém com quem o jovem mulá pudesse compartilhar suas dúvidas sobre esse ponto em particular. O cambista parecia familiarizado com a rota e oferecia seus serviços para fornecer dinheiro vivo e rápido aos membros mais abastados da caravana. Tinha convencido um homem de Bushir de que poderia providenciar uma escolta de guarda-costas particulares em troca de uma remuneração modesta. O velho rico estava partindo para o haje a fim de garantir seus benefícios no outro mundo, mas, ao mesmo tempo, se mostrou incapaz de resistir a ganhar um pequeno lucro extra naquela mesma ocasião. Sua bagagem consistia de incontáveis rolos de seda e fardos de algodão, sacos de trigo e barris de óleo, pacotes de mirra e barricas de essência de romã, e queria que tudo aquilo ficasse tão protegido quanto sua alma. Aceitou a proposta do indiano de contratar os guardas por uma soma que se revelou alcançar um valor três vezes maior do que o preço normal cobrado pelos chefes das caravanas. E no fim, por via das dúvidas, decidiu se unir à caravana normal, por razões de segurança adicional, confessou ele, pois tinha bastante medo dos guarda-costas que havia contratado.

O indiano cultivava a amizade do Sacerdote com assiduidade. Estava profundamente desgostoso com o atraso e desejava que surgisse alguma solução, porque para ele era um anátema, dizia, era um haram, levar aquelas mulheres conspurcadas nem que fosse apenas mais um passo para perto da cidade sagrada. O que ele podia fazer? Tinha as mãos atadas; não podia dizer tudo que sabia. O jovem Sacerdote sentia uma coceira tomar conta do corpo, de todos os lados, quando ouvia as insinuações do indiano. Este, em várias ocasiões, soltava indiretas relativas aos dúbios vínculos religiosos da jovem noiva e de seu séquito mais íntimo de servas e criadas. Embora fingissem ser devotas do Profeta, na realidade eram adoradoras do fogo, adoradoras do sol, idólatras, e ele sentia até faltar o fôlego. Eram indignas de chegar perto da região sagrada da cidade de Meca. Eram a escória da terra. E a escrava negra — nesse ponto ele baixava a voz num tom grave o suficiente para sugerir todo um inferno de possibilidades — era judia! Imagine! Ele estivera entre aquelas infiéis desde que partiram do litoral sul da Pérsia, queixava-se. Em consequência de obrigações com o pai da tal moça, ele foi obrigado a levar adiante aquela empreitada. Era o preço que tinha de pagar por dever. Tais eram os sacrifícios. Tais eram as privações. Era uma vida árdua.

Por mais que se esforçasse para livrar-se do indiano, o Sacerdote descobriu que não era capaz. O homem colava à sua consciência como uma sanguessuga. E a partir daquele momento, durante os intermináveis dias de atraso, o jovem Sacerdote tornou-se obcecado com a escrava falacha, que cuidava da noiva, oculta em seu howdah. Ele a observava com atenção em busca de algum sinal de desrespeito nas horas das preces. Espreitava a mulher como um falcão, à cata do mais ínfimo sinal de comportamento blasfemo. Chegou a se apanhar rondando o howdah da noiva, vigiando, à espera de que a mulher saísse para suas missões no mercado ou para cumprir os intermináveis preparativos dos banhos, nos quais a noiva parecia viciada. A escrava raramente falava. Usava um véu que mexia com as sensações do Sacerdote. Os pés da mulher ficavam descalços e eram finos. Sua pele tinha uma coloração particularmente terrosa, não era negra como as escravas núbias, mas sutilmente escurecida, um escuro crepuscular, como são as escravas da Abissínia. As canelas eram delicadas e o peito do pé era alto. Trazia uma tornozeleira de contas azuis contra o mau-olhado, que envolvia o tornozelo com perfeição, e pintava os dedos dos pés com hena. Eles brilhavam com um fogo que feria os olhos do Sacerdote. Quando se concluíram os planos para que o cortejo da noiva acompanhasse a caravana, o jovem Sacerdote tornou-se cada vez mais inquieto e se impôs um jejum. Redobrou as preces e implorou com fervor que fosse poupado de provações. A hora da peregrinação estava chegando e, a cada dia que passava, ele sentia que era arrastado para mais longe da condição adequada de um peregrino. Tinha deixado o 'Atabat por causa de uma mulher e voltara seus passos rumo à Caaba a fim de se purificar de todos os desejos, e agora, mais uma vez, se via molestado por uma mulher e consumido por desejos. Ele aspirava ardentemente a um milagre.

Portanto, foi um enorme alívio, para ele, quando Deus e a escolta turca da noiva chegaram para salvá-lo. A escolta, que tinha ordens de levar o cortejo da noiva direto para Medina, chegou no último minuto, no momento em que a caravana estava se preparando para partir na direção da cidade sagrada, na presença de mulheres inumeráveis. O Sacerdote tinha certeza de que havia sido abençoado, porque os peregrinos agora podiam ir em frente sem elas. Porém, para seu horror, o indiano tentou reabrir as negociações com os chefes da caravana. Regateou com eles para que levassem o cortejo da noiva pelo menos até Hedda, na periferia da cidade sagrada, onde podiam pegar um atalho em torno do caravançará de Al Jumum, ao norte. Os chefes da caravana aumentaram seus preços. A partida foi adiada mais um dia e a pele do Sacerdote coçou a noite toda e não o deixou dormir.

Os turcos, no entanto, não queriam pagar o preço adicional. E, em sua hesitação, o Sacerdote enxergou a mão de Deus. Reunindo todos os recursos de seu tio e suas próprias e débeis energias para barganhar a seu favor, o sacerdote abriu caminho até os portões da cidade, ao pôr do sol, no dia seguinte, e surpreendeu os chefes da caravana ao lhes propor pagar a mesma soma que estavam negociando com os turcos. Em troca, disse ele, rancoroso, deveriam partir imediatamente, na alvorada do dia seguinte, mas sem a caravana da noiva. O Sacerdote trazia o dinheiro consigo, na bolsa, acrescentou.

O chefe dos camelos parou de mascar sua refeição noturna e, incrédulo, fitou o jovem que o havia procurado com aquela proposta irracional, no caravançará, nos portões orientais de Jidá. Obviamente se tratava de um estudante, e da variedade dos xiitas, vindo do outro lado do Golfo. Era melhor evitar discussões com pessoas daquele tipo, mas o pobre tolo estava tão ansioso para perder seu dinheiro que aceitar suas condições seria nada mais do que uma caridade. Com as costas da mão, limpou a gordura da boca, esvaziou a bolsa e concordou, com um encolher de ombros. Imediatamente, o Sacerdote ergueu as mãos numa prece em voz alta para agradecer a Deus. A violência da sua gratidão tirou o apetite do chefe da caravana por completo, mas valeu a pena perder o jantar para fazer um negócio tão bom por causa da vontade de Deus.

Portanto, partiram na alvorada do dia seguinte, e já haviam aberto alguns farsang de distância entre eles e os portões de Bab al Meca, quando o indiano descobriu que haviam partido. O jovem Sacerdote se encontrava num estado exultante. Decidiu consagrar-se à sua missão e esquecer todas as outras distrações. Para expurgar toda e qualquer recordação da mulher falacha, decidiu jejuar desde o nascer do sol até o pôr do sol, e se vestiu no manto branco de peregrinação, o ihram, para purificar seu ser exterior como um reflexo de sua dedicação interior. Como fazia um calor fora de época naquela altura do ano, o manto esquentava de forma insuportável e fazia seu corpo todo coçar, mas ele não se importava. Aumentou o número de suas devoções e era rigoroso ao fazer suas preces na hora certa e no lugar certo. Controlava assiduamente sua contabilidade espiritual e se mantinha atento para qualquer sinal da aprovação divina. Se Deus estivesse em dívida com ele, o Sacerdote se sentiria ainda mais seguro.

Quando chegaram perto da cidade sagrada, ele tinha o coração leve, cheio de expectativas. A Caaba estava repleta de gente importante, ulemás de alto escalão do Califado bem como de Karbila, todos influentes, e muitos deles, vindos da Pérsia, conheciam seus tios e irmãos. O Sacerdote sentiu-se grato por muitos desses últimos caminharem perto dele, quando deu voltas em torno da casa de Deus, e ficou satisfeito de poder recitar os versos especiais ao alcance de seus ouvidos. Sentiu-se erguido em ondas de energia espiritual quando a multidão aumentou, ondulou e carregou-o num ímpeto geral de emoção em torno da pedra negra sagrada. Sem dúvida, ali ele ia ver, ia ouvir as confirmações que tanto almejava! Sem dúvida, Deus daria a bênção à sua peregrinação com sinais de Sua presença sagrada! Mas tais emoções logo evaporaram, à medida que os dias do haje iam passando e suas expectativas não se cumpriam. Os únicos sinais que ele testemunhou foram os das fraquezas humanas. Para sua desolação, percebeu que vários peregrinos eminentes torciam as regras sagradas para adaptá-las às suas próprias conveniências. Alguns nem mesmo participavam dos ritos mais difíceis. Muitos pareciam fazer seu haje por razões que tinham a ver apenas com curiosidade e ganância. O Sacerdote se viu oprimido pelas próprias dúvidas, pela discrepância entre o que via nos escalões religiosos e a integridade moral, e também por suas próprias reações diante disso. Em Mona, no segundo dia de seu haje, alguém atirou uma pedra por trás dele e o atingiu com tanta força na nuca durante o Rajim que o sacerdote se virou, enraivecido, e xingou o homem, antes que pudesse se controlar. A vergonha de fazer aquilo causou tanta dor quanto a pedrada. Será que ele era tão diferente assim daqueles homens a quem julgava tão severamente? Interpretou a ação como uma repreensão de Deus por ter pensamentos negativos e tentou compensar aquilo comprando duas vezes mais cordeiros do que a quantidade prescrita no dia sagrado de 'Id al-Qurban.

No último dia do haje, cumpriu os ritos do sacrifício junto com outras centenas de peregrinos, mas com um sentimento de premência desesperado. Implorou que Deus mandasse um sinal. Mas tudo que chegava até ele era um odor fétido e avassalador de carne podre. Isso ele não havia previsto. O ar estava acre por causa do cheiro pútrido e azedo. Muitos peregrinos distribuíam suas oferendas entre os pobres, que se mostravam mais do que dispostos a recebê-las, porém um número igual, que desejava se beneficiar de seus próprios sacrifícios, deitava grossas fatias de carne sob o sol para secar. No terceiro dia do Zibh, o fedor era intolerável. Ele o suportou com crescente impaciência. Sem dúvida, se ele fizesse sua parte, Deus lhe mandaria um sinal? Sem dúvida, se ele cumprisse sua peregrinação de forma correta, Deus não o abandonaria, não era assim? Sem dúvida, ele merecia que o Qa'im aparecesse para abençoar seu esforço, não? Só que nada acontecia. Não havia nenhum chamado vindo do céu. O sol não se erguia no oeste nem aparecia nenhuma estrela brilhante no leste. Não surgia nenhum fogo no céu e nenhuma vermelhidão cobria o rosto das pessoas, exceto aquela causada pelo calor excessivo da temporada. O jovem Sacerdote não via nenhum dos sinais esperados. Fixava os olhos no canto da Caaba e na Estação de Abraão, onde se esperava que o Qa'im anunciasse a si mesmo, mas ficou abatido ao constatar que nada importante acontecia. Em profunda desolação, ouviu quando os ulemás à sua volta confirmaram sua desilusão e reconheceram que, apesar de todas as provas numerológicas que poderiam levar os devotos a esperar o contrário, o Qa'im resolvera não aparecer naquele ano. O Sacerdote ficou profundamente decepcionado ao ver que, portanto, a aceitabilidade do seu haje não tinha sido confirmada.

Só uma vez, quando o lugar estava lotado de peregrinos fervilhantes, o Sacerdote notou de fato algo estranho, como um sonho. Mas provavelmente foram suas fortes expectativas que o deixaram tão suscetível. Tinha a impressão de que havia alguém parado perto da Caaba, segurando a argola na porta. Era curioso, porque quase reconheceu a vaga figura de turbante verde. Mas então a multidão o arrastou e ele não pensou mais no assunto. Pouco depois, um dos peregrinos desmaiou ao seu lado e houve alguns momentos de perturbação, enquanto o velho era carregado dali. Parecia que tinha sofrido um ataque do coração. O Sacerdote, rodeado pela pressão dos peregrinos curiosos, esticava o pescoço, como os demais, para ver as pessoas se esforçando para erguer, entre os pés da massa, o homem agonizante. Era gordo. Sacudia os braços em círculos e gritava: "Anil! Anil!". Era muito perturbador. Eles faziam um grande esforço para removê-lo do meio da turba que entoava cânticos, num turbilhão em redor da Caaba, e o jovem Sacerdote, depois daquilo, achou impossível concentrar os pensamentos em seu desempenho. Percebeu que conhecia o homem agonizante: tratava-se do velho mercador rico de Bushir que estava na caravana deles e se mostrava muito ávido por contratar os guardas do Luristão para proteger seus bens. Só mais tarde, ao refletir sobre sua vontade à luz da vontade de Deus, o Sacerdote sentiu-se aliviado ao pensar que o Qa'im, afinal de contas, não havia aparecido na hora prevista, quando sua atenção fora desviada para os gemidos do homem agonizante, para a cor azul desbotada dos seus lábios. Teria sido embaraçoso ter de escolher em que ponto concentrar sua atenção naquele momento.

O único episódio curioso, além desse, ocorrido no último dia do haje do jovem Sacerdote, foi a visão de relance, rápida, no meio da multidão em tumulto, do jovem mercador extremamente virtuoso, que tinha sido seu companheiro de barco e que havia argumentado com o capitão em defesa do irmão do Imã Jumih de Shiraz para salvá-lo do mar tormentoso. O homem estava falando com grande fervor com um dos xeques líderes, perto da pedra negra sagrada. Segurava a mão dele e não a soltava. O Sacerdote ficou espantado com a presunção do gesto do styyid, pois era evidente que aquilo e a conversa que havia provocado tinham desconcertado e embaraçado o xeque num grau fora do comum. O Sacerdote sentiu um tremor de perturbação, pois havia algo de familiar no ar perplexo do clérigo, algo que ele desejava esquecer. Sentiu também uma pontada de ciúmes: teria havido algum fato, algum debate teológico que ele havia perdido? Alguma discussão importante sobre a qual ele deveria se informar e sobre a qual um mercador poderia ter mais conhecimento que um mulá? Mas concluiu que devia se tratar meramente de um apelo pessoal ou de mais uma prova daquele zelo presunçoso do jovem peregrino, pois não havia outras repercussões na comunidade eclesiástica.

Ele não pensou mais naquele fato, senão alguns dias mais tarde, quando soube que o xeque líder havia partido de Meca subitamente. Sem avisar ninguém, sem concluir sua peregrinação.

Havia mudado de planos e partira para Medina a toda pressa, sem deixar nenhuma explicação. Isso foi interpretado como pressão do trabalho, é claro. Alguns falavam de um problema ocorrido em Bagdá, relacionado com alguma heresia, que exigia sua presença imediata. Outros mencionaram as tensões políticas agudas e a interferência de poderes estrangeiros. O jovem Sacerdote ficou abalado; recordou as atribulações de que ele mesmo havia fugido, em 'Atabat. Será que as repercussões da terrível mulher o haviam seguido desde Karbila e alcançaram o sagrado reduto da casa de Deus? Mas não havia nenhuma sugestão de que a repentina partida do xeque líder tivesse algo a ver com o jovem mercador de face mansa que o havia interpelado e que o Sacerdote não voltara a ver. No entanto, era uma coincidência estranha e ainda mais irritante por sua falta de relevância.

O Sacerdote concluiu seu haje num estado de depressão. O grande teatro espiritual havia terminado e o evento sagrado tinha vindo e ido embora, deixando-o com uma sensação de irrelevância. Sentia-se amargurado com o anticlímax, a falta de significado no momento. A única satisfação era que, com exceção do deplorável incidente da pedrada, ele se havia comportado com uma propriedade escrupulosa e de uma forma que traria crédito para sua família. Ainda que Deus não lhe tivesse mostrado sinais exteriores de aprovação, ele não podia se censurar por algum fracasso. De forma bastante curiosa, no entanto, aquele fato não o deixava com um sentimento de vitória ou de propósito claro, mas sim com uma sensação de frustração cada vez mais profunda conforme voltou seus passos para Medina.

☼

O deserto é um lugar onde os motivos podem ser vistos à grande distância e onde eles também podem se tornar sem sentido. Quando começou a última parte de sua jornada, a vasta imensidão estava à espera para devorá-lo. Nos dias que seguiram, teve tempo de sobra para avaliar os propósitos de sua vida, tomando como referência o padrão implacável do céu e da terra. Suas decisões se alçaram com nobreza à sua frente apenas para se desmancharem em poeira e cascalho. Seus ideais faiscavam como cidades de luz no horizonte remoto só para se extinguirem em decepções rançosas quando ele se aproximava. Cada passo o deixava mais perto daquela encruzilhada fatal onde a fé se tornava futilidade e o levava mais para longe daquela certeza. O Sacerdote sentiu-se encolher, quando deixou Meca, e se dissolver no deserto, que zombava dele impiedosamente.

Os peregrinos, em cuja companhia ele agora se encontrava, pertenciam a uma casta muito mais baixa do que aqueles que estiveram ao seu lado no haje em Meca e também não lhe traziam nenhum verniz espiritual. Os eclesiásticos mais importantes pareciam ter viajado para Medina numa caravana à parte, e ele se sentia excluído do círculo de elite e esquecido. Viu-se particularmente irritado com a presença de um velho sacerdote, ou faquir, encarquilhado, que viera do extremo oriente e cujas preces tinham pouca ou nenhuma semelhança com as suas. Também se incomodou com o lacônico dervixe de postura duvidosa que havia se unido a eles nos arredores de Meca e que tinha o costume de desaparecer e reaparecer como uma miragem, enquanto contornavam as dunas maçantes. O Sacerdote concluiu que o velho faquir de olhos enrugados ou era mentalmente retardado, pois parecia incapaz de compreender qualquer argumentação, ou era um perigoso infiel, em vez de homem santo. E desconfiava também que o dervixe fosse um ladrão.

As fileiras da caravana também tinham sido desagradavelmente infladas por guardas e mulas do Luristão, que acompanhavam o cadáver do rico e velho mercador de Medina. Como tinha morrido durante sua última peregrinação, enquanto caminhava em redor da Caaba, ele merecia o privilégio de ser enterrado no cemitério sagrado de 'al Baqr, onde também estavam enterrados tantos imãs santificados e grandes santos do Islã. Todos os seus bens e pertences estavam sendo levados como oferendas do morto para os sacerdotes em Medina, para que fossem feitas preces pelo contínuo progresso de sua alma. E o contínuo fedor era insuportável. Porém, o que amargurava mais ainda a têmpera do jovem Sacerdote, o que quase anulava a validade de toda sua peregrinação era o surgimento da caravana daquela mesma noiva deplorável que eles haviam deixado para trás em Jidá. Quando a caravana da noiva, o indiano e a escolta de turcos se uniram a eles, alguns farsang depois dos limites da cidade, no khan de Usfan, o jovem Sacerdote chegou às raias da histeria. Entreviu de relance a mesma escrava negra, as mesmas criadas zoroastristas. Que injustiça era aquela? Será que aquelas infiéis e idólatras — aquelas mulheres! — ficariam atravancando seus passos até Medina? Era inimaginável! Por que estava sendo acossado por elas, quando tinha feito o que devia fazer, quando ele havia superado a si mesmo no que dizia respeito à obediência, quando certamente ele merecia mais de Deus? Onde estavam Suas bênçãos? E o que dizer de todo o dinheiro que ele havia gastado para adquirir aquelas bênçãos? O Sacerdote tinha um forte sentimento de dívida em aberto.

Mas o chefe da caravana encolheu os ombros. Nada podia fazer. Sim, o Sacerdote tinha pagado para que eles fossem para Meca sem os turcos, mas agora os turcos pagaram um preço adicional para se unirem a eles na estrada até Medina. O trabalho do chefe da caravana era servir aos interesses de seus clientes. O homem deu uma fértil cusparada na areia entre os dois e estreitou as pálpebras para mirar o horizonte.

Em desespero, o jovem Sacerdote retomou seu jejum. Reduziu ao mínimo a ingestão de água. Seu rosto inchou com as crostas vermelhas sob o calor implacável. Feridas purulentas o atormentavam. Seus sonhos febris retornaram e nada era capaz de acalmar sua agitação. Estimulado pelo sunita de Karáchi, que mais uma vez voltara ao seu grupo, ele se irritou, soltou fumaça pelas ventas e passou a fomentar a ira entre os demais peregrinos. Começou a falar sobre o caráter sagrado do caminho que percorriam. Começou a pregar com fúria sobre a blasfêmia de ter aqueles pagãos atados a eles. Chegou até a sentir que tinha uma causa justa nas mãos. Pois se aproximavam do santuário de Abwa', o santuário da mãe do Profeta. Como era possível que, naquele lugar sagrado, no sacrossanto túmulo da própria santa Aminah, o local de repouso da filha de Vahab, a mãe de Maomé, a avó da mística Fatimih, no local onde ela havia morrido a caminho de visitar o túmulo do marido, Abdullah, nessa estrada que se tornou sagrada com o pó virtuoso de Aminah, como era possível que eles chegassem ali na companhia de prostitutas e pecadoras? Como os peregrinos podiam tolerar tamanha blasfêmia? A muito sofredora mãe do Profeta já havia sido humilhada por tantos séculos, seu túmulo tinha sido coberto pela poeira da infâmia, sua dignidade e virtude tinham sido restabelecidas pouco tempo antes, graças à devoção de um peregrino que havia recuperado e reformado o santuário, ela havia acabado de ser erguida à sua posição de direito e honrada, mais uma vez, como merecia, e agora eles chegariam ali e deixariam que um bando de mulheres tolas, vulgares, mundanas e contaminadas, mulheres infiéis!, profanassem seu santuário sagrado? Exigiu que a caravana fosse detida e que as mulheres do cortejo da noiva se separassem e viajassem sozinhas, com sua escolta turca, à parte dos demais. O indiano disse que julgava a sugestão bastante adequada. Porém, quatro dias depois de partirem de Meca, apenas uma hora depois de terem deixado para trás o khan de Khulays e uma hora antes de chegarem ao santuário de Abwa', a caravana foi detida por um grito mais alto do que qualquer protesto que o sacerdote pudesse erguer. Era a noiva. Ela havia desmaiado, disseram. Todos pararam. O que estava acontecendo? Por que estava gritando, se havia desmaiado? O que a fizera desmaiar e gritar daquele jeito?

 O jovem Sacerdote se viu arrastado para cada vez mais perto dos zoroastristas. Ficou rondando o howdah da noiva e não conseguia se afastar dali. A garota parecia histérica, é verdade. Mas seria toda aquela gritaria devida ao mau cheiro do cadáver, como alguns peregrinos pareciam sugerir? Ou haveria alguma orgia ali dentro? Os chefes da caravana também se aglomeraram em torno do howdah, cobrando explicações. Mas, quando a escrava negra emergiu, talhada em rocha e implacável, o Sacerdote esqueceu tudo sobre os gritos da noiva. Havia uma campainha tocando em seus ouvidos, ele não sabia que nome dar àquilo, e também um gosto de luxúria na boca.

Ficou olhando a mulher abissínia passar, se balançando. A mão, que roçava nos quadris estreitos, encoberta pelo véu, era delicada, com dedos compridos e afilados. Havia marcas de uma tatuagem cor de anil nas costas e nas palmas das mãos. Seu pulso tinha a mesma perfeição dos tornozelos, ele notou. O Sacerdote fixou os olhos em seus pés. Um filete deixava um risco escuro e serpenteante em torno de seu delicado tornozelo e desaparecia embaixo do calcanhar, enquanto ela dava seus passos na areia. Não era azul. Não era tatuagem. Ele olhou fixamente para a mancha que aquilo deixava sobre as contas com que ela se enfeitava. Sangue.

Apanhado entre paroxismos de desejo e de repugnância, e estonteado pela desidratação, o jovem Sacerdote obrigou seu camelo a virar-se, com um puxão violento, que fez o animal protestar com veemência, mas não lhe deixou nenhuma alternativa senão obedecer. Em poucos minutos, abriu a maior distância possível entre ele e o cortejo da noiva. Por todo o restante da viagem, até chegarem à fonte de Abwa', o Sacerdote tratou de permanecer na companhia dos eflúvios que vinham do cadáver, pois achava que aquilo causava menos contaminação ao seu corpo e à sua alma.

☼

Quando a caravana retomou sua viagem, o Sacerdote continuava na parte de trás da caravana e se parecia mais com um cadáver do que com uma pessoa viva. Mal se deu conta de que viajava ao lado do velho faquir, que conduzia a mula do indiano. Estava atônito com a decepção e a repugnância. O santuário de Aminah tinha sido profanado. A informação que ele havia recebido, de que o santuário fora reformado e restaurado, se revelou falsa. O lugar era uma ruína. Ou nunca tinha sido reformado ou as forças da negação eram mais fortes do que as forças da afirmação e o santuário tinha sido reduzido a escombros em poucos anos. Seu tio em Shiraz lhe dissera que tinha visto o santuário reformado, quando fizera sua peregrinação, mas ali estavam paredes tombadas, um telhado desabado, vestígios de pilhagem e roubo, uma ruína à beira de um poço seco. O que havia acontecido? Com certeza, alguém devia ter cavado o poço novo, mas ele se recusara a beber daquela água em protesto contra a profanação, em desagravo contra as mulheres que o usavam para seus fins pessoais. O Sacerdote queimava de sede, mas ficou furioso quando o faquir presunçoso lhe ofereceu água, como uma absolvição. Sentia-se sufocado pelas tentações e pela memória das tias bajuladoras. Enquanto o banho da noiva estava sendo preparado, os odores mórbidos de óleos e bálsamos enchiam sua cabeça com vapores intoxicantes. Ele achou que ia enlouquecer.

Depois de ver a mulher de cócoras à frente dos carvões em brasa, para esquentar a água do banho, o Sacerdote não viu mais a falacha por muito tempo. Ela estava atarefada dentro do howdah. A certa altura, quando as cortinas sacudiram, ele imaginou ver alguém nu lá dentro. Mas devia ser uma alucinação. Seus lábios estavam enegrecendo por causa da falta de água e ele estava quase delirante. As moscas não o deixavam em paz. Seguiam-no por toda parte.

De onde pode vir uma mosca no meio do deserto?, ele se perguntava com fervor. Como pode uma mosca sobreviver no meio de areia e pedra? Nós, é claro, levamos as moscas junto conosco para o deserto, pensou. Nós as levamos nos cantos da boca, onde a saliva escorre, aglomeradas como lantejoulas fartas, na beirada de nossos olhos cegos, elas se saciam em nossos excrementos, se intoxicam em nossas dejeções, sugam através dos frágeis sacos de água da memória, onde tudo o que restou de ontem foi apenas uma umidade. Nós criamos a imundície das moscas no meio de toda essa pureza de areia, pensou ele. Nós as disseminamos com nossa própria corrupção, nesse ar sagrado, e depois as alimentamos com nossas próprias seivas. Se não existíssemos, não existiriam moscas, concluiu o Sacerdote. Ele gostaria de poder morrer, mas a ideia das moscas se alimentando dele o empurrava para a frente. No entanto, não bebia.

Além de suas meditações sobre as moscas, o outro mistério turvo que lhe dizia respeito era o paradeiro do indiano. A certa altura, achou que talvez devesse comunicar ao chefe da caravana que o sunita de Karáchi havia desaparecido, já que, depois que pararam junto à fonte, o indiano tinha sumido. Mas havia outras crises que o chefe precisava resolver e também moscas demais. O cadáver fora deixado para trás. E o Sacerdote supôs, de maneira vaga, que os guardas que estavam voltando para buscar o cadáver encontrariam também o indiano. Então ele se viu engolido, com os demais, pela tempestade de areia e simplesmente parou de pensar.

☼

Durante a tempestade de areia, o Sacerdote apertou a cabeça com turbante de encontro ao flanco de seu camelo e se abandonou a desejos reprimidos. Numa humilhação selvagem, ele se exauriu. Repetidamente, fraco e chorando, ele se rendeu. Estava agradecido ao uivo do vento, ao clamor da tempestade e ao mau humor de seu camelo, pois tudo aquilo encobria seus gemidos. Parecia que ele não poderia ser mais desgraçado. Chegou a resistir a sentir o gosto das próprias lágrimas, a despeito de sua sede, agora desesperadora, de tanto que se desprezava. Agora, tinha vontade de morrer a sério, pois parecia ser essa a única solução para seus infortúnios.

A certo ponto da tempestade de areia, a falacha saiu do howdah e se pôs como um espectro, plantada na sua frente. Trazia uma carga de lençóis de seda e roupas conspurcadas, que saltaram de seus braços e rodopiaram no vento com violência. Ele a viu de trás, atirando tudo para a tempestade. Espantado, pensou de início que ela estava se desfazendo das próprias roupas; seu véu havia deslizado e os ossos do crânio se mostravam escuros contra o fundo da tempestade rodopiante. Mas o Sacerdote não viu quando ela se virou, pois um dos lençóis de seda molhados se desprendeu de seus braços, num rodopio, como algo enfeitiçado, e chicoteou-o no rosto. Ele ficou sufocado com os perfumes intoxicantes da seda encharcada e da areia que, como melado, grudava em suas dobras. O Sacerdote se enterrou naquelas sensações, coberto dos pés à cabeça e capturado pelos tornozelos. Então se dissolveu em seu delírio.

Quando os bandoleiros atacaram, mais ou menos duas horas depois, ele havia caído num estupor. Estava deitado, enrolado nos lençóis que tinham sido jogados para fora do howdah da noiva, envolto como uma múmia e enrijecido, com o rosto voltado para a areia. Os bandoleiros acharam que estava morto. O líder abruptamente saiu do howdah da noiva, rogando pragas desvairadas, deu uma pancada terrível na cabeça do Sacerdote, ao mesmo tempo em que matava seu camelo e ateava fogo ao howdah. E assim foi o homem de Deus que sobreviveu ao assalto.

☼

As perguntas da vida se revelaram mais difíceis do que a resposta da morte. Ressurreição era um paradoxo doloroso. Ele a amava e tinha nojo dela. Ela tocava os lábios dele, com um respingo de sangue quente, que lhe trazia vida e ao mesmo tempo lhe causava enjoo. Ela aninhou a cabeça dele junto de si, como a mãe que ele almejava e condenava. Ele lutava contra o paradoxo dessa vida, lutava contra os enigmas e as inter-relações dela, lutava contra as contradições que ela erguia diante dele, os terrores do nojo de si mesmo e a aceitação de si mesmo. Até ele subir à tona, encharcado de orvalho, sob a lua nova. Sentia uma dor palpitante nas têmporas. Havia uma mulher seminua deitada na areia a seu lado. E ele estava vivo.

Quando o Sacerdote entendeu que foi a falacha que tinha salvado sua vida, começou a soluçar de modo descontrolado, com vergonha. As lágrimas salgadas feriam suas bochechas cobertas de cascas de ferida, queimavam seus lábios rachados e enegrecidos. A mulher murmurava com ternura infinita. Ela ergueu a mão, enxugou as lágrimas dele, e ele experimentou o toque de sua mão com um pasmo reverente. A mulher usava no dedo mínimo um único anel, com uma pedra de cornalina, que se agarrou na sua barba e repuxou as fibras de seu coração. Ela tirou o anel e deu para ele. Nesse momento, o amor que ele sentiu pela falacha, que jazia ao seu lado como uma mariposa exaurida, era diferente de qualquer sensação ou experiência que ele tivesse conhecido até então. Correu sobre ele como ondas do mar distante, que não tinha nome; inundou seu coração seco com a água de uma fonte que ele nunca imaginou possuir. Quando implorou seu perdão e perguntou o que podia fazer por ela, a falacha murmurou seus desejos em voz tão baixa que ele teve de se curvar para ouvir o pedido. Teve de baixar a cabeça, sem turbante, para ouvir e se admirar com ela. E então a beijou. Mas ela já havia afundado na inconsciência. Como ele nunca tinha amado na vida, não soube como aquilo lhe aconteceu. E por isso deixou que a breve beleza se fosse, sem perguntas. Não precisava de mais nenhuma prova do que era.

Ele também nunca tinha visto alguém morrer. Pouco depois do amanhecer, quando a falacha começou a dar gritos agonizantes, ele achou que ela estava morrendo afinal, e um tremor terrível encheu seu coração. Havia levado a mulher de volta para o santuário em ruínas, como ela mesma pedira. Havia deitado a mulher junto ao velho poço seco por dentro, e encontrou o lugar já ocupado. As cinzas da fogueira que a mulher tinha feito no dia anterior ainda estavam frescas e o dervixe estava agachado ao seu lado. Parecia que ele também, a exemplo do cadáver, tinha ficado para trás, no poço. Bruscamente, o Sacerdote lhe contou sobre o assalto; estava desconfiado daquele canalha, que havia salvado a própria pele. Aquilo vinha confirmar sua opinião de que o dervixe era um ladrão e provavelmente aliado dos bandoleiros. No entanto, apesar de sua repugnância e de sua desconfiança, sentiu-se envergonhado de ser visto daquele jeito, exposto daquele modo, ainda que por uma criatura desprezível como o dervixe. Ficou embaraçado de ser descoberto por aquele sujeito infame, na companhia de uma mulher cujo corpo estava curvado pela dor, como um arco. Muito embora ela estivesse obviamente nos últimos espasmos da morte, o Sacerdote sentiu-se comprometido. Era a ele, o Sacerdote, que a mulher destinava seus gritos. Ela tentava lhe dizer alguma coisa, engasgava com as palavras partidas, num idioma que ele desconhecia. Apontava para o alforje, em cima da mula que a havia carregado de volta até o poço. De súbito, entendeu que ela queria que ele abrisse o alforje, e assim o fez, dilacerado entre o desejo de cumprir seus deveres com aquela mulher que ele havia amado brevemente, sob a lua do deserto, e a sensação crescente de timidez e vergonha diante de outro homem. Estremeceu por ter de obedecer a uma escrava sob o olhar atento do dervixe sagaz no canto das ruínas.

O alforje estava cheio de embrulhos. Ele retirou um mais estreito, no meio dos demais, um rolo de pergaminho, e deu para a escrava. Em seguida, vasculhou o alforje para verificar se continha algo mais do que aqueles embrulhos, envoltos em seda e papel grosseiro. Não continha. O dervixe saltou de seu canto escuro a fim de examinar o alforje também, mas nesse momento, de súbito, o Sacerdote não conseguiu mais suportar sua presença ignominiosa e virou-se para ele, com ar desvairado, segurando o alforje junto a si. Era estranha a força da repulsa que sentia em relação àquele homem. Foi como se, ao segurar o alforje e impedir que o ladrão o pegasse, o Sacerdote estivesse protegendo também a mulher falacha.

— O alforje pertence a ela! — exclamou, com rispidez. — Você não tem nenhum direito de tocá-lo!

Estava bem claro que o homem estava louco para pôr os dedos no embrulho. Quando voltou atrás para se enfiar de novo em seu canto, resmungando algo sobre contaminação e doença, o Sacerdote sentiu uma vontade irresistível de matar o dervixe. Sua raiva era assombrosa até para ele mesmo; fisicamente, o dervixe era muito mais forte do que ele, mas parecia momentaneamente intimidado, enquanto observava o Sacerdote com um temor estreito. A mulher falacha, no entanto, não tinha consciência dos homens e de seu antagonismo. Ela só tinha energia para segurar o rolo de pergaminho. Quando conseguiu romper o cordel que o enrolava e abri-lo, finalmente ergueu os olhos para o Sacerdote e ele leu seu último pedido nas profundezas insondáveis.

O Sacerdote ficou atônito com a invocação que entoou para ela, no nascer do dia, junto à fonte. Era concebida na linguagem imponente do Corão sagrado e, no entanto, ele nunca tinha ouvido aquelas palavras. Pareciam fazer o sol subir no horizonte. Fizeram-no recordar uma voz; por enquanto, ainda não conseguia identificar de quem. A linguagem era familiar, porém esquecida. Perdido em reflexões, ele pôs a mão de novo dentro do alforje e tirou de lá outro embrulho. Também continha um papel coberto por uma caligrafia refinada. Sentiu a respiração quente do dervixe nas suas costas e tentou repelir o intrometido, mas sua raiva de antes havia desaparecido. Agora, havia mais medo em seus sentimentos quando desenrolou o pergaminho e examinou as palavras no papel. Seu coração vacilou, quando o primeiro dedo da luz da alvorada apontou para a página.

O Sacerdote lutava para não perder a cabeça. O dervixe fazia perguntas junto a seu cotovelo numa voz aduladora. Repelindo o homem como se fosse uma mosca, o Sacerdote, com voz arrogante, lhe disse que a letra era de uma rara qualidade da arte caligráfica. Isso era óbvio; mesmo um amador podia ver logo que era assim. O dervixe continuou a importuná-lo quando ele se virou para se concentrar nas palavras, que iam se formando sozinhas sobre a página. Obviamente, aquilo tinha sido escrito por um mestre da arte, gritou, ríspido. Queria que o dervixe o deixasse em paz. O dervixe apalpou o alforje, mas nessa altura o sacerdote já não notava o que o outro fazia. Para seu espanto, tinha descoberto que a escrita no papel era em língua persa e havia começado a ler.

E as palavras sussurravam sobre mistérios decretados no Livro Mãe. Falavam de verdades veladas no Livro Mãe. Apelavam a ele que desse testemunho das bênçãos ordenadas no Livro Mãe. Instigavam-no a recordar todas as promessas que seriam cumpridas pelo Livro Mãe. Em sonoridades tilintantes, as palavras lhe falavam daquele Único que era aclamado e esperado no Livro Mãe.

O Sacerdote, num gesto abrupto, lançou o papel para longe. Estava aterrorizado. Rogou uma praga e atirou o papel no poço em ruínas. Seus dedos queimavam e coçavam, só de tocar na folha. De fato, já tinha ouvido aquela voz antes! A mulher de Karbila havia ecoado palavras como aquelas. A mulher de Karbila havia falado de tais mistérios, de tais verdades, de tais promessas no Livro Mãe; ela também havia mostrado a prova do Livro Mãe. O Sacerdote fugira do Livro Mãe, mas o livro o perseguira até lá, naquela ruína em destroços, naquele poço abandonado, na estrada entre Meca e Medina! Estava à sua espera ali, no santuário de Abwa', o santuário da mãe do Profeta! Qual era o sentido daquilo?

Quando o dervixe murmurou que, em razão da natureza da doença da mulher, não era de admirar que Sua Reverência tivesse tanto medo de tocar em seus pertences, o Sacerdote mal escutou. Quando o dervixe lhe perguntou, em tom manso, se o santo senhor poderia ter a bondade de compartilhar seu esconderijo com um pobre e vil mendigo, para quem a contaminação era uma misericórdia e cuja pobreza não impunha nenhuma discriminação, ele lhe deu as costas e saiu andando para fora da penumbra do santuário, tremendo dos pés à cabeça.

A cabeça latejava. Não sabia se era por causa da ferida na testa, da noite anterior, que ele mal tivera tempo de tratar, ou se era por causa da fome, da sede e da exaustão, em virtude da longa viagem até a alvorada. Ou se era porque as palavras que tinha acabado de ler o deixaram tomado por uma vertigem muito forte, aquelas "palavras mães", tão grávidas de significação, tão repletas de sentidos. Ele se debruçou na borda do poço, no primeiro sol da manhã, e puxou a água para si. Em seguida, mergulhou o rosto e bebeu um gole profundo. Bebeu e bebeu, como nunca antes havia bebido.

Quando voltou, refrescado, algum tempo depois, descobriu que a escrava estava morta no interior da ruína. E o dervixe estava de posse plena do alforje. A mulher dera o alforje para ele antes de morrer, explicou em voz mansa. O homem repugnante tinha prendido o alforje nas costas e claramente não tinha intenção nenhuma de se separar dele. Estava demasiado satisfeito com sua aquisição e estava parado, alto e desafiador. O Sacerdote, com um sobressalto, se deu conta de que aquele dervixe desagradável era muito mais alto do que ele e que suas ideias anteriores de matá-lo tinham sido mais do que temerárias. Na verdade, o homem era antes um brutamontes do que um dervixe.

O Sacerdote sentiu uma forte pontada de remorso. Percebeu que tinha perdido sua chance de olhar mais uma vez para aqueles papéis misteriosos. Tinha jogado para o lado a escrita que ele havia desembaraçado de seu cordel e agora o dervixe tinha consigo todo o restante dos embrulhos dentro do alforje. Mas a única invocação que ele havia entoado para a escrava continuava presa entre os dedos frios da mulher morta. Este papel pelo menos o sacerdote poderia recuperar. Caso tivesse coragem. Aproximou-se da mulher.

— Que Deus o proteja, ela morreu de varíola, senhor — murmurou o dervixe.

O Sacerdote olhou para o rosto da mulher, cortado de feridas, e viu a mesma beleza que tinha entrevisto sob a luz da lua. Sabia que seu amor por aquela mulher, juntamente com os chamados do Livro Mãe, estava trancado dentro do seu coração. Também sabia que as palavras dentro do alforje e os ensinamentos da mulher de Karbila eram ambos uma coisa só. Todavia, ele não suportava admitir a verdade de nenhum dos dois, embora quisesse acreditar em ambos. Incapaz de resistir, mas sem disposição para admitir, ele não podia aceitar nem podia negar inteiramente. Curvou-se por cima da mulher morta, o coração ardendo por ela, e a mente resistindo.

No fim, deixou o papel preso entre os dedos da escrava, porque a amava demais para privá-la daquilo e, na mesma medida, temia o peso das palavras que ela mantinha tão ferrenhamente seguras entre os dedos em sua morte. Em tom rude, o Sacerdote pediu ao dervixe que viesse ajudá-lo e, um de cada lado, os dois ergueram o cadáver e jogaram-no, sem cerimônias, dentro do poço abandonado. Ela era leve e delicada como um pássaro seco, mas uma poça de sangue grosso e preto permaneceu no lugar onde havia ficado antes. O som das pedras e dos cascalhos que caíram no poço seco deixou o Sacerdote horrorizado.

Tentou lavar a contaminação das mãos, do corpo, do coração, da alma. Mas guardou o anel dela. Não sabia se devia voltar a seus estudos e dedicar o resto de seus dias a perseguir as heresias. Ou se dedicar para sempre à nova doutrina de amor do Livro Mãe da vida. Hesitou, indeciso, ao lado do poço, e ficou feliz quando o dervixe seguiu para Medina sem ele.

O Dervixe

Quando o Dervixe viu algo despencar do alto do penhasco, à frente da caravana, se pôs imediatamente em alerta. Sabia que era um sinal da tribo e estreitou as pálpebras pálidas a fim de enxergar melhor a linha do horizonte. O que viu confirmou suas expectativas e fez a adrenalina disparar pelo seu corpo. Lá, na beira da elevada escarpa, com a silhueta traçada contra o fundo do céu do início da manhã, havia figuras de homens. Mais ou menos trinta. Talvez mais.

O Dervixe estava atento na expectativa daquela tribo já fazia três dias, desde o momento em que chegara a Al Jumum, logo depois dos arredores de Meca. Quando um comboio de soldados turcos se uniu à caravana, na encruzilhada de Usfan, a um dia de viagem dali, ele já começou a temer que poderia perdê-los. Com aquelas gralhas efeminadas cavalgando pomposas ao lado deles, ostentando seus uniformes azuis deslumbrantes e seu cabelo empomadado, os homens da tribo provavelmente atacariam antes que ele tivesse chance de estabelecer alguma relação com eles. Portanto, começou a buscar por conta própria vestígios da passagem dos bandoleiros. Tinha de ficar bem atento para identificar os códigos que eles usavam, os sinais que uns deixavam para os outros. Fazia rápidas incursões pelo deserto, quando sua ausência passaria despercebida, e dava buscas nas ravinas e no meio das dunas em movimento durante algumas horas de cada vez, enquanto a caravana continuava, em seu passo arrastado, rumo a Medina.

Seis meses antes, em sua primeira viagem naquela região, um beduíno selvagem lhe ensinara certas trilhas que tinham vantagens, em velocidade e em perspectiva, em comparação com o percurso das caravanas. O Dervixe tinha contratado o beduíno para ser seu guia, na travessia pela serra montanhosa de Dafdaf, um reduto de tribos selvagens, porém não havia confiado integralmente no beduíno. Desconfiava daquele homem meio lagarto, achou que ele podia estar aliado a famigerados nômades, ser um espião que podia se voltar contra ele a qualquer momento, desconfiou ser, na verdade, um assassino que poderia lhe dar uma punhalada nas costas quando menos esperava. O sujeito parecia capaz de enxergar sinais no vento e ler segredos nas pedras. Porém, o Dervixe não tinha nenhuma prova de sua dubiedade, senão certo formigamento na nuca. Tinha feito um estudo acurado do demônio esquelético e aprendera a decifrar suas artes. Como ele mesmo era um agente secreto, suas suscetibilidades eram particularmente aguçadas no que dizia respeito a espiões.

O Dervixe era um jovem inglês disfarçado, em missão política naquela região. O xeque da tribo dos Harb, Ibn Rumi, tinha se rebelado contra o governo turco alguns meses antes, o que provocou bastante perturbação entre os otomanos em Meca, e o inglês tinha convencido o embaixador britânico em Constantinopla a enviá-lo como espião, a fim de reunir informações sobre aquelas atividades. Para que as informações fossem acuradas, era necessário estabelecer laços independentes e confiáveis com o líder rebelde, é claro. Relações cordiais entre o governo da Majestade e a Porta Sublime, ou seja, o governo turco, naturalmente exigiam aquilo. Por fim, conseguiu convencer o embaixador de que poderia até se revelar vantajoso estabelecer relações cordiais com os próprios rebeldes. Toda a região estava em rebuliço e sempre fora política da Majestade britânica proteger seus próprios interesses privados, qualquer que fosse sua posição pública. Portanto, ele propôs ser um agente secreto e negociar com a tribo um acordo para vender armas.

O embaixador pessoalmente achou que a missão era bastante estapafúrdia. Ibn Rumi, em sua opinião, era sabidamente independente e com certeza ia querer manter-se à distância dos britânicos, tanto quanto queria se livrar do domínio turco. Mas permitiu que seu adido recém-chegado acreditasse que estaria servindo bem seu país se levasse aquilo adiante, e calculou que não seria necessário provocar nenhum grande escândalo diplomático caso um agente anônimo morresse por acidente em algum ponto da Península Arábica. O que o atraiu na ideia foi que aquilo podia servir muito bem aos seus próprios interesses de se livrar do jovem convencido que lhe parecia ambicioso demais. Obviamente se tratava antes de um aventureiro por vocação do que de um diplomata, e se não conseguisse progredir na carreira, era provável que causasse um escândalo. Além do mais, o embaixador ficou, no íntimo, magoado com a falta de inclinação de seu adido pela sodomia; mesmo a mais sutil insinuação suscitava pouquíssima reação da parte do jovem Hércules. O orgulho do grande homem estava um tanto ferido. E concluíra que o sujeito era um tolo e desconfiava que, se lhe dessem corda, poderia acabar se enforcando sozinho, de forma até útil, graças à sua falta de discernimento, e assim deixaria de representar qualquer ameaça. Por isso o embaixador concordou com sua proposta.

O jovem inglês andava fervorosamente em busca de um desafio como aquele desde que assumira o cargo. De início, houve alguma conversa em Whitehall, sede do governo britânico, sobre enviá-lo para a Ásia Central, onde a Grã-Bretanha e a Rússia estavam envolvidas numa guerra fria pelo controle da rota para a Índia através de Kashgar. Era uma área mal afamada por conta de histórias de táticas temerárias e de redes de espiões, e suas esperanças tinham crescido com a perspectiva dessa missão eletrizante, que serviria para mostrar como ele era capaz de servir aos interesses econômicos e políticos de seu país com eficiência e talento. Entretanto, no último minuto, outra pessoa acabou ficando com aquela função e ele, em troca, foi indicado para um posto sufocante e servil no Sultanato e se viu à mercê dos eflúvios verbais do embaixador e das festas de sua esposa, indescritivelmente maçantes, em Constantinopla.

Mexer com papelada num escritório poeirento não era sua ideia de uma carreira promissora, e a esposa do embaixador tinha revelado ser de um temperamento apático, difícil demais de despertar e que, uma vez excitada, acabava se tornando um embaraço. Ainda por cima, era católica fervorosa, e ele tinha dificuldade de manter o entusiasmo com o que o Cardeal Newman fazia ou deixava de fazer. Questões religiosas só teriam importância para o jovem adido se servissem para fomentar sua carreira, e o debate sobre a consciência do Cardeal parecia não exercer nenhum apelo para ele. Queria alcançar o sucesso; queria voltar para casa coberto de glória. Queria influenciar o H maiúsculo da História e ser responsável por alguma mudança política importante, que ampliaria o poder e o prestígio do Império e que estaria para sempre associada ao seu nome. Acima de tudo, queria voltar para seu país carregado de nuvens e de troféus de vitória. Outros compatriotas, que também eram agentes secretos disfarçados de diplomatas, se tornaram figuras ilustres nos anos recentes e tinham comprado artefatos caríssimos, descoberto entalhaduras imortais e saqueado manuscritos imorredouros das trevas da antiguidade. Tinham ganhado condecorações de cavalheiros da corte e todo tipo de distinção, portanto, por que também ele não poderia alcançar a fama mediante suas façanhas? Tinha quase trinta anos, era solteiro e ainda precisava dar provas de sua capacidade.

O irmão mais velho tinha sido coroado com as honras intelectuais na universidade e, com a arrogância natural de praxe, havia assumido o papel de legítimo herdeiro na mansão da família. Seu irmão caçula alcançou distinções semelhantes na igreja e havia se estabelecido na meritória pasmaceira da vida paroquial. No entanto, aquele filho do meio (pois as irmãs, na verdade, não contavam e não passavam de uma reserva para casamentos) tinha sido uma decepção para o pai. Primeiro, não conseguira seguir os passos do irmão mais velho e fora afastado da universidade em circunstâncias aviltantes, após um caso escandaloso que envolveu a filha de sua senhoria. Depois, sua carreira no exército também terminou de forma abrupta e seus sonhos de obter uma promoção prestigiosa para um posto na Índia foram liquidados de uma vez por todas enquanto treinava mercenários na Pérsia. Pois sua discrição não foi proporcional à sua imaginação e não ficou claro onde foi parar uma parte da munição que estava sob sua responsabilidade. Isso representou uma desonra e uma vergonha. Foi chamado de volta para casa nesse ponto e foi repreendido com severidade pelo pai, que lhe disse que, se ele não conseguisse se comportar de maneira adequada, no futuro, seria deserdado, ficaria sem dinheiro nenhum e teria de trabalhar no comércio. Era só para isso que ele servia, disse o patriarca, desgostoso. Agora, ganhara sua última chance como um adido de escalão inferior na embaixada britânica de Constantinopla. Se aquele filho réprobo manchasse seu nome também no governo britânico, seria obrigado a emigrar para o continente americano.

Portanto, muita coisa dependia do sucesso da sua carreira diplomática. A despeito do fato de haver uma grande dose de tédio e uma pequena dose de inteligência associadas às obrigações de um representante menor do governo de Sua Majestade no estrangeiro, ele estava decidido a não voltar para casa antes de ser coroado com os louros da vitória. Sua despedida foi bastante dramática. As duas irmãs choravam copiosamente, enquanto ele se preparava para navegar para o Bósforo, pois elas o achavam maravilhosamente bonito, atrevido, impetuoso e acreditavam que era cruelmente prejudicado pela inveja. Sempre tomavam o lado dele, contra o escárnio dos outros irmãos. Ele se deleitava com suas atenções e evitava lhes contar que a façanha mais destemida que seria exigida dele, em sua nova posição, provavelmente seria manter os lápis do embaixador sempre bem apontados. Os outros irmãos, por sua vez, lhe deram a entender que, mesmo acreditando que iria se conter e evitar outras sandices, tendo em vista seu histórico de infâmias, não nutriam na verdade grandes esperanças de que ele fosse chegar muito longe na carreira. Isso acarretou cenas de cólera e despedidas gélidas. Ele disse aos irmãos que tinha certeza de que ainda iriam viver para se arrepender de suas palavras e partiu de Londres num estado de grande ira.

Embora aceitasse ser mimado pelas irmãs, embora fervesse de indignação com o abominável desdém dos irmãos, o jovem inglês, no entanto, tinha a sensação desoladora de que eles estavam certos. Ele acabaria não indo muito longe na carreira. Sempre se empenhara em rechaçar as zombarias no passado, mas começava a ter a sensação de que talvez merecesse aquilo. Um grande vazio se abriu dentro dele diante de tal pensamento, e o jovem se despediu do pai com um grau de submissão penitente que deixou o velho cavalheiro assombrado. Mas aquele sentimento não durou mais do que a travessia do Canal da Mancha. Tampouco ele se demorou muito a remoer suas dúvidas e, em troca, usou-as como combustível da sua ambição. Na verdade, sua ambição crescia a partir de um profundo sentimento de insegurança. O vazio logo deu lugar a uma tormenta. De um jeito ou de outro, faria o mundo admirá-lo, pensava ele. Mostraria a todos que era um herói!

Portanto, havia se reduzido a um mero diplomata, porém ainda mantinha vivos os sonhos de glória. Tinha se rebaixado ao posto de mero burocrata, porém ainda almejava aventuras. Vivia ansioso por uma chance de abandonar sua rotina sufocante, porque as partidas de polo e a esposa do embaixador eram simplesmente insuficientes, como desafios, para ele. Assim, quando chegaram as notícias sobre revoltas na tribo de Harb, na Arábia, imediatamente ele enxergou ali possibilidades que refletiam a glória e o drama que ele tanto desejava. Interpretou a aprovação do seu plano pelo embaixador como sinal de uma confiança tardia em sua capacidade. Viajar pelos desertos selvagens e negociar acordos com o famigerado líder daquela tribo era exatamente a oportunidade que ele vinha esperando para finalmente provar ao pai, aos irmãos e a si mesmo que não era um rematado inútil.

A despeito de sua história feita de altos e baixos, ele era jovem, com não poucos encantos. Alto, olhos azuis, ombros largos, excelente cavaleiro, acreditava ser irresistível para as mulheres. Seu fracasso na universidade tinha sido causado menos por falta de intelecto do que por carência de disciplina; seu infortúnio não era devido à mera tolice apenas, mas também à depravação, que sempre tem seu charme. A imaturidade o levara a dissipar seu dinheiro em conquistas sexuais e desperdiçar o tempo nas corridas. Mas estava começando a crescer. Também estava menos afoito do que o embaixador contava ou do que os irmãos gostariam de acreditar. Por baixo das aparências de impetuosidade e coragem intrépida, também era menos impulsivo do que o pai supunha, ou até do que ele se mostrava disposto a admitir, pois havia se tornado cada vez mais cauteloso no que dizia respeito a questões que envolviam risco pessoal. Ele se dava ao trabalho de minimizar os perigos, ao mesmo tempo em que parecia assumir os riscos. Havia certo cálculo e oportunismo em seu caráter, o que rebaixaria sua honra, se o confessasse. De fato, era mais fácil admitir a incompetência no exército do que ser acusado de covardia; mesmo lá, havia quem o chamasse de cafajeste. Portanto, apesar de suas bravatas, ele tinha todos os requisitos para ser um excelente diplomata.

Outro talento que sempre se mostrou útil para ele era o dom para o drama. Tinha uma tendência bastante histriônica e o teatro se revelava muito proveitoso para seus fins. Aquilo fizera dele um amante convincente na adolescência, e agora, na maturidade, na condição de espião, lhe servia de forma especial. Ele tinha uma aptidão camaleônica para a imitação e era capaz de encobrir seu belo cabelo e sua bonita pele, assim como sua indiferença pela religião e seu sotaque estrangeiro, com um admirável profissionalismo. Embora, a exemplo de muitos ingleses, as línguas não fossem seu forte, os anos que passou no exército não foram desperdiçados e ele conseguia reproduzir, com competência, o persa e o árabe, além de falar o turco com relativa desenvoltura e certa autenticidade. Representar um papel era sua segunda natureza.

Também foi brindado com um desprezo total por minúcias teológicas e, embora, a exemplo dos irmãos e irmãs, tivesse recebido, nos primeiros dias de vida, o tênue borrifo de águas anglicanas com um saudável uivo de protesto na capela da família, ele não tinha nenhum tipo de dificuldade para se adaptar aos maneirismos exteriores da religião maometana. Observava, escutava e aprendera a ecoar os ornamentos do fervor xiita e da solenidade sunita. De fato, se mostrava bastante satisfeito com a forma como cumpria suas orações.

Apoiando-se em todas essas habilidades e competências, ele se empenhava para identificar qual seria a máscara apropriada para aquela missão em particular. Tinha de ser algo que garantisse que ficaria livre de limitações e de suspeitas, bem como algo que lhe desse certa facilidade para travar relações e também para desaparecer na estrada entre Medina e Meca. Se ia viajar naquela rota de peregrinação, ainda por cima, seu disfarce teria de dar aos demais alguma indicação de motivação espiritual: uma espécie de motivação que, era preciso admitir, nem de longe havia existido nele até então, pois, até aquele momento, tudo o que tinha sido necessário para ele se limitava àquela expressão diluída da religiosidade que se associava aos casamentos, batizados e enterros anglicanos. Todavia, os sufis da Pérsia o haviam impressionado bastante com sua filosofia anárquica, e ele achava que a motivação espiritual deles era vaga o suficiente para encobrir uma multidão de ambiguidades. Aquilo requeria um comprometimento e uma coerência muito reduzidos e, assim, antes se harmonizava com seu temperamento do que o forçava. Foi isso que o levou a adotar o disfarce de Dervixe, portanto, quando embarcou em sua missão para os desertos da Arábia. Passou algumas semanas estudando os maneirismos, as entonações, as danças, os métodos de rezar, de pedir esmola e também a aparência geral dos dervixes na Turquia oriental e ficou bastante satisfeito com a personificação que ele confeccionou. Usaria o disfarce com frequência, nos anos vindouros e no auge de sua carreira diplomática, em festas à fantasia na embaixada britânica.

Em seu favor, entretanto, deve-se reconhecer que o jovem agente secreto abrigava o temor incômodo de que sua fantasia não passasse no teste da sinceridade. Seu desejo de glória não se estendia até a morte nem sua capacidade de mímica incluía o martírio. Conquanto houvesse certa magia associada ao nome de Meca, ele preferia ter a fama de haver chegado lá sem ter ido de fato à cidade sagrada. Seguindo a orientação do embaixador, ele passou por Bagdá a fim de receber instruções, mas, embora o cônsul geral daquela cidade o visse partir disfarçado de Dervixe, rumo a Basrah, local de onde partiam os barcos dos peregrinos, ele não tinha a menor intenção de ir para lá. Quando chegou ao porto fétido e mormacento de Jidá, em vez de olhar para as embarcações, olhou em volta em busca de uma caravana de comerciantes, o que lhe permitiria contornar a cidade sagrada. Havia o cortejo de uma noiva que, pelo visto, precisava desviar-se de Meca e contornar a cidade, assim como ele, e tal escolta vinha bem a calhar. Porém, seriam necessários alguns dias para combinar com o chefe da caravana aquele desvio. Um indiano rotundo, de Karáchi, no qual o Dervixe identificou as inequívocas marcas da corrupção colonial, representava um papel acessório nas negociações e o Dervixe observou-o com atenção, ansioso para que as barganhas terminassem. Tinha certeza de que aquela figura deplorável falava inglês, mas o Dervixe, com admirável autocontrole, se continha, evitava se aproximar e precisava depositar uma confiança implícita na evidente venalidade do homem. Apesar dos protestos que surgiram entre os peregrinos, parecia que o indiano ia obter sucesso.

Entretanto, horas antes de partirem, de repente um destacamento de soldados turcos chegou a Jidá para escoltar a noiva até Damasco, e isso modificou por completo os planos do Dervixe. Agora, o cortejo da noiva tomaria o desvio na companhia da escolta turca, enquanto a caravana de peregrinos rumaria direto para Meca. Ele se viu num dilema. Certamente não poderia viajar na companhia dos soldados do sultão se quisesse fazer contato com a tribo de Harb. Não havia alternativa senão seguir direto para a cidade sagrada com os peregrinos.

Foi assim que um temor obrigou-o a encarar o outro e ele se viu forçado a seguir, passo a passo, rumo à cidade sagrada de Meca, muito a contragosto. Porém, não participou de nenhum dos ritos ou rituais preparatórios quando se aproximaram, a fim de evitar que sua fraude fosse detectada. Em vez disso, permaneceu na companhia daqueles que importunavam os peregrinos pelo caminho. Também não usava a vestimenta especial de peregrinação, porque fazia calor demais, porém achou que, entre os indigentes, poderia evitar melhor as suspeitas. Chegou a Hedda, nos arredores da cidade sagrada, no final da caravana de peregrinos e na companhia dos mendigos.

Uma vez lá, contudo, perdeu a coragem. Era o último caravançará antes de Meca e sua última chance de evitar os terrores do haje. Conservando-se o mais discreto possível, sentou-se sob o sol, banhado pelo suor frio, balbuciando o que ele esperava que fosse entendido como preces, entre os mendigos aglomerados à beira da estrada, e esperou que a caravana passasse. Em seguida, procurou a primeira oportunidade que pôde para contornar a cidade, na companhia dos comerciantes que rumavam para o norte, para Al Jumum. Levou duas longas semanas, pois viajava a pé, mas o atraso valeu a pena por conta da relativa segurança que aquilo proporcionou, e o preço mais alto que teve de pagar em troca daquela modesta aventura de violar o decoro religioso foi uma resistente dor de barriga, causada pela inesperada esmola de carne sacrificial do haje.

Tempos mais tarde, ele descreveria em detalhes bem vívidos todas as atividades de que havia participado em Meca, e faria uma representação bastante convincente da peregrinação que ele nunca tinha feito. Sua encenação sempre produzia impacto sobre as damas, que ficavam particularmente impressionadas com seu relato vivo da hora em que ficou frente a frente com os homens da tribo do deserto, de um lado, e com os fanáticos ferozes, de outro. Porém, o que ele jamais mencionava era que suas aventuras não o levaram a se aproximar nem um pouco de seu objetivo, pois durante as duas semanas que passou pedindo esmolas na estrada que contornava a cidade e na semana extra que passou em Al Jumum, à espera da caravana que iria para Medina, não viu nenhum sinal, não encontrou nenhuma mensagem cifrada, não descobriu qualquer vestígio das atividades de Ibn Rumi e seus homens.

Porém, um dia de viagem depois de partir de Al Jumum, seu sentimento de frustração se aprofundou em desolação.

Pois, no caravançará de Usfan, descobriu que o cortejo da noiva estava à espera para se unir de novo à caravana de peregrinos: o mesmo cortejo tilintante de mulheres nupciais, com seu eunuco a postos e sua escolta de soldados efeminados. Agora ele não tinha opção; não havia como evitar a companhia dos turcos. E, uma vez que não tinha coragem de encarar o deserto sozinho, foi obrigado a fazer incursões de reconhecimento nos arredores para buscar a tribo de Harb. Quando conseguisse localizar os homens da tribo, pensava ele, iria separar-se da caravana sem demora. Quando os encontrasse, se aproximaria de Ibn Rumi sozinho. Tudo dependia da sua busca independente; tudo dependia da sua vigilância e atenção para reconhecer os sinais na estrada. Era apenas uma questão de decifrar os códigos, como fazia o Beduíno. Ele sabia que os homens da tribo escreviam mensagens na areia. Deixavam pistas nas pedras. Escreviam seu código secreto de forma tão sutil que só quem conhecia a linguagem das aranhas era capaz de ler as palavras escritas por eles na teia aberta na entrada de uma caverna. Era preciso manter seus sentidos em alerta, portanto, e examinar com rigor as dunas atrás e à frente da caravana, que se arrastava. E quando, na quarta manhã depois de partir da cidade de Meca, ele viu um objeto caindo — uma pedra, a carga que despencou das costas de um camelo? —, quando ele viu algo tombar do elevado penhasco lá na frente e afundar no desfiladeiro mais abaixo, entendeu que se tratava de um sinal.

☼

Os homens da tribo estavam lá em cima, no alto da escarpa, não havia dúvida nenhuma; por um instante vertiginoso, ele avistou os traços de suas silhuetas gravados contra o fundo do céu da manhã. Em seguida, sumiram, como o orvalho ao raiar do sol. Certamente tinham avistado a caravana que se aproximava. Era bastante provável que estivessem se preparando para atacar! Não havia tempo a perder; ele tinha de se afastar dos turcos imediatamente.

Mas a caravana havia parado. Minutos depois que o Dervixe viu o sinal da tribo, houve uma gritaria geral, choros, gemidos, maldições, berros, roncos e cusparadas, enquanto a caravana inteira foi parando pouco a pouco, até se imobilizar de todo no meio do deserto. Ele não perdeu tempo tentando descobrir o motivo. Mesmo que os chefes da caravana tivessem avistado os homens da tribo e estivessem preparando a defesa, ele sabia que tinha de alcançar a tribo antes do ataque. Mesmo que os casacos azuis de sarja dos soldados turcos, com suas baionetas reluzentes e aprumadas em perpétua prontidão, não representassem um atrativo suficiente, as riquezas a bordo da caravana justificavam o risco de um assalto. Ele tratou de se esgueirar e fugir quando os peregrinos começaram a se queixar e os guardas começaram a protestar. Embrenhou-se entre as dunas a noroeste da estrada, acima do caravançará de Khulays, onde eles haviam passado a noite anterior, e se desviou depressa, a pé, através do terreno rochoso, rumo aos penhascos acima. As trilhas ocultas que ele havia aprendido com o Beduíno exigiam a segurança digna de um bode. Já fazia pelo menos meia hora que ele estava avançando com dificuldade pelo vale, quando ouviu de repente o inconfundível zurro de uma mula às suas costas, mais abaixo entre as dunas menores. Alguém o seguia! Escondendo-se entre as pedras, num local de onde tinha uma vista privilegiada, acima da estrada, ele avistou uma figura que avançava lentamente rumo aos penhascos de Dafdaf. Era o indiano de Karáchi. O que aquele sujeito escorregadio estava fazendo ali, montado em sua mula, tão à frente da caravana? Por que seguia na direção dos penhascos?

O Dervixe não tinha confiado no indiano desde o momento em que descobriu que era muito ligado ao velho que viajava no final da caravana, entre os animais e as bestas de carga. O peregrino suspeito parecia bastante enrugado e desdentado para representar qualquer ameaça, mas era astuto, era sagaz. Tinha olhos aguçados como alfinetes. Em algumas ocasiões, o Dervixe se viu sob o incômodo escrutínio daquele sujeito, que falava um turco carregado e um persa viscoso, que o indiano dizia entender. O Dervixe concluiu que aquele suposto peregrino era da mesma região onde ele havia esperado adquirir fama e fazer carreira: a alta passagem de Kashgar. Sem dúvida, ele vinha das montanhas mortíferas do norte da Índia, onde muitos bravos oficiais e inspetores britânicos haviam perdido a vida. Sem dúvida, era um espião das tribos daquelas regiões traiçoeiras, armadas pelos russos. As frequentes conversações entre o uigur e o indiano vieram apenas confirmar as suspeitas do inglês em relação ao velho, que andava de olho nele o tempo todo desde que partiram de Meca. Ele se perguntava se não teria sido reconhecido como agente secreto e se o velho espião não teria enviado o indiano para matá-lo.

O indiano, no entanto, não avançava pela estrada para Medina como se estivesse perseguindo alguém com o intuito de matar. Andava em passo arrastado, montado em sua mula, de um jeito bastante dispersivo. De vez em quando, pegava uma garrafa com algum tipo de bebida e tratava de engolir algo que lhe provocava uma série de arrotos líquidos. Numa dessas ocasiões, chegou a entoar fragmentos de uma vaga canção. Era meio-dia cravado e as nuvens eram escassas. Quando se aproximou do local onde o Dervixe estava escondido, o gorducho esticou o pescoço e espiou ao redor, para a direita, para a esquerda, em todas as direções, como se procurasse algo ou alguém. Talvez tivesse visto os homens da tribo e também estivesse à procura deles. Quiçá também era um agente secreto!

De súbito, o indiano enxugou o suor do rosto e soltou uma praga rude. O Dervixe gelou. Seria um sinal? Será que os homens da tribo iriam agora descer correndo, atendendo ao chamado de uma praga? O pânico trovejou através das veias; o cérebro e as esperanças do Império estavam suspensos por um fio. Ele esperou debaixo das marteladas de sua pulsação irregular.

No entanto, não houve resposta ao arroto do indiano, senão o débil grito de distantes pássaros do deserto, no alto, e certo adensamento do ar, à medida que o peso do sol baixava sobre as pedras em volta deles. Não veio nenhuma resposta e, houvesse ou não algum sentido naquela praga, seu significado logo se revelou irrelevante e não houve sequer um sopro de ar em volta deles. O Dervixe se permitiu expirar lentamente. Qualquer que fosse o propósito do indiano ao sair montado numa mula debaixo da loucura do sol do meio-dia, não era nada muito bem planejado, concluiu o Dervixe, pois o sujeito tinha um ar vago e bastante disperso, parecia antes o objeto do que o sujeito de uma trama.

O indiano passou, batendo os cascos da mula, e seguiu em frente pela estrada, no implacável calor, rumo a uma pequena ruína a distância. O Dervixe observou-o por alguns momentos e depois tomou coragem para retomar seu trajeto, abrindo caminho cuidadosamente através do desfiladeiro, passando de um aglomerado de rochas para outro, cada vez mais perto dos penhascos no outro lado. Queria dar uma busca em todo o desfiladeiro de Khulays à procura do sinal atirado do alto do penhasco, pois certamente devia estar ali por perto. Queria esquadrinhar pedra por pedra, duna por duna e todas as sombras, atrás da presença dos homens da tribo, pois se eles não tinham se dispersado e descido pelo outro lado da montanha, só poderiam estar bem perto dali, à espera, de tocaia. Ele precisava se deslocar com o máximo de cuidado, de modo que os avistasse antes de ser visto por eles.

Porém, mal havia avançado algumas centenas de metros quando de súbito ouviu um brado distante e uma série de gritos abafados atrás de si. Agachando-se rapidamente para se esconder atrás de um aglomerado de rochas, estreitou as pálpebras e encarou as chamas do calor, mirando para a estrada que ele havia deixado para trás.

Mas já não havia mais ninguém na estrada. Absolutamente ninguém. O indiano e sua mula tinham evaporado! Era muito estranho. Será que ele havia sonhado? O indiano estava lá poucos momentos antes, diminuído em função da distância, mas ainda batendo os cascos da mula na estrada. Teria entrado na ruína? O sol, exatamente acima de sua cabeça, penetrava como um prego entre os olhos do agente secreto. Será que estava imaginando coisas? O Dervixe enxugou o suor da testa e olhou desconcertado para as ruínas durante alguns instantes. Será que alguém tinha acabado de se mover ali, no meio das pedras, uma sombra escura? No calor e na distância, as paredes desmoronadas pareciam crescer e separar-se. Não havia nada; ele devia ter visto miragens. Mas não era um grito o que tinha acabado de ouvir? E lá estava mais uma vez! Mas, não, havia apenas silêncio e mais nada. E sentiu uma sombra esvoaçante passar por cima dele. No alto do penhasco, na vasta imensidão do céu, as aves carniceiras giravam em vagarosas espirais acima dele. O que ouviu devia ter sido o grito das aves, concluiu, e enxugou o suor dos olhos, que ardiam.

Ele avançou devagar para o norte e o leste dos penhascos, em busca de sinais dos homens da tribo. Cada pedra podia ser uma mensagem em potencial, colocada ali de modo a significar partida ou regresso. Cada vinco na areia podia trair a presença deles ou soletrar sua ausência. À medida que abria caminho passo a passo no desfiladeiro, entre rochas e pedras e areias em movimento, e chegava, pouco a pouco, cada vez mais perto da face do penhasco ameaçador, ele começou a desconfiar de que Ibn Rumi e seus homens tinham decidido se retirar afinal. Na certa, tinham dado a volta pelo lado mais afastado e penoso da escarpa. Haviam desaparecido nos desfiladeiros de Dafdaf a fim de fazerem uma tocaia para a caravana mais à frente, na estrada que ia para o caravançará de Tuwal. Não havia ninguém ali.

Mas, antes de encontrar a tribo e seu líder, mesmo que fosse obrigado a procurar muito mais ainda, tinha de encontrar o objeto que ele tinha visto cair e que devia estar em algum lugar no pé daquele alto penhasco. Em algum ponto ali perto com certeza ele encontraria o sinal que eles tinham lançado: a pedra, a rocha, a mula, o homem. Deixou a estrada para trás e avançou contra o calor perpendicular, o cérebro fervia debaixo do sol e os ouvidos latejavam num zumbido murmurante, que se tornava cada vez mais alto. Sacudiu a cabeça, mas o denso zunido continuou lá. Tapou os ouvidos com as mãos, mas o barulho ficou ainda mais forte. Pensou se não estaria com um início de insolação, quem sabe, e fechou os olhos por alguns momentos.

Não notou a nuvem de moscas que pairava no ar, senão quando já estava quase em cima delas. Também não percebeu o indiano, que vinha em sua direção, por trás, senão quando viu o destroço de sangue e ossos na sua frente. Viu o homem morto, que havia explodido como uma fruta madura sobre as pedras, quase no mesmo instante em que se virou para ver o homem vivo que vinha montado na mula em sua direção, com a boca escancarada, um abismo no meio do rosto, dentro do qual as moscas pululavam. E, pelos olhos vidrados do morto e do vivo, ele entendeu que nem um nem outro o viam. Com o coração batendo forte, se agachou atrás de uma pedra volumosa, postada como uma sentinela diante da lateral do penhasco, e observou aterrorizado enquanto o indiano se aproximava.

O homem parou a alguns metros dele e deixou o corpo escorregar da mula. Parecia estar apenas semiconsciente quando desabou no meio das pedras. O peito e a barriga estavam cobertos de sangue. Parecia que o rosto, onde antes estivera a boca, tinha desmoronado para dentro e ele chiava e engasgava, emitia uma estranha mistura de gargarejos e gemidos. Pareceu ficar remexendo no chão à sua frente, com as mãos, em busca de algo entre as pedras. Aparentemente, não tinha visto o corpo morto. O cadáver jazia, se desmanchando e apodrecendo no calor, a poucos passos do inglês suado, uma massa de moscas fervilhantes e de ossos fraturados. Visão medonha. O Dervixe desviava os olhos do rosto do cadáver. Não conseguia tomar coragem de olhar; era revoltante demais para ser humano. E as aves carniceiras que estavam rodopiando no alto agora baixavam mais para perto, grasnando e cacarejando como gansos hediondos. Algumas já haviam pousado próximas ao corpo e o picavam e beliscavam perfidamente.

O indiano parecia em estado de choque. Ficou encolhido e encurvado numa bola, no meio das pedras quentes, fitava o espaço ardente diante dele, sob o sol trovejante, com aquele barulho engasgado, chiante, que saía do buraco sangrento no meio da cara, enquanto as moscas armavam um turbilhão à sua volta. Será que devo chegar perto?, pensou o inglês. O homem precisava de ajuda, isso era óbvio. Mas o que eu posso fazer por ele?, pensou. De um jeito ou de outro, o pobre coitado já estava fora do alcance de qualquer socorro. E aí seus pensamentos dispararam, os pedacinhos daquele seu quebra-cabeça de suspeitas se movimentaram e ele pensou: Ah! E se isso for só uma armadilha? Um ardil?

O indiano parecia obcecado com algo que estava à sua frente. O que era? Quando o indiano ergueu o alforje no meio das pedras, todos os pedaços do quebra-cabeça se encaixaram. O Dervixe viu e compreendeu no mesmo instante. Lá estava! Exatamente o objeto que ele tanto procurava! O indiano abriu o alforje em cima dos joelhos. Tirou de dentro dali algo semelhante a um embrulho de papel. Desembrulhou-o, oscilando como um bêbado, e se curvou sobre ele. Imediatamente, o Dervixe entendeu que se tratava do sinal jogado do alto do penhasco pela tribo. Era o sinal, e o indiano tinha encontrado primeiro! Também ele andava atrás daquilo, pois obviamente era um espião. Era isso! Estava associado com o velho, que era um agente russo, e agora eles tinham descoberto a mensagem de Ibn Rumi antes dele! Era preciso recuperar aquilo. Sem demora.

Os pensamentos do Dervixe corriam em disparada. Obviamente o indiano não estava em condições de lutar. Estava zonzo e enfraquecido com a perda de sangue. Também não tinha o controle das faculdades mentais, pois de que outro modo ficaria sentado tão perto do cadáver em putrefação, e fervilhante de moscas, sem perceber? De que outro modo poderia o Dervixe observá-lo sem ser visto? O homem estava claramente fora de si. Quem quer que tivesse massacrado sua língua havia também arrancado outras coisas, que os olhos não enxergavam. Ele parecia privado dos sentidos. Mesmo agora, delirava. Gemia e balançava para um lado e para outro, balbuciando barulhos incoerentes. Exigiria quase nenhum esforço e muito pouca coragem tomar dele o alforje.

No entanto, no momento em que o Dervixe decidiu sair de seu esconderijo e arrancar o alforje do abobalhado indiano, ouviu um assovio. Foi um assovio cortante, tão próximo que o abalou fisicamente e o fez agachar-se mais ainda em seu esconderijo, e tão alto que repercutiu na face norte do penhasco, onde ficavam as rochas distantes, nas cercanias da ruína, no outro lado da ravina. Um assovio agudo e limpo, que fez um calafrio de terror correr pela sua espinha e que cortou o calor como uma faca de gelo. Era um sinal da tribo.

De súbito, no mesmo instante em que ele captava seu significado fatal, viu um bando de homens surgir como fantasmas, como miragens, como espíritos emanados das próprias pedras, subindo e avançando a cavalo, à medida que se elevavam. Os homens da tribo! Homens e cavalos, tão bem escondidos dos dois lados da ravina que nunca poderiam ser vistos a olho nu. Havia uns cinquenta pelo menos, ocultos entre as construções em ruínas e as pedras, ao norte da estrada. Fantasmas do deserto armados com espingardas e facas. E, a um sinal, eles se ergueram como uma nuvem de gafanhotos e cavalgaram depressa pela estrada para Medina ao som de chicotadas cortantes. Em poucos segundos, todo o bando havia desaparecido num trovão de cascos e numa nuvem de poeira, no meio do calor distante. O som do assovio ainda ecoava em seus ouvidos, quando a poeira dos cascos já havia pousado nos lábios do Dervixe.

E então ele se deu conta do que havia perdido. Havia passado no meio dos homens escondidos e não tinha visto ninguém! Tinha perdido a última meia hora e também tinha perdido a chance de encontrar o homem que tanto procurava. Precisava ir atrás deles imediatamente; precisava interceptá-los a todo custo. De repente, num lampejo de compreensão, se deu conta do que tinha acontecido com o indiano: na certa, havia esbarrado com Ibn Rumi por engano. Assim como o Dervixe, tinha vindo com uma proposta do agente russo, mas chegara de maneira imprevista e sua proposta não tinha sido aceita. Mais razão ainda para que a missão do Dervixe fosse bem-sucedida!

Sem pensar mais no alforje, o Dervixe se esgueirou para fora do esconderijo. O indiano sequer chegou a erguer a cabeça ou notar sua presença, e as moscas à volta do corpo em putrefação se limitaram a subir e rodar quando o inglês passou roçando por elas. Um olhar afobado, de relance, para o rosto do cadáver fez subir à boca um ímpeto de náusea; achou o rosto estranhamente familiar. E então começou a correr, ofegante, no meio das pedras e das depressões da ravina, rumo à ruína do outro lado. Corria sem fôlego e, quando alcançou o santuário arruinado, a caravana também havia chegado lá.

Ele nem percebeu que ali havia um poço, onde os peregrinos se juntaram numa alegria festiva. Nem parou para beber água e não deu atenção à discussão que estourou entre os chefes da caravana, em torno dos quais todos os peregrinos se aglomeraram e gesticulavam desvairadamente. Com um medo febril de ser visto pelos olhos brilhantes demais do velho peregrino, que sempre o vigiava, ele soltou um dos belos cavalos árabes, que estava atrás das mulas, apanhou uma bolsa de água para lhe dar sustento e, em poucos minutos, já estava galopando furiosamente pela estrada rumo a Medina, na direção tomada pelos homens da tribo pouco antes.

☼

O inglês jamais contou para ninguém a futilidade de sua busca nas horas seguintes. Jamais contou para ninguém que havia se perdido e vagado sem rumo, quase o dia inteiro, até Buraykah, nem que havia entrado em pânico no deserto vazio, porque não conseguia encontrar a estrada para Tuwal. Não contou para ninguém seu comportamento vergonhoso quando esbarrou com três viajantes, entre as dunas, e que ficou histérico só de avistar o turbante verde e o brilho de uma pérola na orelha de um escravo. Tinha fugido em pânico na direção contrária, imaginando que era perseguido por bandoleiros, e por isso perdera a estrada por completo. Nunca admitiu o que foi que bebeu, depois de ter sugado os últimos refugos que gotejaram tépidos de sua bolsa de água ressecada, no meio do nada, e que ele chorou ao redescobrir a estrada nas passagens montanhosas de Dafdaf, varridas por ventos. Desse ponto, retornou para Meca, porque estava completamente desorientado, e se viu voltando para a caravana, mais adiante, a meros três farsang de distância do caravançará de Khulays, que ele tinha deixado naquela manhã. E não chegou a ver nem de longe os homens da tribo de Harb ou seu líder, em todas as suas deambulações infrutíferas.

Jamais contou para ninguém aquele episódio e, em anos posteriores, chegou a se convencer de que fora um desvio fortuito, porque, quando se uniu de novo à caravana, os guardas do cadáver tinham se amotinado, desafiando os chefes da caravana, e estavam retornando. Estavam levando todos os seus animais de carga de volta, a meio caminho de Tuwal, e seguiam novamente para o poço. E o dervixe foi com eles.

As razões que dava para seu regresso ao poço, em anos posteriores, se disfarçavam de uma lógica fria. Dizia que fez aquilo porque precisava evitar a associação com a escolta turca da noiva, para ter chance de travar contato com Ibn Rumi. Se tivesse permanecido ali, teria sido morto junto com todos os outros peregrinos, dizia ele, nas mãos da tribo de saqueadores que tomou a caravana de assalto a apenas três ou quatro farsang do poço. O que ele não contava para ninguém era que os bandoleiros que atacaram a caravana nada tinham a ver com a tribo de Harb, como descobriu mais tarde. Porém, daquele modo, a aventura se tornava mais perigosa e aquela honraria ganhava mais brilho. Contava também que tinha retornado com os guardas, montados em mulas, a fim de recuperar o alforje, que ele tinha visto pela última vez de posse do indiano, do outro lado da ravina, em frente à ruína, ao pé do penhasco. Afinal, talvez fosse por isso que ele acabara perdendo todo o rastro da tribo. Como o último sinal que ele vira dos homens da tribo tinha sido lá, na ravina, entre os altos penhascos de Dafdaf e o poço de Abwa', ele foi levado por uma espécie de instinto cego a voltar para aquele local, como se ali estivesse guardada alguma mensagem para ele, e que ele não havia decifrado, como se ainda precisasse ser mais bem traduzida. Entretanto, não havia nenhuma lógica em sua decisão. Isso, é claro, ele não admitia nem para si mesmo. O que ele dizia era que o sucesso de sua missão dependia de seu regresso ao poço.

E assim fez. Retornou na direção do poço junto com os irritados guardas, montados em mulas, e, durante todo o percurso, conversava com eles sobre o cadáver, com franqueza e uma ponta de provocação, o que envolvia algumas piadas de bastante mau gosto, além de certa quantidade de cotoveladas nas costelas e piscar de olhos, com insinuações muito rudes, da parte deles. Pelo visto, haviam deixado o cadáver junto ao poço por engano e essa era a razão para voltarem agora, explicaram. O fedor azedo do cadáver havia acompanhado a caravana nos primeiros três dias de jornada a partir de Meca, e o Dervixe ficava muito aliviado, quando fazia suas incursões nos montes ao redor, por se livrar dos odores nauseantes que a cada dia aumentavam de forma abominável. O hábito dos maometanos de vagar pelo interior com seus cadáveres lhe parecia algo bizarro e bárbaro. Porém, embora causasse indignação viajar na companhia de um cadáver, parecia ainda mais repreensível deixá-lo para trás. Cabia aos guardas levar o cadáver até Medina para o enterro e já tinham sido pagos, com uma gorda quantia, pelo próprio morto, para protegerem seus bens ao longo de todo o trajeto até Damasco. Contudo, por acidente ou de propósito, o defunto proprietário da valiosa tropa de mulas fora deixado para trás. O Dervixe desconfiava de que os guardas tinham o plano de fugir com os bens do morto e que, na verdade, estavam indo para Jidá. Seu palpite era de que não tinham a menor intenção de resgatar o cadáver. Supôs que era esse o significado das cotoveladas e do piscar de olhos, porém estava completamente despreparado para o ataque deles. Apesar de sua aguda sensibilidade para os motivos nefastos dos outros, não tinha levado em conta que os guardas também podiam desconfiar de seus motivos. Quando perguntavam por que tinha resolvido ir com eles, explicava que preferia sua companhia à do chefe da caravana e, como desculpa, usou o fato de não ter oferecido suas canções e suas danças aos jinns e espíritos na ruína. Havia elaborado uma bela mixórdia de superstições absurdas, entremeadas com referências a sonhos e prodígios e também ao amor do vinho e de mulheres, a fim de lhes dar a impressão de que era um simplório religioso, com apetites epicuristas. Considerava suas razões e seu sotaque cantado bastante plausíveis, e as piadas grosseiras dos guardas o levaram a acreditar que sua representação era tão convincente que nem se deu conta de que não acreditavam em nenhuma palavra do que ele dizia. Não se deu conta do verdadeiro significado de suas cotoveladas e do piscar de seus olhos. Tinham descoberto seu disfarce muito rapidamente e, embora não pudessem adivinhar o que havia trazido aquele charlatão estrangeiro para junto deles, interpretavam sua decisão de voltar para o poço com eles como algo motivado pela mais pura e cristalina ganância. Para eles, sua presunção blasfema não valia um figo seco, mas certamente não deixariam que ele levasse nenhuma parcela do tesouro roubado.

A um breve farsang de distância do poço, os guardas se voltaram contra o Dervixe, empunhando facas e porretes. Se não fosse a pistola que guardava escondida no cinto e os reflexos excelentes de seu garanhão arisco, teria sido arrancado de seu cavalo, e isso, como ele nunca se cansava de contar para suas plateias femininas em anos posteriores, teria sido seu fim, pois aquele era um bando de selvagens. Porém, embora violentos, estavam desarmados. Por consequência, foi capaz de dispersá-los com alguns poucos tiros certeiros. Causou pânico ao matar duas mulas e depois rompeu seu cerco e disparou rumo à ruína distante, bem na hora em que a tempestade de areia caía sobre eles.

☼

O Dervixe passou a tempestade de areia abrigado dentro do poço abandonado. Em parte por medo, em parte para se proteger, deixou seu corcel árabe entregue à tempestade e à fúria frustrada dos guardas e então desceu pelo poço, agarrando-se às paredes, o mais depressa que pôde. A tempestade de areia uivava através dos arcos partidos do santuário em ruína e transformava o ar numa borbulhante espuma de areia, acima dele. Não ouviu nada mais do que sua voz esganiçada durante as horas seguintes, e o clamor de suas mil línguas de vingança no funil do poço. A cada segundo, imaginava que os guardas estavam descendo em seu encalço numa perseguição implacável. O poço ecoava, retumbava e bramia com os turbilhões do vento aprisionado. A fúria era tanta e ele estava tão apavorado que não se atreveu a voltar à superfície antes que a tempestade amainasse. E, a essa altura, ele estava sedento e abatido. Foi a sede que por fim o levou a sair do esconderijo, pois tinham se passado horas desde a última vez que bebera alguma coisa e sua alma estava árida de desolação. Teria escalado o poço e saído imediatamente quando o uivo do vento esmoreceu, se não tivesse ouvido de repente um barulho curioso em algum lugar perto dele. Era um chamado estranho e agudo, quase uma canção, numa voz que vagamente achou que conhecia. O som se ergueu como uma ave e pairou no ar perto dele. E então, também subitamente, desapareceu. Tenso e desesperado, ele esperou uns minutos, tentando ouvir algum sinal de uma possível perseguição, antes de decidir verificar que som era aquele. Seguindo na direção de onde tinha ouvido o barulho, descobriu uma espécie de fenda que dava num canal estreito, no fundo do poço seco. E quando finalmente tomou coragem para rastejar através da fenda, se viu emergir na ravina, logo abaixo da ruína. Como temia atravessar a estrada que ficava exposta à lua, de aspecto mórbido, preferiu escalar a escarpa rochosa rumo à parede norte do santuário. Foi assim que ele se salvou da areia movediça e encontrou o poço novo, repleto de água limpa, sob a luz da estrela da tarde.

A essa altura, a noite havia caído. O vento amainara e não havia nem sinal dos guardas e de suas mulas. O cavalo do Dervixe também tinha desaparecido. Mas pelo menos tinha saído com sua vida intacta, apesar de haver algo irrecuperável na natureza de seu salvamento. Sentia uma afinidade curiosa com o cadáver renegado, o qual ele localizou pelo cheiro. Seu adocicado fedor de putrefação, na hora em que galgava a ravina em sua direção, era familiar a ponto de representar quase um conforto para o Dervixe. Pois ele sentia sua desolação de forma aguda naquela noite.

Foi uma noite terrível, aquela que passou em companhia do cadáver no santuário em ruínas, junto ao poço. Era uma noite de vazio, uma noite em que teve de encarar todos os seus fracassos, toda a sua covardia, a sua mediocridade, a perda de todas as esperanças de voltar para casa em triunfo com sua missão cumprida. Nunca se sentira tão despojado de estratégias, tão exaurido de planos. O que deveria fazer agora? Para onde deveria ir? Que tipo de vazio era ele?

Em algum ponto no meio daquela noite, o dervixe viu o brilho distante de chamas na direção dos penhascos. Não tinha conseguido dormir, pois os odores pútridos do cadáver penetravam em seus sonhos espasmódicos e faziam o Dervixe se virar para um lado e outro, deitado no canto da ruína. Chegou a se levantar com um pulo e dar um grito sufocado depois de um sonho aterrador em que o cadáver tinha esticado o braço putrefato em sua direção, do outro lado da parede norte da ruína. Agarrou-o com força, com os dedos pútridos, e empurrou lodo puro pela sua garganta adentro. Ele se desvencilhou do sono a muito custo, a fim de escapar daquele ataque, e saiu da ruína correndo, trêmulo de pavor. Depois de encharcar a cabeça e os ombros na água fria do poço para banir o cheiro nauseante do sonho, recuperou um pouco a razão. E foi então que avistou o brilho de uma fogueira na direção do penhasco.

Uma fogueira ao pé do penhasco? Devia ser um sinal! Os homens da tribo tinham se reunido outra vez no mesmo lugar onde ele os tinha visto mais cedo naquele mesmo dia. Chegou a imaginar que ouvia o som de vozes voando através da ravina, como se estivessem festejando ao redor das fogueiras, como se estivessem celebrando o assalto. Sem dúvida nenhuma, estavam lá! Mas será que ele teria coragem de chegar perto dos bandoleiros na hora mais negra da noite? Teria a audácia de rastejar através da ravina traiçoeira, no escuro, sob os olhares intermitentes do luar mórbido? Seria tão destemido a ponto de tentar descobri-los, tropeçando pelas rochas e se desviando das areias movediças que havia no caminho? E se os homens da tribo o avistassem e o matassem, sem fazer qualquer pergunta?

Não. Ele não tinha coragem. Estava morto de medo. Por mais que quisesse ver sua missão cumprida, sentia mais medo de encontrar a faca de Ibn Rumi no meio da noite do que de imaginar como fazer para encontrá-lo de dia. Admitir aquilo assinalou o ponto mais baixo que sua autoestima já havia alcançado. Deu-se conta de que não tinha conseguido recuperar o sinal jogado do alto do penhasco naquela manhã, não tinha conseguido seguir a tribo quando partiram como um trovão ao meio-dia e agora, por fim, também não tinha conseguido encará-los à noite. Rastejou de volta para a ruína, que fedia com o odor de podre que o cadáver exalava, e entendeu que teria de encarar a desonra ao regressar para casa e dar prova de que os irmãos tinham razão. Seu vazio o engoliu.

Quando despertou, na hora mais escura que antecede o amanhecer, com a chegada do que pareceu ser mais um cadáver nas costas de uma mula, o Dervixe, de início, pensou que ainda estava preso em seu pesadelo. Agachou-se bem baixo, entre as sombras, ao lado de algumas cinzas e restos de brasas, no canto da ruína, e se esforçou para enxergar na semiescuridão. A mulher — pois, por causa dos gemidos, logo se tornou evidente que ainda não se tratava de um cadáver — foi trazida para a ruína por um sacerdote sem turbante, que ele identificou como um dos peregrinos da caravana. Pela condição de ambos, ficou claro que eram talvez os únicos sobreviventes de um assalto. O sacerdote tinha um talho feio nas têmporas, mas, fora isso, parecia não ter se ferido. A mulher, no entanto, não ia sobreviver muito tempo. Seu estado era mais grave. Ele julgou que ela morreria em uma hora.

O que chamou a atenção do Dervixe, no entanto, foi o alforje amarrado no flanco da mula. Será que era o mesmo alforje que ele tinha visto por um momento nas mãos do indiano naquela manhã? Uma coincidência impossível. Os alforjes são muito parecidos uns com os outros, pensou ele. Sem dúvida, estava imaginando coisas e a luz era fraca demais para ele distinguir qualquer coisa com nitidez. Não tentou falar com os dois e eles até pareciam não ter consciência de sua presença. Mas quando a mulher, com insistência, pediu que o alforje fosse aberto e ele viu o sacerdote retirar um embrulho de papéis de dentro dele, ficou de pé, com um salto, e se aproximou para ver.

Nesse momento, o sacerdote se virou para ele.

— Mantenha seus dedos imundos longe de mim, seu cachorro! — rugiu.

O Dervixe recuou, surpreso; ficou desconcertado com a energia violenta do homem. Quem esse clérigo insignificante estava pensando que era? Mas os instintos diplomáticos levaram o inglês a se conter. Sufocando um desejo de esmurrar o boçal entre os olhos, convocou em seu socorro seus poderes dramatúrgicos e fez uma representação bastante convincente de um Dervixe servil e mendicante, que implorava perdão por sua arrogância, mas tudo o que queria, se o estudado e jovem cavalheiro se dispusesse a render homenagem àquele analfabeto, tudo o que ele queria era saber que palavras sagradas se encontravam dentro daqueles rolos inestimáveis, pois certamente tinha sido a Mão de Deus que os trouxera ali para iluminar aquela Noite Escura e levar um pecador miserável ao Limiar da Iluminação.

Apaziguado, o sacerdote pedante permitiu que o Dervixe espiasse a página que a mulher lhe dera. Era uma única linha escrita, uma invocação, disse ele. Então ele fez uma breve explanação para a alvorada e para o Dervixe curioso sobre a alta categoria daquela caligrafia, sem a menor sombra de dúvida, grafada por um mestre, um texto vazado numa linguagem que refletia os tons sagrados do mais santo dos livros. O que parecia estranho, prosseguiu o sacerdote, em voz anasalada, pois era de todo diferente de qualquer coisa que se podia encontrar no Corão. Ele entoou as palavras e depois caiu num silêncio profundo. Pigarreou nervoso, abriu outro embrulho e dele saiu mais um rolo de papel, coberto com a mesma caligrafia refinada.

O Dervixe espiou por cima do ombro do sacerdote, bastante aborrecido. Alta categoria da caligrafia? Uma letra rara? Para ele, é claro, aquilo não fazia nenhum sentido, mas achou a caligrafia muito bonita e refinada, de fato, à luz do sol nascente. Sua imitação do idioma não lhe permitia alcançar nem as mais remotas fronteiras da capacidade de ler; no entanto, às vezes ele gostava do feitio das palavras. Porém, talvez aquilo fosse mesmo um achado afinal. Examinou com mais atenção os riscos das letras. Pareciam dançar sobre a página. Mesmo que não obtivesse sucesso em fazer contato com a tribo de Harb, e assim ganhar fama imortal como agente político, talvez conseguisse pelo menos voltar com algo semelhante a um troféu. Talvez conseguisse ganhar renome como o descobridor de um manuscrito raro de um calígrafo desconhecido, cujo estilo, até então, ninguém no Ocidente tinha visto, algo desconhecido até pelo Museu Britânico. Outros voltaram para casa com inscrições cuneiformes e com as ruínas de Nínive, logo, por que não poderia ele também assombrar o mundo ocidental com um exemplo raro de caligrafia persa?

Porém, no exato momento em que começava a vislumbrar

aquela possibilidade, o sacerdote de súbito amassou o papel que estava lendo e, com uma praga violenta, jogou-o no poço seco. Depois se virou e afastou-se da ruína em passos largos. O Dervixe hesitou por um momento, em dúvida. O que aquilo significava? Seria a qualidade da caligrafia menos importante então do que o sujeito pedante havia imaginado? Seria o estilo menos suntuoso? Ou suntuoso demais? Havia ali possibilidades angustiantes.

O alforje continuava meio aberto, estufado com seu conteúdo misterioso sobre o chão, ao lado da mulher moribunda. O Dervixe esperou um segundo para ver se o sacerdote ia voltar. Não voltou. Devagar, suavemente, se curvou para pegar o alforje, e tinha acabado de fechar a mão em suas alças a fim de puxá-lo para si, quando a mulher teve um sobressalto e retornou a um estado de vaga consciência. Voltou os olhos imensos para o Dervixe. Ele viu, com medo dilacerante, que seu rosto estava cruelmente marcado pela varíola e que era uma africana. Não tinha se dado conta disso antes. A mulher estava deitada na sombra e ele apenas notara o sangue que escorria de seu corpo, numa poça cada vez mais larga. Ela estava à beira da morte, por causa de sabe-se lá que doença. Depressa, sem nenhuma palavra, ele puxou o alforje e tirou-o de perto dela. Segurou-o com força entre os braços, enquanto se afastava ligeiro para as sombras. Talvez estivesse contaminado, mas ele ia correr o risco. Aquela coisa podia ser valiosa.

A mulher mantinha os olhos reluzentes cravados nele. Quando o Dervixe se virou e olhou para ela outra vez, a mulher sorriu para ele da maneira mais bela, como um raio da alvorada. E morreu.

☼

O Dervixe voltou para Constantinopla pelo golfo de Ácaba e por Damasco e ampliava seus triunfos a cada passo. Tinha feito contato com a tribo de Harb. Tinha concluído sua missão de forma brilhante. Tinha trocado juramentos de lealdade com Ibn Rumi, dizia ele, selados com sangue. Sua Majestade Britânica, ele afirmara para aquele campeão na luta contra a opressão, defenderia a causa da liberdade, acudiria em defesa dos oprimidos em toda parte, apoiaria a causa da justiça contra a causa da iniquidade. Era só uma questão de definir o preço; e garantir isso, explicava ele, tinha sido o fruto de sua missão. Havia sobrevivido às mais terríveis agruras e suportara os mais aterradores perigos por essa causa; havia padecido a sede e o calor causticante com aquele fim. Tinha encarado o terror indescritível do haje e, acima de tudo, conseguira, por mero acaso, pôr as mãos naquele tesouro de manuscritos, grafados numa caligrafia rara e requintada, que ecoava a linguagem solene e a mística dicção do Corão. E, para assombro de todos, tinha descoberto aqueles exemplares de caligrafia no meio do deserto. Eram únicos, pois ninguém jamais vira tamanha qualidade na arte da poesia. Os que leram aquilo afirmaram que sua beleza era capaz de despertar o terror na alma. O embaixador se debruçou sobre a escrivaninha e folheou algumas das páginas contidas nos rolos e maços que tinham sido abertos na sua frente. Estava profundamente irritado com seu adido. O sujeito detestável não só voltara vivo, com o aspecto de um deus de ouro, com seus malditos músculos explodindo numa atração irresistível, como também sua miserável missão no meio do deserto havia conseguido atrair um bocado de atenção. Em Whitehall, falavam até em lhe dar uma promoção. E afinal que lixo era aquele que ele tinha trazido? O embaixador se orgulhava de seu conhecimento do persa e do turco. Ajeitou o pincenê no nariz e fitou as páginas à sua frente, com olhar vazio, as têmporas latejantes. A raiva ciumenta o impedia de enxergar.

— Ah, meu caro, receio que você tenha sido horrivelmente ludibriado — murmurou, entre dentes. — Nunca vi tamanha asneira em toda minha vida.

O jovem adido se mostrou um tanto desolado, mas não por muito tempo.

— Fui informado pelas pessoas mais abalizadas que se trata de uma descoberta fora do comum. É uma caligrafia de qualidade tão rara...

Mas o embaixador tinha perdido a paciência.

— Que vai servir para minha mulher fazer cachos no cabelo — retrucou, rude. Ficou vermelho como uma lagosta e fez um gesto para o adido se retirar. O jovem sorriu de forma polida, enquanto juntava os maços e rolos e enfiava no alforje. Um diplomata excelente. Mesmo quando se curvou e saiu da sala, sabia que sua carreira estava assegurada e que seu renome estava garantido.

☼

O conteúdo do alforje foi amplamente distribuído.

A esposa do embaixador reivindicou uma boa parte para si e compartilhou aquilo com damas de tendências místicas, quando o marido se aposentou e foi para Londres, pouco depois. Ela ficou muito empolgada com a forma como o jovem adido havia arrancado o alforje das garras da morte certa. Quando alguns dos textos foram traduzidos para ela por um dragomano veneziano na embaixada (o qual também deu provas de grande interesse pela caligrafia e conseguiu furtar uma ou duas amostras sem o conhecimento da dama), ela pôs os textos em lindas molduras que circularam, durante a década seguinte, entre amigos de interesses artísticos, com predileção pelos pré-rafaelitas. Muitas vezes, ela declarava que aqueles fragmentos do deserto eram uma lembrança autêntica da verdade dos Evangelhos e ecoavam o Cântico dos Cânticos. Lindamente impetuosos, dizia.

Um médico inglês que estava de regresso para Tabriz, através de Constantinopla, uma década depois, aventurou a hipótese de que havia talvez encontrado o autor daqueles textos, que recordava ser um homem de maneiras brandas e voz melodiosa. Um orientalista alemão ficou tão inspirado com alguns dos textos que, depois que retornou de suas pesquisas na Pérsia, fundou uma comuna em Freiburg, onde diziam que as mulheres tinham direitos iguais aos homens e viviam sem nenhuma obrigação de consumar seus casamentos. Alguns outros rolos do alforje foram esquadrinhados por um famoso filósofo francês que passou por Constantinopla anos depois. Achou-os notáveis por sua audácia e considerou-os o melhor exemplo da influência da filosofia francesa no pensamento do oriente médio. Pouco a pouco, os textos cumpriram seu trajeto de Paris para os porões de galerias e os sótãos de depósitos de museus em toda a Europa. Um deles chegou a ser localizado, nos primeiros anos deste século, numa biblioteca de São Petersburgo, onde foi permitido, mesmo depois que os bolcheviques chegaram ao poder, que ficasse em exposição permanente, sob uma lâmpada fosforescente, para a maravilha dos liberados.

Um grande número de rolos ficou apodrecendo na embaixada britânica e continuaram esquecidos, até que um incêndio quase destruiu o prédio, pouco depois da Revolução dos Jovens Turcos, na virada do século, ocasião em que foram resgatados e identificados por um dos secretários de baixo escalão como exemplares de uma escrita em código raro, que continham segredos de Estado que deviam ficar trancados num cofre para a posteridade.

Alguns acabaram chegando ao Museu Britânico, onde sobreviveram a blecautes e ataques aéreos, na companhia de escovões e vassouras abandonados, para serem descobertos mais tarde, por um zelador em busca de cupons de rações de alimentação esquecidos depois da guerra e que os vendeu por meros centavos para um homem que tinha uma barraquinha em Portobello Road. Outros foram salvos graças a um grave erro de um arquivista mal remunerado, pois foram enviados para Nova Iorque, via Nápoles, a bordo do vapor Cedric, em vez do navio Titanic, e portanto sobreviveram ao naufrágio, para acabarem dispersos numa série de lojinhas de antiguidades em certo quarteirão de Nova Iorque, lojas que hoje em dia se especializaram em caligrafia oriental falsificada.

Na virada do século, um jovem falacha convertido ao cristianismo por um homem que tinha morado em Constantinopla décadas antes topou com um documento entre os papéis de seu professor falecido, o qual trazia um selo que ele prontamente reconheceu como pertencente ao Messias retornado. Fez questão de emigrar para a Palestina, onde tentou converter os monges do Mosteiro dos Carmelitas em favor da sua opinião, para grande embaraço da Sociedade para a Conversão de Judeus e também dos líderes da Colônia dos Templários Alemães, estabelecida na região. Os grupos sionistas, no entanto, o ignoraram, bem como seus argumentos, e o caso foi abafado antes que pudesse chegar à imprensa ocidental. É difícil saber quantas outras pessoas podem ter encontrado algum conteúdo do alforje. Mas o que é incontestável é que a bolsa em si, esvaziada de seu fardo, foi guardada por muitos anos pelo adido inglês, como lembrança de suas aventuras heroicas no deserto árabe. Primeiro, deixou-o pendurado na parede acima de sua escrivaninha, na embaixada de Constantinopla, e depois, quando foi promovido a cargos mais elevados, manteve o alforje no escritório de sua casa, para aguda irritação da esposa, que só estava à espera da primeira oportunidade para jogar fora aquela coisa nojenta.

O Cadáver

Meu cheiro é como meu nome, pensou o Cadáver. Está vinculado à minha identidade e não consigo lembrar quando foi a última vez que não exalei mau cheiro. Faz tanto tempo que venho cheirando mal que minha memória está saturada de mim mesmo, pensou ele, quando quis dar os passos e subir os degraus.

Então ele tentou se soltar um pouco. Foi difícil, porque não havia treinado aqueles passos nem quando estava vivo. Mas deu certo.

Vivemos como se fôssemos viver para sempre, pensou o Cadáver. E quando morremos, achamos que vamos ficar cheirando mal para sempre. Mas não é verdade, nem uma coisa nem outra; é uma questão de desapego.

Durante a vida, ele não queria respostas para aquela pergunta. Durante a morte, no entanto, as respostas exigiam ser formuladas.

O Cadáver pensava sem ajuda das células cerebrais. Ele passava pela mente dos outros, como um cheiro ruim. Vivia na memória dos outros por breves momentos. Era lembrado, de forma intermitente, como resultado da irritação. Mas, naquela altura, ele se sentia grato por qualquer coisa. Usava aquelas fusões para pertencer aos outros. Usava aquelas interações ocultas para evocar a vida com os outros. Aquelas artes, embora pouco desenvolvidas, não estavam inteiramente atrofiadas nele. Só que ainda estava muito longe de poder dançar.

Teve ajuda, é claro. A luz das estrelas o socorreu. A pura beleza das dunas do deserto testemunhou a seu favor. Anjos de todas as denominações o apoiaram em silêncio. O Cadáver não estava sozinho naquela difícil transição, mas não tinha absolutamente o domínio necessário. Desejava com ardor estar mais bem preparado para dar os passos daquela dança.

Tal desejo, ele se deu conta, com espanto, era uma espécie de prece. Embora ele preferisse um tipo mais bruto de negociação em vida, quando a prece do mercador subiu de dentro do poço durante sua morte, ele compreendeu, com absoluta certeza, que se tratava de uma bênção. Sentiu inveja do ladrão que era o alvo da bênção. Quem dera ele ganhasse bênçãos em vez de imprecações.

Os degraus que estava subindo levaram a uma sala, cujas janelas captavam o sol através de fragmentos coloridos e projetavam uma multidão de cores dançantes, em curiosas inter-relações.

Se vivêssemos como se fôssemos morrer para sempre, o cheiro não seria um obstáculo tão grande, pensou o Cadáver. Ficaríamos livres para seguir a dança.

Entretanto, ele não tinha feito isso. Bem ao contrário. Subiu aqueles degraus sem a ajuda de preces e tropeçou. Atribuíra a si mesmo o tipo de bênção que não podia permitir o aniquilamento da identidade pessoal. Não havia prestado atenção ao significado das transformações infinitas, das descobertas além de suas próprias fronteiras, da sutileza daquela dança da imortalidade. E assim ele se demorava mais e mais, como um cheiro ruim.

Quem dera eu não tivesse nome nem identidade, já que isso

vale tão pouco, pensou ele. Deveríamos viver como se fôssemos morrer para sempre. Faz mais sentido.

Porém, aquilo já estava se tornando difícil demais. Na condição de comerciante, ele havia desenvolvido uma forte capacidade de pesar seus gastos em relação ao valor de seus lucros, mas aquelas sutis fusões, aqueles enigmas e relacionamentos cruzados já se situavam fora do alcance dos recursos que ele havia desenvolvido. Ele precisava de mais do que a luz das estrelas, de mais do que o luar, para chegar àquelas transições entre os pronomes pessoais. O sol que reluzia através dos vidros coloridos das janelas na sala do primeiro andar vinha retificar a dança, porém ele não conseguia seguir os passos sem angústia. Eles saltavam para trás, para um momento específico que o enchia de uma dor lancinante. Foi só com o máximo esforço que ele conseguiu encaixar as peças. Havia uma resposta relacionada àquela questão do desapego, ele se deu conta.

Ele se encontrava num pequeno pátio, onde crescia uma única laranjeira bem carregada, ao lado de um poço. O ar exalava o perfume de flor de laranjeira, nascida de uma única semente, de liberdade infinita. Havia uma porta do outro lado do pátio e ele podia ver os degraus, mais além, que subiam ainda mais. Sempre mais para cima. A serva abissínia, na porta, lhe disse que seu senhor o aguardava na sala, no alto. O senhor dele.

Ele tinha dado algumas mercadorias para o jovem vender em sua ausência. Ao regressar, descobriu que os preços tinham caído drasticamente e o valor de suas mercadorias era muito mais baixo do que havia combinado originalmente com o mercador. Mas esse último fez questão de lhe pagar a quantia que ele esperava receber, muito mais do que as mercadorias tinham rendido de fato. Ele insistiu. Agir de outro modo seria contrário à lei da confiança, disse ele.

Achou que o sujeito era um tolo e um ingênuo. Havia tentado enganá-lo. Mas a lei da confiança determinava a reciprocidade. Não conseguiu agir com o mercador conforme a lei da confiança. No entanto, o mercador era um sayyid, nada tinha de tolo. Antes de partir em sua peregrinação, ele havia encerrado todas suas transações comerciais e deixara a nu sua trapaça.

Seus passos tropeçavam quando ele subiu a escada rumo à sala no primeiro andar. Havia algo no caminho barrando sua passagem, algo a que ele tinha de dar um nome. Passou por cima de uma sombra que exalava um cheiro. Ele mesmo. Ele havia quebrado o padrão. Tinha violado o pacto com o mercador. Seu fracasso enchia seus passos de dor. Dor, pensou o Cadáver, é quando a dança para.

Aquela dor lancinante se localizava em algum ponto do peito. Parecia ter parado de funcionar e não o supria mais com o fôlego necessário para que as células do cérebro continuassem em atividade. Assim, outros recursos vieram em seu socorro. Fusões claudicantes. Interações trôpegas. Fracas, porque dependiam de laços que ele não havia desenvolvido, de conexões que ele não tinha estabelecido, o desapego que ele não havia alcançado. Débil. Mas elas vieram em seu socorro. Elas não dançavam propriamente, mas pelo menos se moviam. Elas não tinham opção.

É assim que são as coisas, pensou ele, enquanto seu fedor provocava as imprecações dos peregrinos. Não se pode escapar da lei da confiança. Não existe opção. Mesmo quando quebramos os termos do acordo, as consequências são graves. A dor é um pacto rompido. Estavam caminhando ao redor da Caaba quando aconteceu, ele recordou, e romper um pacto num lugar como aquele era fatal. Disseram que ele sofreu um ataque do coração.

No alto da escada por onde a escrava abissínia o conduziu, ele encontrou o jovem mercador sentado no lado direito da sala, cercado por seus papéis. Havia tapetes de junco no piso brilhante sob o sol, que reluzia através dos fragmentos de vidro colorido. O equinócio verdejante, o ardente rubi, tenro e vibrante, cachos de ametista em praias de pérolas. Um oceano azul anil, no qual o barco sacudia na direção da sua peregrinação: um mar de afirmação e negação. O velho rico parou na porta e tirou os sapatos com uma demonstração obsequiosa de humildade e deferência. O jovem mercador de modestos recursos nem o cumprimentou. Sua caixa de canetas e seu tinteiro estavam ao alcance da mão e ele estava concentrado na composição de um tratado, uma invocação, ou seria um poema?

Era bastante evidente que não podia ser interrompido. Sua cabeça, coberta por um turbante verde, estava curvada sobre a página. Ele cantarolava em voz baixa enquanto escrevia rapidamente, e com uma caligrafia requintada, sobre a delicada folha de papel azul. Sua escrita era como um sopro que varria a página. As palavras se desenrolavam como plumas da ponta de sua caneta de bambu. E mergulhava a caneta muitas vezes na tinta escura como sangue. A velocidade em que as palavras fluíam era assombrosa; condizia perfeitamente com o ritmo de sua voz melodiosa. O rico mercador de Bushir, que tinha vindo falar com ele sobre uma questão pessoal relacionada com suas transações comerciais, foi obrigado a sentar-se no canto da sala, junto à porta, com os pés descalços encolhidos por baixo do roupão. Foi obrigado a esperar. Queria resolver logo a questão e ir para casa, mas era impossível. Queria protestar, mas o contrato de cortesia não permitia. Havia rompido a lei da confiança e tinha de suportar as consequências. Ele se viu presenteado com uma tigela de água de rosas pela mesma serva abissínia. Para lavar as mãos. Para compartilhar o chá. O mercador estava meticulosamente limpo.

Não consigo lembrar quando foi a última vez em que eu não exalei mau cheiro, pensou o Cadáver, enquanto subia os degraus para sempre, pensando em anil. Tanto tempo levou para subir aqueles degraus para sempre.

Estava perturbado com a recusa do jovem, que não quis lhe dar o desconto de praxe depois da venda do anil. Todo mundo sabia que era um costume! A pessoa barganhava, fechava o negócio e depois também esperava receber um desconto. Aquele jovem mercador tinha recusado o desconto. Chamou aquilo de suborno. Chamou aquilo de desonestidade. Ele não admitia ser ludibriado. Por que ele estava trocando as palavras? Era só baksheesh, um costume tão comum! Você vai ter de mudar suas palavras, disse ele. Confiança é uma lei que transcende tais costumes. Mas todo mundo fazia isso! Você também vai ter de mudar seus costumes, disse ele.

Quem era ele, aquele jovem arrogante, que achava que podia mudar as palavras? Com que autoridade ele achava que podia descartar os costumes daquela terra?

Ele estava subindo os degraus, portanto, para discutir com o jovem mercador que havia mudado a cor do anil. Mas a cada passo ele se sentia caindo, cada vez mais baixo.

Então o fundo abandonou seu mundo. Quando ele olhou para a Caaba, usando os meios fora do alcance das células do cérebro, viu alguém parado ali, com o anel da pedra na mão. Minha memória está saturada de mim mesmo, pensou o Cadáver. Minha visão está ofuscada comigo mesmo, não consigo enxergar nem falar além daí. Mas de fato será que conheço aquele jovem?

O jovem parado junto à pedra preta estava murmurando palavras que faziam pressão no peito partido de um mundo que gemia. Murmurava palavras que irrompiam como sangue através dos tímpanos do mundo. Foi o jovem mercador que matou os costumes e fez renascer a lei da confiança na terra. Foi o jovem sayyid de turbante verde que mudou as palavras do mundo em Shiraz. E seu nome era perfumado. O seu mestre!

Ele ouviu as palavras do outro lado do oceano da multidão, um oceano agitado, em rebuliço, palavras tão claras como as vozes de pássaros que chamam ao nascer do dia através de uma janela aberta, como um cacho negro de sentido oculto que se move através da face da criação na brisa da manhã. Ele ouviu as palavras ditas pelo mercador ao lado da Caaba, claras como água da fonte, mesmo na hora em que estava morrendo.

Quem dera eu não tivesse nome nem identidade, pensou ele, e pudesse me tornar uma sílaba de palavras como essas. Quem dera eu pudesse ser parte disso. A prece era melodiosa sob a pena fluente do mercador e ele escutava com deslumbramento crescente, ali sentado, com os pés calejados encolhidos por baixo do roupão encardido da viagem, na sala do primeiro andar. Ele escutava com assombro crescente, sentado com o copo de chá vazio na mão, enquanto o mercador entoava as palavras que escrevia com maravilhosa agilidade e beleza, sobre a página azul-clara, de vidro colorido e dançante. Foi então que resolveu partir também em peregrinação. Sua última peregrinação.

Esqueceu-se do desconto do anil. Esqueceu-se, por um momento, de si mesmo. Por um segundo, parou de exalar mau cheiro, de tão tenra que era a fragrância da água de rosas nas palmas abertas das mãos.

Portanto, essa é nossa história, ponderou o Cadáver, recostado em frágil dissolução na parede norte da ruína. Uma história de podridão delicada e de sutil decadência, que dia a dia desenrola seu carretel. Uma história de confiança, uma história de mudança, uma história de desapego e vínculo, como o perfume no deserto, que perdura na memória de homens saturados de si mesmos. E, quando alargamos os passos, onde os odores desaparecem? Onde estamos quando o cheiro desapareceu? Disseram que ele devia ser reverenciado com um enterro em Baqr, porque tinha morrido em sua última peregrinação. Então, esse era o lugar onde aquilo iria acabar? Então, o que era o começo?

Ele soube, desde o momento em que viu o jovem segurando o anel da Caaba na mão azul anil, ele soube, desde o momento em que sua identidade pessoal desmoronou dentro do peito, ele soube que aquilo era o começo da história. Qualquer que fosse a fragrância do jovem no reino dos nomes, estava claro que ele tinha sido pronunciado pelo espírito dos espíritos. Os pássaros voaram como flechas de sua boca e estavam destinados a plantar sementes em todos os desertos do mundo. Eles giraram três vezes ao redor da Caaba e partiram com o som de uma torrente veloz.

Quando o velho morreu, ele ainda não tinha aprendido os passos. Não conseguia seguir o padrão sem cair. Suas ligações estavam atrofiadas. Mas, depois de alguns dias de dissolução, ele começou a chegar à transição entre os pronomes pessoais. E quem vai regar aqueles meus jardins depois que tiverem ido embora? E quem vai cuidar de nossos damascos? O que pode adoçar esse fruto sutil e aberto dentro de mim?, pensou o Cadáver.

Temos sede, sussurraram as sementes dentro do Cadáver.

Era difícil começar a aprender os passos, com seus sentidos tão ressecados, atrofiados, assim como seus pronomes, até que ele ouviu o barulho da água do poço. O poço o estava convocando para rezar. Não era uma barganha, mas um presente gratuito, sem custo. O poço tinha sido enchido com as preces matinais do mercador e elas borbulhavam até a borda. O Cadáver soube então que não tinha nenhum desejo de ser carregado além daquele ponto sem limites.

Se morrêssemos como se pudéssemos viver para sempre, a história seria interminável, ele se deu conta.

Ele soube, com a noiva, que a prece do mercador era a salvação de sua própria alma, e ficava diante dele, como um leve tremor, quando ele acordava de manhã, e se curvava sobre ele, como um beijo, quando ele dormia à noite. Assim como com o chefe, ele soube que aquilo jazia dentro dele como o perfume de uma rosa. Ele também soube, com o ladrão, que o Deus para quem o mercador rezava era o Deus do vento puro e das vozes do deserto, o Único verdadeiro que arde no paraíso de dia e pisa as dunas iluminadas pelo luar à noite. Ele soube então que a honra que preferia não era ser enterrado em Baqr, mas dissolver-se ali, naquele lugar, com o peregrino, junto ao poço.

E suas preces foram atendidas. Ele foi facilmente esquecido depois de tudo.

Ligado e desapegado conforme a lei da confiança, suas fusões fluíam rumo ao dervixe, a seus pés, que se arrastava para sempre, ladeira acima, em sua direção. Suas inter-relações abraçavam a escrava através da ruína em escombros para além de sua cabeça, e se demoravam com o sacerdote entre o poço antigo e o novo. A fumaça da pira fúnebre acalentada pelo indiano se dispersava em silêncio pelo desfiladeiro e se alojava, como uma memória, no lábio de pedra da fonte. E a multidão de enigmas do Cadáver se desprendeu e pairou entre todos eles com gratidão.

Eles começaram a beber em abundância.

Quando o ponto é certo, o círculo deve ser mais largo e a dança deve ser completa, pensou o Cadáver, quando parou de exalar mau cheiro.

☼

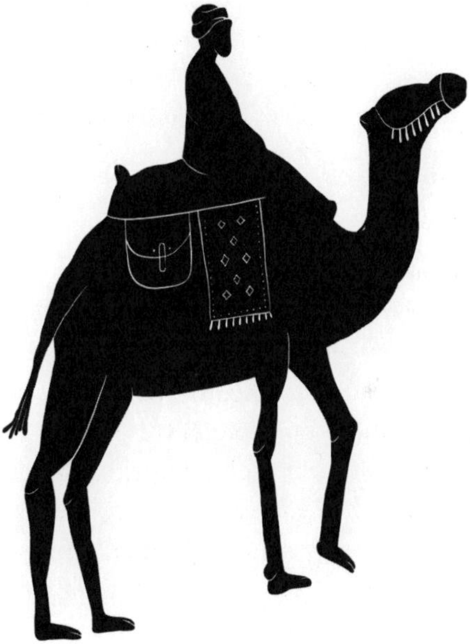

Glossário

Ashrama Os estágios da vida de uma pessoa; na tradição hindu, são quatro.

'Atabat O conjunto de cidades santuários dos muçulmanos xiitas no Iraque.

Avestas As escrituras sagradas da fé de Zoroastro, divididas em quatro partes: textos litúrgicos, cânticos, hinos de louvor e minucioso código da purificação ritual.

Dharma A lei universal, ordem moral, o "caminho certo" para viver, segundo os hindus.

Dhu'l-Hijjah O décimo segundo mês do calendário lunar islâmico, durante o qual a peregrinação do haje, prescrita por Maomé, ocorre.

Druj O povo da mentira, referência àqueles que, na visão zoroastrista, se opuseram à paz e à harmonia de asha, o Povo da Virtude.

Dukkha Sofrimento que existe neste mundo contingente, segundo o budismo e o hinduísmo.

Falacha Nome dado à população imigrante etíope que diziam ser judeus e pertencer à Casa de Israel. Segundo certas teorias, se converteram ao judaísmo durante o período da escravidão dos judeus, sob os faraós do Egito; segundo outras, são os descendentes legítimos de Salomão e da Rainha de Sabá.

Farrash-bashi Um comandante da guarda ou assistente.

Farsang Unidade de medida equivalente mais ou menos a cinco ou seis quilômetros, a distância que uma mula carregada percorre em uma hora.

Hajc A peregrinação islâmica a Meca, prescrita por Maomé. Todo muçulmano adulto deve fazer essa peregrinação, se tiver meios de pagar, pelo menos uma vez na vida.

Hajj-i-Akbar A maior peregrinação, durante o Festival do Sacrifício, que ocorre no décimo dia do Dhu'l-Hijjah, e cai numa sexta-feira santa.

Haoma Narcótico usado em velhas práticas corruptas na Pérsia antiga, e em momentos de oração entre alguns zoroastristas.

Haram Área proibida, inclusive o reduto sagrado em torno da Caaba.

Harb Uma das tribos sauditas cujo líder, Ibn Rumi, se revoltou contra o paxá otomano de Meca, numa tentativa de independência, em meados do século 19.

Ihram Túnica branca especial, feita de algodão cru, usada durante a peregrinação para Meca.

Kad khuda Chefe local de um vilarejo ou aldeia no Irã.

Kalki Encarnação de Deus,

que tem ordem de aparecer no fim da era da treva, segundo as escrituras hindus.

Khan Um caravançará no qual viajantes e seus animais se abrigavam em todo o Oriente Médio, até os primeiros anos do século 20. Num contexto distinto, termo respeitoso aplicado a um homem.

Khanum Termo respeitoso, em persa, aplicado a uma senhora.

Krta Yuga A idade do ouro, segundo a profecia hindu.

Madraçal Escola religiosa em que as ciências são ensinadas para estudiosos islâmicos.

Maidan Área do mercado ou local central de reunião numa cidade.

Memsahib Termo usado por indianos para referir-se a mulheres europeias ou donas de casa.

Mojaver Residente nas cidades sagradas de Meca e Medina.

Moksha Libertação ou salvação dos ciclos de sofrimento dos hindus.

Mujtahid Sábio ou sacerdote xiita que alcançou o nível de competência necessário para formular juízos acerca de tópicos da lei religiosa. Termo usado por sunitas para designar os fundadores das quatro escolas da lei.

Mulá Sacerdote xiita.

Punkah Leque usado na Índia, feito de pano e amarrado a uma vara; às vezes, é molhado. Deve ser sacudido para cima e para baixo a fim de produzir uma brisa fresca.

Qa'im O décimo segundo Imã, ou Mahdi, cujo regresso é esperado na "plenitude do tempo", segundo as tradições proféticas islâmicas.

Rajim Ritual especial do haje, que consiste em atirar pedras nos "ídolos" identificados com Satã.

Sahib Termo usado por indianos para se referir a um

homem que represente uma autoridade europeia.

Samsara Ciclo dos sucessivos renascimentos ou das vidas sucessivas que certos hindus creem permitir que alguns indivíduos avancem no caminho da salvação.

Sanatana Dharma A lei universal, ordem moral ou "caminho certo" da vida no nível cósmico. O Sadharama Dharma é um código geral de ética no nível humano. O Varnashrama Dharma estabelece costumes e deveres no nível social. Todo mundo tem um dharma pessoal ou caminho certo de viver.

Saoshyant O salvador que vai aparecer no quarto tempo do universo, segundo a profecia zoroastrista, e vai erguer os mortos para receberem sua recompensa ou punição final, depois do quê, o bem irá reinar eternamente.

Sayyid Da linhagem de Maomé, na terminologia xiita.

Wahhabitas Seita sunita fundada por Abdu l-Wahhab no século 18, que buscava reformar os acréscimos espúrios no islã, associados à extrema veneração de santos e à ostentação do culto, e que enfatizava o Profeta humano em vez de seus atributos divinos. O wahhabismo ganhou convertidos entre as tribos sauditas e travou uma guerra santa contra os otomanos.

Zibh Cortar a garganta de animais para o sacrifício de Id al'Qurban, no décimo dia da peregrinação islâmica.

Leia mais **BAHIYYIH NAKHJAVANI**

BAHIYYIH NAKHJAVANI
nós & eles

Nós & eles

Após sair do Irã e sem ter onde morar, Bibi recorre às suas duas filhas, Lili e Goli, uma artista em Paris, a outra americanizada em Los Angeles. Enquanto Bibi precisa se adaptar a culturas bastante diferentes, os problemas da família começam a vir à tona. Os conflitos sobre quem deve cuidar da mãe obrigam as irmãs a lidar com as obscuras finanças da família no presente, relações com o passado no Irã, uma meia-irmã deslocada e, sobretudo, com o desaparecimento de seu irmão mais novo, o qual a mãe vive a esperar. Bahiyyih Nakhjavani apresenta as fragmentações da diáspora iraniana em três gerações de mulheres e as suas conexões de afetos e desafetos espalhadas pelo mundo.

livraria dublinense

A LOJA OFICIAL DA DUBLINENSE E DA NÃO EDITORA

LIVRARIA.**dublinense**.COM.BR

Composto em MINION e impresso na PALLOTTI, em IVORY 75g/m², em FEVEREIRO de 2022.